戴國煇全集

華僑與經濟卷·三

◎未結集：東南亞華僑研究

目次
contents

未結集：東南亞華僑研究

輯一　東南亞華僑研究

輯二　從日本看華僑

戴國煇全集 12

採訪與對談卷·三

未結集：
東南亞華僑研究

翻　　譯：李毓昭·吳元淑·林彩美
　　　　　莫海君·彭春陽·章澤儀
　　　　　馮雅晴·雷玉虹·劉靈均
日文審校：吳文星·林水福·林彩美
　　　　　張隆志

輯一

東南亞華僑研究

日本人眼中的華僑形象
──以明治、大正時期為中心的試論

◎ 林彩美譯

一、前言

這是1969年歲暮之事。我求見當時尚在《南洋商報》（新加坡）很活躍的連士升總編輯，很順利得到回應，他指定在市政廳見面。因當天在那裡的展示場要舉辦新加坡代表性華人畫家葉之威畫伯的個展開幕典禮，連先生以主賓身分受邀，預定要上台致辭。

在被指定時間的30分前，南洋大學的C博士〔譯註：陳國彥，師範大學地理系退休教授〕開車將我送到。

博士說，他要去赴下一個約，隨即手指著高高聳立在市政廳正前面的白色尖塔，一邊說：「那就是有名的紀念碑」，一邊開車走了。

我想起從新加坡以及馬來半島來日的留學生諸兄告訴我的「血債問題」，以沉痛的心情走近白塔。

尖塔正面基石右側以漢字「日本占領時期死難人民紀念碑1942-1945」，又左側以馬來語「TUGU PERINGATAN BAGI

MANGSA AWAM PEMERENTAHAN JEPUN 1942-1945」，各以金字刻著。

現在是過去的反映。在此意義上，此紀念碑換句話說，是象徵日本的「近代」與華僑極不幸關係的傷痛歷史終點也不為過。

當然，我們抱著絕不能再有建立同樣紀念碑的未來願望，將這白塔看作是「不幸關係的傷痛歷史終點象徵」。

如眾所周知，此紀念碑是為了鎮慰太平洋戰爭時，日軍占領新加坡之後，立刻引起的屠殺事件的犧牲者（主要是華僑），以及在占領期受難而死亡的人們亡靈而建立。

紀念碑的建立是由中華總商會的主導之下，民間自主的獻金（捐款）與政府的贊助（提供用地）而進行，於1967年2月15日落成[1]。

知識分子代表者的華僑觀

爾來每年2月15日午前10時，在紀念碑前舉行慰靈祭[2]。

把話拉回。等連先生在展覽會的致辭完了，我向他遞出名片，並自我介紹告知來意。是初見面時的良好印象，亦或自我介紹的同時，我提起「連先生出身燕京大學，1920年代末期到1930年代，在北京有過種種活躍的事蹟」，「與顧頡剛先生有書信往來過嗎？」的問話令他高興吧，當天傍晚，他就直接邀我回連

---

1 參照新加坡中華總商會，日本占領時期死難人民紀念碑工作委員會暨募捐委員會《日本占領時期死難人民紀念碑徵信錄》（1969年3月）。

2 參照篠崎護，《シンガポール占領祕錄》（1976年8月），頁221。

家，幸運地讓我嚐到連夫人親手做的名料理。

　　飯桌上的話題當然是談及日本軍國主義復活論（正值佐藤・尼克森聲明剛發表後，連日在報紙上可看到頗嚴峻的對日論調）。

　　1935年，魏特夫（K. A. Wittfogel）受太平洋問題調查會及國際社會研究院的援助，在北京組織的一個研究團隊（最多時17名），連先生不愧年少受選身為之中的一員[3]，始終以冷靜而公正的態度以日本為話題。

　　連先生的提問與提起的話題告一段落時，輪到我提問。

　　第一，是關於血債問題的處理；第二，是日本人中有相當多的部分對屠殺事件不予承認，新加坡方面有沒有可供作證明的資料；第三，是把屠殺事件發生的原因，當做是戰爭時的突發事件，以不尋常的集團行為來處理是不妥當等等。

　　對於第一個提問的回答或者說明，因與本稿無關，所以從略。

　　接著是關於日本軍行動的資料存在的告知，因此日後得以取得此複印資料——附有陸軍省報導部，昭和17年4月，《馬來軍方面作戰主任參謀談》〔《マレー軍方面作戦主任参謀談》〕的封面，以粗糙紙張的打字印刷本，僅薄薄31頁的資料。

　　有關華僑的部分照樣再錄如下：

　　接著是華僑的問題。一直以來新加坡是抗日華僑的發源地，有

---

3 連士升活躍的一面，介紹於魏特夫著，平野義太郎、宇佐美誠次郎譯，《支那社会の科学的研究》（岩波新書，1939年4月〔譯自*New light on Chinese Society*〕），頁31，35。

胡文虎、陣（陳嘉庚）等一派。那是狐假虎威的傢伙，以英國的強大為恃，堅信不渝以為躲在其袖下是絕對的安全，虛張聲勢（像狗的長吠）誹謗日本，虐待邦人。對這夥抗日華僑，軍部決定加以徹底的彈壓，採取拔本塞源的方針，光是新加坡就處刑了六、七千華僑，柔佛（馬來西亞之一州，位於馬來半島南端，新加坡島對岸）約四、五千，全馬來就處刑了約一萬的抗日華僑。那是採用這種方法。也就是招集了華僑，問到：「曾經有拿過槍的人舉手」便找出來很多。

這些無疑是抗日激進分子，以這些傢伙為線索，如拉地瓜藤似地追尋毒辣的傢伙，等全部處決後再集合華僑的代表者，結果都嚇壞了。然後說「任何事都可聽命，請饒了我們吧」這樣懇求，所以「那麼你們的命姑且由我保管，今後一直觀察著你們，請做心理準備，如果打壞主意，隨時要你們的命，提出與日本協力的具體案來」說完讓回家，結果非常高興，到四月底提出五千萬圓（日幣），到十二月又提供五千萬圓，極力與日本合作。所以馬來的開發不用日本錢分文，而以利用華僑的資力的方針在進行。[4]

在這裡出現的作戰主任參謀，不必贅言是指辻政信第二十五軍作戰主任參謀其人。讀過全文便知道，這是在陸軍省報導部長所主辦報告會上的談話紀錄。可推測時間是在占領新加坡後的一個月，亦即1942年3月中旬前後之事。從文句中可窺知除了軍人

---

4 陸軍省報導部，《マレー軍方面作戰主任參謀談》（昭和17年4月），第29～30張。

之外，還有一些穿西裝者，亦即便裝組也在場。

　　這暫且不管，連先生應已看過這份資料吧。他也非常嚴肅而以肯定的語氣，指出屠殺事件的存在而進行談話：

　　「原子彈、奧斯威辛、南京、珍珠港，然後發生在這裡，新加坡的可惡事件，所有的事如果可用戰爭為名，如此瘋狂的場面來處理的話，那麼還有救。

　　「但是，這些一連串事件的背後，有叫作偏見的『心病』，經年累月被蓄積，藉戰爭的舞台，將其『烏黑的光』如閃電似地一閃一閃，將人們在瞬間追趕到死亡的深淵。

　　戰爭因其悲慘性有極為清楚的型態而令人易於反對。

　　「然而驅使人們去發動戰爭的因素之一，便是加強戰爭暴虐性、悲慘性起了相當作用的偏見即心病，是不易掌握的。又，一般來說，慢性蓄積在內心深處之類的病症，因為人們不易察覺而多被一直置之不理。

　　「另外一個問題是，我們人類，任何人都會以為自己想的、做的事情的動機是純粹而無私，對方所想與所做全是貪婪充滿惡意，抱持這種想法。然後被自以為是的幻想支撐著，嘗試著正當化自己對對方所做的種種行動，把無數的理由收到櫃子裡，必要時一個個拿出來想隱瞞自己。到破綻出現之前一直持續耍賴是一般的情形。」

　　聽著東南亞華人的代表性知識分子，報界人士的連士升先生，以溫暖、安靜而沉重的語調敘述，我聽著胸中有複雜的感受。

　　新加坡華人以及華僑的反日論調，對日本軍國主義復活的恐

懼感的心理根據，雖還模糊但似乎歷歷分明。但是如何才能正確地轉達給日本人、有沒有傳達的任務等思緒，交錯縈迴於我的腦海中。

明治以來至今，日本人與「華僑」（包含華僑與華人）之間，曾經有過真正意義的交流嗎？這個疑念同時在我腦海裡馳騁。

與連先生聚餐之前，我有數天的時間與南洋大學、新加坡大學的教授、學生們面談的機會。也當場聽了李光耀總理以華語（北京官話）演講，然後觀賞了葉之威畫伯的以東南亞風土與人物為主題的諸多精采畫作。

如以這些人們與他們所據以佇立的狀況與場景做為構圖來素描，是否最近的日本一般民眾，以目前被傳輸的資訊，能描繪出近乎實像之物。

在明治27、28年的戰爭（甲午戰爭）以來，在不幸的中日關係大框架之中，日本人看華僑並與之接觸而對應過來。

1945年8月15日以降，圍繞日本、中國、東南亞的狀況應已改變，但日本人所抱持的華僑形象卻幾乎未變，令人感到驚訝。

想想，連士升敘述的弦外之音或者是「戰爭與屠殺已經是過去的事。那無疑是不幸的回憶，但事情已過。但恐怖的是偏見的諸種形象，日本人的華僑觀是舊印象，依然一成不變，被持續下來而發生的不平衡，延遲了相互關係的正常化，如果又關聯到不幸歷史的重演，那就完全無救」的憂慮吧。

暫時假設誤解的歷史還持續著，那麼誤解的歷史始於何時？偏見又經過何種過程所形成？那諸種形象是什麼樣子？以上該是

我們要追究的課題。

二、與東南亞華僑最初的相逢 —— 明治時期

近代日本人與東南亞華僑正式、最初的相逢，可以說是中日甲午戰爭以降之事。

在這裡說正式、最初之意，是指日本人開始意識到華僑的存在，而對他們的印象開始造出形象的初期相逢之意。

以下我將介紹日本人論及東南亞華僑，且較具可讀性的文章，同時回溯日本人的華僑形象形成過程。

竹越與三郎《南國記》

我們第一本應注目的書籍是《南國記》〔《南国記》〕。該書在明治43年（1910）初版以來已再版多次。目前我們易於取得且容易閱讀的版本，是由木村莊五解題，明治文化叢書之一，在太平洋戰爭剛勃發後，日本評論社刊行的昭和版《南國記》。

此書作者是著有《日本經濟史》〔《日本経済史》〕、《二千五百年史》等大作的知名民間歷史家竹越與三郎（1865～1950）。

竹越最初是在《時事新報》、《國民新聞》、《世界之日本》雜誌擺開辯論陣勢，提升自己知名度的新聞記者。他又有志於當政治家，於明治35年當選為眾議院議員（後來當選五次），做為政治家，其能說善辯令人們驚歎。

　　解題者且為竹越在戰時的門生木村莊五，以及一部分的研究者最近將《南國記》定位為近代日本的古典，亦或為代表性南進論。

　　但是查詢本書成書的原委經過，便知道其與日本的台灣統治有著密切關聯。

　　竹越自敘：

> 明治三十七年，兒玉伯當台灣總督時，台灣係日本首先獲得殖民之地之故，有個向中外說明台灣受如何良善的統治，土民如何沐浴於新政惠澤的企畫，余受依賴，因做調查而滯留台灣一個月。[5]

如上所述，事實上他是為台灣總督府做台灣宣傳而助一臂之力。當時的精心著作就是那有名的《台灣統治志》（明治38年9月）。同書有英譯本，對兒玉總督、後藤民政長官的對內、對外輿論工作[6]做了絕大貢獻。

　　我想，當時的台灣總督府一方面要報答竹越的辛苦，再者想讓竹越勘查在東南亞列強的殖民地統治實際狀態，並期待他有新的提案，所以慫恿並支援竹越的南國勘查旅行吧。

　　明治42年初夏，竹越的勘查旅行從神戶出發，經上海、香

---

5 竹越與三郎，《讀画楼随筆》（昭和19年1月25日），頁96。

6 參照竹越與三郎，《南國記》（昭和17年1月），頁311。未實際看到書。〔譯註：寫此稿後某日，戴國煇購得大正4年1月4日增補版。此書初版發行於明治43（1910）年4月，至明治44年10月25日已發行第10版〕。

港、廣東、新加坡、柔佛、爪哇、蘇門答臘諸島、西貢、海防、河內、雲南省、海南島，經過五年又訪問台灣，而結束其行程。

《南國記》是整理上記的勘查旅行紀錄而寫成的。

這暫擱一邊，他在《南國記》裡如何看華僑呢。

他首先把在英領殖民地的華僑，在該書的〈海峽殖民地之生產與勞動問題〉之項，記述如下：

> 新加坡於90年前將之領有時，人口不過為200人之寒村，而今日人口變成23萬，不能不說是驚人的發達。然而此長足之人口增加，仔細將之檢點，卻是招徠東洋人之結果，英人增加的比例可見遲緩。即23萬人口中，歐洲人僅4,800人。這表示彼等僅以資本與智力，逐漸統治多數東洋人的同時，確是說明彼等之體質、習癖、人情，均不能在熱帶地定居下來，與東洋人競爭足足有餘。因此彼等由衷徹悟，捨棄妄想將其殖民地變成白人之殖民地，而純然以東洋人的殖民地，白人僅以武力、金力、智力將之統治為滿足，萬般政治無非全據此精神而被研究出者。特別是支那人比馬來人體力強健，智力發達，介於歐洲人與馬來人之間的聯絡機關之故，英人之目光特別關注於彼等之上，大凡本國的政治均以中等民族為政治標幟之故，將支那人置於考量中，又盡量將之招徠之故。[7]

做了如上掌握。另外又將當時新加坡中國人的人口實際勢力以

---

7 同註6書，頁187～188。

「而支那人占全人口之六成六分，其中三分之一為福建人，至此不能不謂支那人種勢力之大也。」[8]做如上的介紹。

其次有關荷屬殖民地做如何掌握呢。

真不愧為《二千五百年史》、《日本經濟史》的著者，於明治42年之階段，即引中國史籍為據，述及宋、元、明之中國、印尼關係史，然後說爪哇等有「中國賈人至，則以賓館待之的記載，可見已於宋時代支那人之往來多矣」的記述。

竹越據此歷史記載，於同書之第五「爪哇及荷屬諸島」下之「巴達維亞的人口」項目下有：

> 巴達維亞之居民14萬人，於人口上雖次於蘇拉巴亞（Surabaya，即泗水），但彼為商業都市，此為政治都府，故於廣廈大屋此卻比彼多。而從其人種來講，純然可謂為荷蘭人與支那人之都會。因為14萬人中，歐洲人有8,777人，支那人28,150人，阿拉伯人2,050人，其他大概為爪哇土人。（中略）阿拉伯人之多，為東洋其他地方無類似例子者。特別是其人，資本豐饒，長於商才，與支那人並行不停吸收利權。[9]

的記載，令人窺知在爪哇華僑活動的一斑。

著者繼續於同章「支那人之位置」之項有：

> 支那人移住蘭屬群島非一日，余已論及，協助東印度會社施行

---

8 同註6書，頁179。

9 同註6書，頁200～201。

> 強迫耕作法，支那人之力非小。其後受前後二次大屠殺，一時
> 幾無遺種，然而重以漲潮之勢移住而來。今依政府之報告，支
> 那人數為55萬人，但實際通曉情勢者謂，此數字偏少，70萬才
> 近於事實。

的記述。暗示華僑除了被利用為殖民統治的幫手，同時早已成為
屠殺的對象。

　　順便提一下，大屠殺之一應指清乾隆5年（1740）發生，有
名的「紅溪之役」[10]。

　　竹越又繼續做「彼等自礦山之勞工、田地之耕作、小商人、
大商人的主人，以至製造所之社長普及所有階層」的記述，提示
給讀者知道，華僑職業分布之多樣性與階級分化萌芽的狀況。

　　那麼遭遇屠殺之處境卻毫不畏懼、毅然生活下去的華僑，殖
民地當局又是如何應付呢。

> 今於蘭屬印度全體，看政府將官有地貸與人民之情況為，歐洲
> 人之237萬英畝，支那人30萬英畝。以未受本國政府任何援護
> 的支那人，靠其單獨力量，如何與受政府援護的歐洲人相抗
> 衡，而漸成經濟上的大勢力便足以首肯。爪哇有支那人以建源
> 為號的商店，其財力3,000萬盾〔譯註：荷蘭幣名〕，不僅是支
> 那人之富者，更被譽為爪哇全島最大富者。蓋因荷蘭政府開拓
> 殖民地之際，以歐洲人不堪勞役，土人樸愚又無氣力，處於此

10　參照成田節男，《華僑史》（昭和16年8月），頁372〜385。

間，既堪勞役且有氣力與知識，介於歐洲人與土人之間的勢力
爲支那人，知其爲熱帶地不可或缺的要素，同時知過度助長其
勢力，又自釀成危險。故對於支那人，僅止於利用其勞力與財
力，限制其自由，有欲盡量妨礙其發達之故。

的觀點。

　　上文中「以建源爲號的商店」即以爪哇、三寶壟
（Semarang）爲據點的建源號，亦即日後在日本也被做爲宣傳的
標的黃仲涵聯合企業[11]。黃仲涵是第二代，第一代叫黃志信，出
生於福建廈門，1836年在三寶壟開張一間砂糖輸出的小店鋪，後
來創立製糖業而致富。其成功談是好是壞都意味著東南亞華僑從
徒手空拳到大富豪之路的典型事例，而成爲業界中的話題。

　　成功與繁華背後，常背負著苦楚辛酸的歷史是華僑史的通
例。那苦楚辛酸，竹越繼續在「支那人之痛苦」之項描繪如下：

荷屬印度之法律行政有二個區分。一爲歐洲人以及同階級之國
民爲主，一爲土人以及同種類之國民爲主。已記述過，日本國
民以其優等之國家位置之故，受與歐洲人同樣待遇，支那人受
與土人同樣之待遇。故蓄有辮髮之支那人往往被拒絕乘坐一等
火車，日本人被拒絕乘座三等火車。此因一等火車爲歐洲人，
三等火車爲土人所設之故。支那人從自家居處轉移，每每被要
求出示旅行許可證。幾凡任何國人入境荷屬印度，必被要求出

11　詳細請參照稻村青圃，《南洋華僑とその実勢力》（昭和16年10月），頁36～44。

示旅行許可證之故，總必需申請一次。然而對於紳士之旅客只
要繳二圓五十錢〔譯註：日幣單位〕之許可費，旅社的經理便
代之到政府申請，因此不費事，然而支那人卻一一必到政府申
請不可。支那人如已擁有旅行許可證，經荷屬任何地方，法理
上應為有效。然而僅有支那人，由荷屬之一地方，旅行於他地
方，又必需要有另一張旅行許可證。如支那人之行商人〔譯
註：小販〕，因行商而日日轉移其居處，便日日需申請許可
證。此因支那人所至之處，吸集土人之利益，恰如猶太人進入
巴爾幹半島未開之地，大致令該地方之利益枯竭之故。租稅繳
收時，歐洲人逕自宣布其財產營業狀態，政府便照之發布繳稅
命令，至於支那人政府則不以其宣布為滿足，政府必親自檢討
其財產營業狀態不肯罷休。因此支那人之課稅常為歐洲人之
倍。又支那人不得私藏槍械，此僅其一例。萬事政府均以抑制
支那人為其政策故也。此政策本以歷史為殷鑑而顧念者，無疑
已獲全體歐洲人之贊同。因為這些支那人差不多不論在一百年
前或二百年前已居住於此地方，還依然是支那人，不同化於土
風，然而在本國也僅有墳墓，沒有職業，進之不為荷蘭人民，
退之不為支那人民。只不過是世界上住所不定的流浪者，欲將
之取締必要相當抑制之也。

　　從上文我們可以看出，竹越以一介旅行者而留意到華僑在蘭
領印度的法律地位、社會地位等受到很大的歧視，可領悟出其感
覺的敏銳。
　　可是由上文對於歧視的具體狀況不清楚。我們列出以不損傷

竹越的臨場感，而能將當時的狀況仔細說明的下面資料吧。

　　敘述者是竹井十郎。第二次大戰中，以通曉荷屬印度而受聘為陸軍省的南方政務部囑託，自創南方圈研究會，而歷任其專任理事、會長之人物。

　　他在明治34年，方21歲的年少之齡即赴香港、廣東，接著明治39年又從廣東渡海到爪哇學語言，涉獵荷屬印度，滯留當地長達23年。在此姑且引用竹井勘查時之蘭印華僑有關情況，以資為竹越所敘述之根據：

　　筆者於1901年出國去廣東，1906年由廣東航海到爪哇，所以對於當時的情景，因仔細實際看了當地所以知道，荷蘭人對待華僑實在傲慢無理至極。但那不只是態度，在社會上、法律上，大體華僑的存在未被認定，備受冷淡待遇、虐待苛斂誅求。蘭印的法律成文中有「外國的土人」一成語。即意味東印度土著民族以外的東洋人。（日本人自明治32年與歐美人同等待遇），支那人一直是以此「外國的土人」被對待。「東洋外國人」一詞是套用「外國的土人」而來。華僑在法律、社會上完全與土著民族同等待遇。然而並非有法律上的規定，只是漫然不明確的對待而已。對於土著民族，法律上有政府的保護，但是支那人沒有任何保護，有的只是苛酷的義務與制裁而已，沒有絲毫的權利被認定。1836年制定的荷蘭「東印度統治令」，規定東印度的住民不問本國人與外國人均需臣從，被強制臣從。華僑是外國的移住民，所以與土著民族同樣被要求絕對服從。但由於是外國人所以沒有保護的必要，這是荷蘭的態度。

華僑被限制居住區域、旅行，徹底地無教育機會。而富豪子弟
可捐高額款項許可特別入學，但在學校所學荷蘭語不被允許對
荷蘭人使用。華僑的子弟頂多只能在私塾式學堂學習馬來語。
支那人只是很方便利用的人，強健而勤勞，介於歐洲人與土著
之間充當橋樑。可盡量利用華僑，盡量榨取。不必給他們任何
東西，也沒有給的必要，是不可給他們。他們無背景無武器。
要榨取土著民也盡可用支那人。從支那人那裡，我們荷蘭再去
榨取就好，這就是荷蘭人對於支那人的對策與支那人觀。[12]

　　竹井的記述是1942年，亦即距竹越勘查之時30年後的資料。
但因為其擁有長期滯留當地的經驗，又擅長語言，故魄力是十足
的。

　　這暫且擱下，再回到竹越的問題。他的立場是徹底的，所謂
戰勝甲午戰爭、日俄戰爭，國威顯著伸展的大日本帝國，終於在
荷屬印度可享受到等同歐洲人待遇的「優等國家」的日本政治
家。從而以此為背景的勘查之行，其視角曾在前面觸及，是著重
在殖民地統治的比較考察；歧視的由來，比限制旅行涵義更深的
洞察等，並不在其課題之中。所以才有把華僑與猶太人做單純類
推之論述出現吧。單純類推論是否正確暫且不管，在明治42年的
階段，就已有從日本人之中出現華僑、猶太人類推論，此事值得
留意。

---

12 竹井十郎，《南方建設と民族問題》（昭和17年9月），頁214～216。

台灣勘查見聞

　　他的勘查之行目的之一，說穿了是在於為瞬間變成新殖民地所有國的日本，獲取今後推行殖民地統治可供參考的資料與完整的見聞紀錄。另一方面，是剛出版《台灣統治志》之故，他要檢證自己的見解，再者，是要把自己所主張的日本統治台灣的正當性，寄託於勘查之行的實際見聞，將之確認並想嘗試再強調。對於處在荷屬印度的台灣人法律與社會地位，他形容如下：

　　「台灣人的位置」——然而在此雖是支那人種，而非支那人之一種類，即台灣人是也。彼等之名謂台灣人，只因其父祖出自台灣而已。不諳台灣者亦不少。台灣是於彼等托生於荷屬之間歸於日本手中故也。於當時彼等亦私下辱罵日本為倭奴，奪取我故鄉者。然而彼等至今始感謝日本政府。因彼等受日本帝國統治之台灣人民之故，而日本與他國制度不同，因在殖民地適用其憲法為主義，台灣人做為日本帝國之臣民，做為受憲政保護之文明人，而受荷屬印度政府與歐洲人同一之待遇故也。余自南方泗水到中部日惹（周賈卡塔），在此有李之一姓。兄為清朝人稱為福州之民，弟為台灣人，是日本帝國之臣民。聞知余之遊歷，經日本人介紹，求余住宿其家。余到達時一族友人，相會迎余。聞其所說兄弟均有30萬財產，而兄因清朝人之故徵收之租稅為3,000圓，弟為日本人之故僅止於1,500圓。如上所說，在支那人之間所發生問題為：何故同一人種，卻一人痛苦，一人幸福這點。而解決此問題，不少人好像相信歸化

日本，以變成日本臣民爲捷徑。於是此間往往有自稱子爵或男爵之豪傑〔譯註：指騙子〕之一族類，稱能讓支那人當日本臣民，而騙奪多少黃金爲業者。[13]

以上記述，把前述「支那人的痛苦」與「台灣人的位置」做比較，並把歸屬日本殖民地的新附之民＝台灣人，原本同是中國人，而現在變成日本帝國臣民之一員，備受優遇一事，公諸於世。

曾經同樣是以「外國的土人」或以「東洋外國人」身分遭受歧視的日本人，隨著甲午、日俄戰爭的勝利而得以升格；相較之下華僑的母國每況愈下，被牢牢套進列強的桎梏，華僑隨之在出外掙錢的居留地的荷屬印度受侮辱、榨取及苛刻的對待。在嚴峻的逆境中，有不得不忍耐下去的想法，也是通情達理的華僑們的常情吧。

在那種情況下，有一部分人嘗試依賴台灣的親戚入日本籍，以避一時之難也不奇怪。

但是竹越說「而日本與他國制度不同，因在殖民地適用其憲法為主義」等記述，某部分並非正確。即在台灣島內沒有明治憲法的適用，所適用的只是叫作「六三法」的惡法而已。

僅僅台灣島內的有勢者或其相關人士赴外國時，可使用日本旅券而已，卻誇張記述如前文。尚且他又以此為伏筆，在考察行程的終點地——台灣的演說會上大吹大擂。

---

13 前引《南国記》，頁246～247。

他於「在台北的演說」之項說：

當我人在嘉義，台北東洋協會支部以電信徵求我做一場演說，因此立刻回返台北，談在爪哇、中南半島等的見聞。想來看到荷蘭、法蘭西在其殖民地壓服土人，虐待支那人，比較台灣土人的境遇，大概有天壤之別。在台灣母國人和台灣人在政治上是一視同仁沒有區別，紅十字會的事業及其他社會事業，盡量招呼土人的子女、公司也盡可能招呼土豪、進行水利土木事業的結果是，土人受到無限的惠澤，甘蔗的收購、政府規定一定價格，以保護土人農夫的利益，醫術的恩惠盡量擴布給土人之間，教育在土人之間也勸說。而出海外，非以殖民地臣民，而是以帝國國民，受一等國人民同樣的保護。以此與荷蘭以及法國殖民地的土人以及支那人談，他們大都不信天下有如此的樂土。台灣實在是支那人的洞天福地，對於天下支那人沒有比此地更為幸福的土地。支那人者，思及我皇如此恩澤，不可不忠誠報國……14

瞄準台灣有力人士的屈服而滔滔不絕。站在不得不讚揚台灣總督府治績的立場下，他的台灣政績讚美論是當然之事，也是可預期的。被統治方的台灣人不能照他所說的全盤接受，而台灣治績的內情也不像竹越所述那樣。這與本稿的主題關係太遠，對於台灣政治的反駁就暫且不提。就日本人的華僑形象的主題來說，

---

14 同前書（註6），頁332～333。

畢竟竹越未使用華僑一詞，即可得知，對他來說，華僑的存在，其實際狀態或是將來的動向，不是他關心的問題中心。不，或者應說當時圍繞著竹越的日本所處的狀況來看，華僑的存在還未成熟到引起人們的關心吧。

做為「支那人」一部分的新附之民＝台灣人，拿南洋「支那人」生活狀況與其相較，是極為方便的事。竹越僅在此範圍內對南洋諸地域的「支那人」表示關心，這樣說也不為過吧。

然而必須強調的一點是，當時的知名作家，又是名人的竹越的論說是，《台灣統治志》與《南國記》成為一對，將台灣的殖民地統治成功與「支那人」以臣從日本帝國為最高幸福之想法，在不知不覺中像咒文般影響了一般日本人。受此「迷信」之波及影響與所衍生來的思考方式，種下日後日本人對亞洲的認識與華僑觀深層的制式認知，筆者如是看。

再回到竹越的華僑觀。下面要介紹的是他在法屬中南半島的見聞記。這在同書法屬中南半島文章中在「法領之下的支那人」一項所描繪出：

當法人苦於西貢之炎熱，支那人毫不介意地生活、繁殖，在法國旗之下漸漸樹立起利權。世人談其交趾支那即是西貢，而比西貢人口饒多之都會卻在其附近，即提岸是也。提岸在西貢西北四英里之地，人口十六萬，今與西貢為同市。而其中支那人42,000人，不能不說繁盛。此地方的產物以米為大宗，而提岸為以運河集散土產之市場，運河兩岸大小精米廠林立。其事業大半不必說是在支那人手中。余步行於提岸市中，八萬五千以

上之安南土人，大半被支那人壓服，看到利權被吸收，不禁產
生悲慘之情。然而看到兩人種之容貌、體格遙遙相異，只有承
認無術可施之外無他。余只有對支那人身心之雄偉歎美而已。
支那人不只在此地為優者，且散在法屬中南半島之全體，南自
安南，北至東京，馬來人之國的經濟上權力，為支那人掌握，
法人又站在其上攬政權而已。[15]

　　所描寫的中心不待指明便知是西貢與提岸的中華街。他的形
成邏輯因受遊記之局限，有不得已之處，但以人的容貌、體格的
差異而判斷經濟活動優劣的作法在此也可看出。又前面已出現
過，以人種對風土適應能力之差別所致經濟活動能力之人種間差
距的特異理論，在當時似乎很少被質疑。

　　有趣的是，在竹越一連串的形式邏輯當中，他始終承認「支
那人」在南洋的優越性，更甚者是把「支那人」捧為讚美的對
象。

　　然後，對未將這些「支那人」善加利用的荷蘭、法國當局之
不明智，與英國的作法比較時，則做出婉轉且表示憐惜之情的論
述。他說：

那支那人於此國非一日行旅之關係（中、越關係有長久歷史已
記述在前）之如也。然法人治理此國，宜寬容支那人，勢宜與
支那人協同。然以史實觀之，支那人於此國內受壓迫抑制，

---

15 同前書（註6），頁265～266。

有如同於爪哇。余於此間不能不感到英法兩國殖民政策之異同。[16]

在此竹越嘗試言及感覺英法兩國殖民政策有異同，即指因引進中國人勞動者在殖民經營作法上之差異。

接著有關華僑在法屬中南半島的境遇，映入他眼簾的描寫介紹於下。他在同書第六法屬中南半島「被虐遇的支那人」之項下寫：

若步行於交趾支那的都邑，可以發現市街大商店主人，田野之富有農夫等，大都是支那人，所以不叫交趾國，而叫交趾支那令人感到適切。假如得以把此等支那人放逐於國外，所剩只有懶怠而無智之馬來人。工業因之而衰，農業為之而退。然而法國政府不用心於招徠此勤勉而善良的支那人，反而試行種種壓抑政策。假如支那人不問老幼男女，每年每人被徵14圓50錢之人頭稅。繳納人頭稅已非容易。至金額達每人14圓50錢對客旅支那人不得不說是一大負擔。然而法國政府欺負支那人不止於此，更設支那人使傭稅，傭主每年被徵至少70圓，多則240圓。以致事業家盡量不傭用支那人。此外支那人在國內遷徙時需要旅行許可證，就不能不說法人對支那人嚴厲到了極點。然而法人將支那人驅逐，則可吸集其利權否也不然，富於彈性的支那人，面臨這種排山倒海的壓抑之下，汲汲孜孜勉於產業，吸取

---

16 同前書（註6），頁266～267。

利權。因爲歐洲人於體質上，處熱帶地到底非支那人之敵。因
此驅逐支那人之目的不遂，而所餘者爲令支那人對法國的壓抑
憤慨而已。余奇怪有政治天才之法人何故不知曉此事。[17]

竹越作如上描敘並挾雜疑問。

以上我們不嫌冗長地介紹了竹越的華僑觀。嚴格地應說當時
竹越可能並沒有華僑觀。前面已提過，他的興趣是關心「支那
人」在殖民地如何被使用，與統治者的關係如何，如何從殖民地
賺到殖民地利潤的見聞等事。

竹越在初次與華僑的相逢沒有輕侮之念，倒是十分值得留
意。接著從大正期的諸文章中找尋出第二次相逢。

三、悲哀的相逢底子──大正時期

做為第二次相逢，首先的論考所顯示的是井上清《南洋與日
本》（大正2年7月刊行，478頁的鉅著）。有關作者的經歷與該
書被閱讀的情形所知都不多。但書上有後藤新平和時任農商務大
臣的山本達雄題字，以及大倉喜八郎所寫序文，這些可加以關
注。

由該書的凡例可知，作者是比竹越稍晚些，於明治45年6月
從東京出發，7月8日抵達新加坡。自新加坡花四月餘時間遊歷南
洋各地，於大正2年（1913）1月22日回到神戶。又他是「以一個

---

17 同前書（註6），頁267～268。

實業視察者進入南洋」，講明「專門的學術研究非余之目的」而撰寫本書[18]。

他與竹越一樣，未讓華僑一語在本書登場。

井上清《南洋與日本》

映入井上清眼中的「支那人之勢力」是怎麼樣的呢？

同書第二南洋之咽喉＝新加坡（英屬海峽殖民地之一處）。「支那人之勢力」項目下這樣說：

支那人之多實占海峽殖民地總人口之過半數。而彼等主要居住市街，少在地方之故，如新加坡及彼南〔譯註：Penang，即檳城〕的支那人占六、七成之狀況。（中略）從而支那人於此地勢力之大或自稱南洋之豪，擁有數百萬之富者有十數，至於擁有數十萬金在活動的商賈不知有幾許，彼等之故鄉為廣東、福建、海南、瓊州，不只由各自之會社推出參與新加坡市政之議員，彼等之商業會議所不如英人，在政治上不被承認，但擁有令殖民地政府和市政局也得仰其鼻息的實力。如果支那有志者不點頭，就連英人在新加坡也有難能舉辦一事之歎。有占據新加坡重要交通機關重要部門人力車夫，全為支那勞動者，車夫雖讓人有不足取之賤業觀感，曾經有獨（德國）人某，因毆打一車夫，此事頗令此等勞動社會憤激，立即斷然舉行罷工，以

---

18 井上清，《南洋と日本》（大正2年7月），請參照凡例，頁1。

至新加坡市民皆不得辦其日常雜事，聞說市政局百方設法盡其
慰解之方，終使車夫團體復業。又往年廣東人之辰丸事件而激
起之拒買日貨波及新加坡，日本商店皆受池魚之殃而遭破壞之
厄，更甚者連支那人販賣日本製品之十餘商店其所有商品均被
燒盡，茍云是日本人則如米鹽且不賣，我同胞悉被踢落孤立之
境遇，一聞支那人拒買之語彙，至今尚感到滿身雞皮疙瘩，有
如此談者，應知英國殖民地開拓所必要之勞力，捨支那勞動者
不容易求諸他法。此即彼等受輕蔑卻又受歡迎之故也。[19]

　　從以上短文中，所含重要事項至少有三。第一，為人力車夫
罷工所能看到的政治意識、民族意識在下層華僑社會的滲透與高
揚；第二，因辰丸事件[20]所引起的對日拒買事件由華南到香港而
波及於南洋，其衝擊對日本人及英領當局都不小；第三，是政治
意識、民族意識的高揚與團結的集團行動力顯現，全面地否定了
「支那人＝順從」論，正是井上所言「彼等之受輕蔑卻又受歡迎
所以也」存在的華僑開始受到鏡頭的特寫捕捉。

　　從而對於以破竹之勢伸展開來的日本帝國為背景的一般日本
人，在第二期的相逢之初，「在南洋的支那人」是當做對日本的
競爭者、抵抗者的不愉快存在，開始登上有干係的日本人意識
中。可說正是悲哀的相逢開始。

　　但是在辰丸事件中被燃燒的是中國人方面，日本帝國發出

19　同註18，頁60～61。

20　請參照菊池貴晴，《增補・中国民族運動の基本構造──対外ボイコット運動の研
　　究──》（1974年9月），第2章「第二辰丸事件に関する対日ボイコット運動」。

「最後通牒」，揚言派遣軍艦令清朝屈服，因此達成所期之目的，但身為作者的井上不怎麼興奮，繼續記述中國勞動者如下：

> 已如世人所熟知支那人忍耐力之強與富於黏著性，不可不謂世界之冠。生活於新加坡之各國人，畏懼其酷熱、厭惡徒步，出入必依賴人車（人力車），其車輛被預估約一萬，從事此業之支那人車夫數量為同市總人口二十六萬九千六百餘（1911年調查）之約一成。彼等營營勤奮於牛馬之業，為各國人之不能為，卻不羞不怒，唯一念奮鬥不休。其收入一日一美金乃至三美金，且又能善於儲蓄其零頭，有從事侍者、廚師、清潔夫、日工等勞動者大概也是支那人。屬於此業別者月收入額得八美金乃至二十美金，從其中蓄積點滴於財。

　　文中不見對華僑輕侮之念，倒是留下他們如雜草般生活在大地之上的勤勞姿態，他以讚美之情描寫。

　　但是，隨著對立漸深，華僑勞動者如上記之勤勞模樣，便轉而變為輕侮、做為無可替換的理由被孵育，這是之後的史實。

　　作者在同書上也言及在金礦、錫礦當礦工的中國人勞動者。特別是在馬來半島的狀況如下：

> 礦工中大部分是支那人，馬來人與泰米爾人等被採用的其數極少，1911年度的礦工的總數196,400人中，據說九成是廣東、福州、海南、潮州等出身的支那人。原來馬來的錫礦採掘業最初是不限定礦區，採礦許可證發給申請者（主要是支那人），

令其自由地探索各地，隨著發現礦脈，才把礦區及面積等等寫出。特別在變成英領之前，土人酋長與支那人之間任意締結條約，幾乎有如山賊般的行動、不擇手段去採錫，現時馬來地方之支那人擁有數百萬財產者，皆依此錫業而致富者。

而描寫與日本人在錫礦區缺乏礦工的關聯，則如下：

將此向日本徵求礦工亦難於求得，且其勞銀不能不說昂貴（普通支那人的勞銀是預支其渡航費與斡旋費之後每月扣一美金乃至五美金）故，不得已漸漸將之讓支那人來承辦。在這點上日本移民的渡航應大大的歡迎，但到底是否有如支那人同樣的氣力與體力，令人感到甚為可疑。[21]

我想讀者應已發覺，井上與竹越一樣未使用華僑的用語。有談到商業者的地方幾乎沒有，多以肉體勞動者與富豪中國人的介紹為中心，這似乎是很有趣的關心法。

中井錦城《南洋談》

第三本要嘗試介紹的是中井錦城的《南洋談》（大正3年5月）。

中井也是把兩次的南洋旅行的見聞，先在《讀賣新聞》連載

---

21 前引《南洋と日本》，頁369～370。

之後集結成書，似乎頗被廣為閱讀。

這且不論，依中井的序，它於大正元年6月做了首次的南洋之行，遊歷新加坡、爪哇、巴達維亞，同年8月歸國；翌年4月再遊新加坡，同年6月歸國。

他也不使用華僑一詞，而論述「南洋勢將成為支那人之國」。

中井首先列舉荷蘭對華僑的虐遇如後：

> 然而彼等挨罵便默然，挨打便伏服，被追趕便逃亡，以非常的忍耐力留在爪哇，之後陸續又有新渡來的人相接續，舊在的人被叫作山人（峇峇），早已不諳支那語，不解支那文，如衣食住則改成荷蘭習俗與支那作法的折衷，又新來者則稱之為新客，過純粹的支那人生活。[22]

以上將南洋華僑有峇峇（土生）與新客（從中國新渡航來的第一代）之別，作第一次介紹。

中井接著介紹辛亥革命（始於1911年10月10日武昌起義）對爪哇華僑社會的衝擊：

> 正當此時支那本國突發革命之亂，爪哇的支那人認為良機到來，互為祝賀，而開始示威運動，即在泗水市，數千名支那人相會，飄揚彩旗、鳴放鞭炮，對革命大表祝賀之意，其過於喧

---

22 中井錦城著，《南洋談》（大正3年7月再版），頁125。

噪之故，荷蘭官憲派遣憲兵巡查加以制止，不料惹起一場爭鬥，遂導致支那人死傷，對此支那人大為忿怒，立即發起聯合抵制，蘭國官吏馬上缺乏食料、饑餓日迫，無可奈何，因此不得已至向支那人謝罪。

以上記述有關當時祝賀會的糾紛，有關華僑方所採取的抗議行動成果，接著有如下記述：

而又一方於支那人方要求海格駐紮公使與荷蘭本國政府交涉，（一）有關擊殺支那人有責任的官吏，依法律處分；（二）被殺害之支那人，由政府設祭典與以埋葬，且支付遺族賠償金；（三）負傷支那人由政府給與醫藥，且對其負傷者支付賠償金；（四）蒙受損害之支那人賠償其損害額等四條之承諾，完全歸諸支那人之勝利。[23]

勝利的果實不止於此。對升高一方的華僑民族主義，荷蘭當局到底是棋高一著，做如下對應：

荷蘭政府吃到苦頭，於巴達維亞市支那人之革命祝賀會，由理事廳贈送1,000荷蘭盾以助其盛況，理事官至會場做祝賀演說，荷蘭政府自此於巴達維亞市之市參事會員中加入支那人，公開許可設立支那人學校，默許乘坐車船一等艙，旅行許可證辦理

---

23 同註22書，頁127～128。

從寬，於巴達維亞市，僅飲食店許可營業於居住區域外，漸漸
容許支那人之自由，令彼等歸化荷蘭，欲圖領土之安固。

　　從上文，我們可以領會當時華僑是以何種心情迎接辛亥革
命，又把祖國的強大化（他們抱持預期到那可能性的心情）關聯
到自己地位的改善，經由荷蘭當局態度的改變實際感受到。這些
轉變成日後對於日本帝國干涉中國革命、中國統一的反彈，支持
聯合排斥日貨運動的精神能源。

　　可惜中井的「一朝本國有事，自南洋等募集捐款，後援其黨
派，相信實是此新加坡。」[24]從前述可知道中井對籌款的預見是
猜對了，但華僑對強大近代中國的出現寄予極大願望，與可連結
到防衛祖國的華僑覺醒、華僑自身所體現的民族主義潛力的強度
及萌芽，他則未能發現。可說是於悲劇性相逢之前，遺憾的擦肩
而過。

　　這很難得的機會，中井卻眼睜睜地錯失了。但是他不是排除
華僑，而是認為日本人如想在南洋發展，與華僑創造合作、和諧
的關係是必要且不可或缺，對此他熱切地敘述並主張如下：

南洋為支那人之國，日本人想經商者，不能不以支那人為顧
問；欲從事農業、林業者，不得不僱用支那人；又欲興工業、
漁業者，必乘支那人之所不能為。總之南洋事業不應與支那人
相背離，然而於南洋之日、支人之間像風馬牛不相干，兩國人

24　同註22書，頁131。

之接觸只不過在此新加坡之國民黨大會招待《南洋新報社》社
長爲主賓、有關爪哇支那銀行之設立，向新加坡台灣銀行支店
乞求援助而已，如此者非因日本人在南洋活動之故，將來宜於
利用支那人，應以此做爲開拓前程之努力。[25]

　　南洋華僑的主流是福建、廣東兩省出身者為多。甲午戰爭後
的台灣殖民地化，辰丸事件等等所目睹的日本帝國之橫暴作為，
明顯地傷害華僑的對日感情。前面所提，在荷屬印度有志於歸化
日本籍者僅是一部分人的舉動，並不足以成為主流。在日蘭關係
上，即使在華僑之中其志向有形成多數的傾向，也不容易被荷蘭
容許吧。

　　從而中井所指出當地日本人與華僑的關係不一定好，是傳遞
了事實。但是中井在本國之間〔譯註：指中日〕沒有樹立友好關
係，在客旅之地高唱協調，合作關係的創造，也只是畫出的大
餅，他是否在明白局勢後說出這樣的話，如果是這樣，可說真是
太天真的認識與議論吧。

大野恭平《南國》

　　隨著日本資本主義進入大陸與南洋更加擴大，南洋華僑在母
國與在南洋所占地位逐漸明確地被意識到。對此最為明確提出的

---

25 同註24。

是大野恭平。他在自著《南國》[26]說：

> 此等移住民（指南洋華僑），是研究南洋者，不獨不可忽略的
> 問題之外，又欲論支那者必不得遺漏之大勢力。彼等之匯款，
> 合計每年約一億美金，不僅在支那經濟界有深遠影響，亦常以
> 新風氣之輸入者，在支那文化上擁有偉大勢力。[27]

其論點在大正4年如此早之時期指出，真令人瞠目結舌。

大野的指出有兩點是重要的。第一，指出華僑對祖國匯款的重要性確為卓見，但隱藏在可觀匯款背後的貧困出外打工華僑勞動者的存在，在匯款議論中，不知不覺被遮掩掉，確是遺憾；第二，清朝剛崩潰後的混亂期，華僑方對國內的資本投入而創設事業，帶來頗大的刺激與喚起新風氣。又受了歐洲系統的教育，吸過與祖國不可比擬的自由空氣而成長的華僑青年，馳奔加入祖國的建設。他們如大野所說，以新風氣注入者的角色，於辛亥革命前後便扮演好了。

大野之著書說來是大正4年的出刊，可卻是一本卓越的華僑情況介紹。他也並未使用華僑一語，但華僑社會的形成略史暫且不談，其現狀介紹可說是比目前為止所提出的任何論考，更直指問題的核心。

首先舉出一例，將其有關馬來半島狀況論述摘要如下：

---

26 《南國》（大正4年）的原書未能尋獲之故，本稿使用田中末廣編，《先覺諸家南方建設編選集》（昭和18年9日）所收〈支那人と南洋〉。

27 同註26，頁472。

錫礦業的勃興不外是招來彼等多數之主要原因。1870年前後，當英人開始踏進半島內部時，彼等既已多數相集，所在之處形成大部落，已逐漸從事錫礦採掘。如斯，由支那人開始之馬來錫礦業，爾來亦由支那人所繼續，及至今日，產生世界總產量一半以上的馬來的錫礦業，大概逐漸由支那人採掘。

描寫華僑在錫礦山開發所扮演的角色，結果是：「今日居住於馬來地方之支那富豪，大半是由錫礦礦工出身，終至蓄積鉅資者也。」。

往年錫礦礦工的招募是募集福建、廣東出身的契約勞動者（苦力），以苛酷的待遇任意驅使，但如今已是：

> 小資本之支那人等，協力任此經營之風漸次發達，資本方、經營者以及苦力三者之間，採用如利益分配經營法，以至彼等支那人經濟基礎穩健鞏固。[28]

其將華僑初期產業資本「股份公司」型態的出現，傳達給我們。

接著是關於馬來半島的橡膠園經營，是如何呢：

> 此等橡膠園勞動者大半也是支那人，而且他們或是獨力，或是協力逐漸擔任其經營。又加入大組織之股份公司者亦不少。今

---

28 同註26書，頁477～478。

於馬來地方，稱謂dollar股的股券的大半，應可看作屬於支那人
所有。此外橋樑、鐵路、水道等政府工程的承包人幾乎全是支
那人。於商業範圍，九成屬於支那人掌中。此外伐木，木匠為
始，各種小工業、漁業、陶器或磚瓦製造、木炭製造等幾乎在
支那人掌中……

他介紹了華僑果真不僅錫、橡膠，還有活躍在其他跨多樣領域的
實際情況。

他又以把握此實際狀況為前提：

得說英人來馬來半島始有政治，支那人來馬來地方始有產業。
馬來地方之經濟開發，從來即全依此等支那人之手所行之者，
其過去之功勞不僅偉大，即便今日馬來地方之經濟實力亦大半
在支那人掌中，絕不能將之忽視、等閒視之。[29]

其將華僑經濟力之強大，強調如上。

大野的這種現狀把握，令人一面有如傳達事實的錯覺，有容
易被接受的性質。但是稍微冷靜地思考，本來殖民地支配不止為
掌握政治，因此大英帝國放任華僑控制經濟應是不可能的事，應
自分明。

那麼由「經濟實力亦大半在支那人掌中」云云之評價可知，
其實是誇張之外無他。鉅額資本與財政收入之動態是一般人所看

---

29 同註26書，頁478。

不到的。華僑經濟的領域正是容易看見，具有日常性之事以至容易產生錯覺，華僑絕未曾掌握經濟實力於掌中才是史實。誤解開始於此。

英屬馬來之現狀之外，中南半島、暹羅、荷屬印度等之現狀，亦有詳細言及，在此便割愛，最後直接把大野的華僑觀介紹如下。

以日本的輕工業品進入南洋愈益成為課題的時期為背景，大野以「商業上的敵手」將華僑分析如下：

> 真的應恐懼之敵手阿拉伯人、印度人、支那人有相類似之處。南洋之土人完全無商業上能力，此等三人種實際有壟斷南洋零售商權之可能。但是印度人、阿拉伯人實際雖為經營零售業，而其本業多為高利貸。他們賣商品多不求利益，或以原價，或低於原價將之賣掉，令顧客驚訝。他們以如此（作法）把握到的資金，以甚高的利息融通。（中略）支那人也往往如此，但以商業策略上而為之，真正應恐怖之敵手實是彼等支那人也。（中略）不獨於商業方面，於諸多點上，支那人為日本人對南洋發展，最應恐懼之敵人，特別於商業然也。[30]

其作了以上論斷，具體地向世間控訴，華僑為日本進入南洋的敵手。

大野將華僑當「日本人對南洋發展，最應畏懼之敵人」做斷

---

30 同註26書，頁484。

定之後，他又究明其應恐懼之因，呼籲應求索其應付法。他說：

> 支那人所應畏懼非支那人其人，而是吾不解其所以畏懼而應畏
> 懼也。詳解支那人之長短，其所長之處吾學之，其所短之處吾
> 乘之，則支那人絕非所畏懼。[31]

其發表對應好敵手之基本見解。

接著把他所舉「支那人」所長之點，與相對的日本人所短提
示如下。

> 第一，勤勉是也，彼等不斷鞭撻其筋肉與腦，奮鬥不以爲苦，
> 反之日本人多數欲袖手安坐遊逸。第二，彼等甘於簡素，且其
> 生活方法本來不要多費用。反之邦人不僅懶惰，又甚喜裝飾外
> 表多要無用之費。既已生活花費少而且勤勉，以此，支那人比
> 邦人營業花費少，加之又甘於薄利。邦人既已奢侈且懶惰，
> 不僅不能甘於薄利，又所謂急於賺厚利且短視。此其第三點
> 也。……

如此做了比較，然後提出如下的弱點，加以疾聲鼓勵：

> 支那人於社會組織強，卻於國家組織弱。於此點日本擁有統一
> 的國家勢力組織。藉其力去處事，與支那人之競爭則易如反

---

31 同註26書，頁485。

掌。諸如更加擴張金融機關亦其一也。於此點支那人絕不足爲懼。

最後又把中國人的合同團結力，在南洋各地可看到的同鄉會館，以合股公司所辦事業的合資經營舉例稱讚[32]。

令被稱讚的一方會感到臉紅，極為表面而欠缺洞察的觀點亦可散見於書中，但此事對本文主題不太重要。

重要的是他提出：把華僑看作日本進入南洋最為可怕敵手的見解，及有機會便要乘其短的議論。

四、日本國內「華僑」議論的開始

除了台灣銀行的金融調查小冊子外，日本國內使用華僑一語的華僑議論，何時、由誰開始並不清楚。到此所查閱諸家，任何一位都未用華僑的表現去展開其論述而彙集其旅行紀錄。

要寫本稿所收集的文獻，將之依刊行年月的順序而排好做考察時，開始使用華僑用語的書籍是增井貞吉的《從經濟上所看荷屬印度》。

增井是三井物產的南洋駐在員。明治44年到任海峽殖民地，爾來駐在荷屬印度以及法屬中南半島等各地，其中八年在爪哇，大正13年歸國，有13年長期滯留經驗[33]。

他在其著作第八章「在荷屬印度各國的經濟勢力」的第五節

32　參照同註26書，頁488。

33　參照增井貞吉，《経済上より観たる蘭領印度》（大正15年12月），頁7。

「荷屬支那人的地位」展開華僑論。

在標題為「由支那的移民，所謂的華僑」中說：

做爲最重要商人的他們，與其競爭者阿拉伯人一起形成中間商人（middleman），成爲百貨買賣不可或缺的連鎖，即當歐商經營土人農產物的輸出，必經過支那人仲介，由其自內地購買產物之必要。又由歐洲輸入製造品的大部分販賣經過支那批發商之手，賣給土人小商人或消費者，是其現狀，（當中間商人之外，米與砂糖係由支那商人做爲直接進出口業者，亦占相當的地位）因爲土人大多數爲農夫，較少商人，加上土人商人的信用以及在財力能爲歐商交易對手的不過極爲少數。反之，於農業等其他產業，支那人並無深厚的根柢與勢力，以企業家者論，除了少數大資本家之外，大多數的資本既小而經營方法亦是支那的舊方式，至今猶墨守成規者爲多。總之，做爲商人企業家，支那人的活動爲地方性，談不上國家性或國際性，彼等應獲讚賞之努力，亦單單爲自己增加財富以資生活享樂，同時爲子孫留美田而已，對荷屬與支那本國間，或與他國之間的經濟關係不起重大影響。[34]

由上所述顯示其卓越的分析與見解。至今我所尋查的論考、記述之中，可說這是最爲客觀與冷靜的看法。

增井把時代背景如實反映「此等南洋之資產家以華僑之名對

---

34 同註33書，頁540～541。

支那本國之政治界（特別是廣東政府）多少有影響為支那革命以來之事，完全由於彼等所擁有金力之故。」徹底看破之點，也值得注目。

可是增井也與其他的論者同樣設立「支那人的性格」之項目，言及華僑的性格。

> 支那人的同種族、同鄉黨的團結性很強，對其拒買同盟頗需警戒，特別是廣東人的排他性猛烈，時或出現盲目的一致行動，應留意的為支那人之外貨排斥並非必然的常對日貨排斥，而是排他，非排日也，支那人於某意義上，最知曉團結之力，彼等如於政治上、軍事上立於弱者地位之場合時，做為自我防衛之方法，以為報復與牽制之目的，不外乎訴諸其最得意之經濟上手段，話雖如此，時或直接行動乃至訴諸暴力也並非無此事。今次發端於上海之排外暴動為其一例，於荷屬亦有嘗試向市政廳猛烈反抗之歷史，較之進取的侵略支那人更長於退守，彼等執著力強且富於自負心（《倫敦時報》稱之為對外偏見），一度團結的話，其力不可輕視，特別是1911年之支那革命以來，一部分支那人之間，國民覺醒頗為顯著。[35]

以上提示至今所尋覓諸家之議論所看不到的觀點。不用說那大部分是繼辰丸事件之後，對1915年日本的「二十一條要求」的反抗而發起的抵制日貨運動，1919年的「五四運動」，再是1925

---

35 同註33書，頁543～544。

年5月30日的所謂「五三〇事件」等而發生的激烈抵制日貨運動，只是以三井物產的社員的身分而體驗、觀察所得的見解發表而已。話雖如此，但其描寫極為保守，不知是基於什麼原因。

　　自明治35年以來滯留南洋達35年的醫生西村竹四郎，以日記所留下的《新加坡三十五年》（昭和16年8月刊行），以「日本人界之排日受難」[36]，由其描寫所記述的範圍內來看，可說溫和的。

　　為提供大家參考，把西村日記之大正8年6月分的日記抄錄於下：

> 6月14日。晚七時，支那人暴徒蜂起，以花柳界為中心，破壞日本人家屋。（中略）終於為數百千之支那人暴徒高喊著而擁到。（略）暴徒如饑餓的暴虎般吶喊而來，有破壞日本人家屋之門者，打破玻璃窗的聲響，變成非常的騷亂。（後略）
> 6月21日。發布戒嚴令，全市的交通機關只有汽車在動，電車與人力車都杜絕了。（中略）支那人商店把日本製品搬到店前，放火將之燒掉。那火焰濛濛瀰漫全市，呈現可怕的光景。無人將之制止。[37]

五、結語

　　以上我們將明治、大正時期諸家（特別是有實地勘查或滯留

---

36 參照西村竹四郎，《シンガポール三十五年》（昭和16年8月），頁190等。
37 同註33書，頁194～195。

經驗人們）的華僑論依出版時間順序列舉出，將其菁華做了介紹。

在這些議論範圍內所見，不但看不到對華僑的輕侮，可說對華僑的讚美論成為主流，如此說亦不為過。

議論的基礎是，以有獨自存在企業主體的華僑議論的展開幾乎看不到，大多是以漢民族的海外發展，中國人的南洋移住民來掌握華僑進行論述。此一方面是理所當然之事吧，另一方面，對華僑的峇峇、新客，甚至是無視階級、階層的區分，不分青紅皂白的掌握，是導致欠缺將華僑從動態與立體像來掌握的原因。

受歷史階段之限制吧。諸家的議論較少對華僑感覺到人類的憐憫，大多是如何利用他們，如何乘其弱點使己國順利進入南洋並伸展寄予深厚關心的議論為中心。

只是，令人不解的是，辛亥革命與之後展開的一連串拒買日貨運動等所顯現的華僑政治意識，以及民族主義的高揚而切身感到的諸家應是不少，但是記述不知何故常是以保守、溫情的描寫終了。過大評價帶有「破竹之勢」狀況的日本帝國的實際情勢，自己對此陶醉，而忘了敲警鐘，或者被捲入時代潮流，而陷入畏縮、喪失自己也說不定。

以明治、大正時期的諸家華僑論的範圍內來看，第三者所能查知程度的心病則未能看出。

但是太平洋戰爭勃發後，日本帝國內所謂華僑政策的策定實施成為現實的課題時，日本人相關人士的華僑形象有顯著的變化。下面舉出一個典型。

即前述通曉荷屬印度情況的竹井十郎論述[38]。他談及：

榨取南方原住民，阻礙其經濟發展者，不獨征服者而已，華僑亦實爲榨取者、吸血者。華僑中富有者欺騙無知之原住民，以詭辯譎謀、詐欺行爲榨取原住民之血與肉之財富。不對華僑加以制裁，阻撓安定原住民之生活，增進其經濟力到底爲不可謀求之事。對華僑加以制裁，即是經濟上保護原住民，進而圖謀其育成與強化是也。

他先做如上論斷，然後更說：

人或曰，共存共榮爲日本精神，特別對華僑於日支親善之關係而言，亦必不能不踏共存共榮之路也。誠然姑且爲理所當然之反問。但是問題之根本爲華僑是否有共存共榮之精神耶。華僑之共存共榮精神爲他們民族同夥之間之事。日支親善於中華民國是我國策的基調。而南方之華僑爲出外賺錢者，原住民爲南方土著民族。於南方原住民爲主，華僑爲從。阻礙當主之原住民之發展者，即阻礙我國南方建設者也。置重於何方不問自明。

他更加以論斷如上。

而他的華僑對策的根本方針爲「華僑之勢力（數）不許比現

---

38 前引《南方建設と民族問題》，頁250～253。

在增進一步之方針之下，漸次圖謀其減退」主張著重於此，其實施方策為「而方針實行之當初即加以權力的強壓事也。」

又關於其具體過程：

> 擬定華僑對策之根本大方針，將其逐步實行下去即行，玩弄小策有害無益。最後觀看華僑自身之態度與心情如何，而作解決之問題。不能由日本期望彼等之協力。不可不由彼等自動協力。只需知支那人之民族性欲操縱華僑為易事。如毆打支那人，必徹底毆打之則有變為柔順之民族性。懷柔必在此後。支那人擁有兩極端之民族性。多餘的憐憫反受輕侮。

他斷言如上。

多麼恐怖且一針見血之看法與提案啊。日本軍之南方作戰，竹井如何參與我並不清楚。但把辻參謀之談話與竹井論重疊即可發現其巧合，這是確切的。

竹井之論調當然是出自彼自身之南洋體驗為其基礎吧。但只是這些不能形成如此激烈之論調，是我的推測。是因山東出兵以降，不幸中日關係之發展，並於不知不覺之中被拉進狂暴的軍國主義軌跡之中的日本媒體的論調，在一旁支持竹井論調的形成吧。

的確，史實教示了我們。華僑的反日、排日運動之高漲，反而跟著日本的山東出兵（1927年5月第一次），滿洲事變、中日戰爭的進展而提升。華僑早已進化到不再是可乘，或做為利用的「好敵手」的對象存在。終於成為出現在日本帝國之前，應予以

排除的「敵人」。

　　日本人對華僑的心病，不久便變成竹井般的病入膏肓境地。

　　最後為了辻政信之名譽，我願附加一句。

　　他並非看不起中國人，反而高度評價中國人之能力。他說：
「我在山西、漢口、Nomonghan〔譯註：中國東北部與蒙古國界
之大草原地帶〕等的戰鬥，親身經驗，最強的是支那兵，這不是
扯謊或誇張。」[39]

　　表示當時的一般日本人常識所沒有的看法。所以他不能不事
先做個招呼說「不是扯謊或誇張」繼續他的演說。而他在新加坡
卻引起那重大的血債問題。正是猖狂與正常的一紙之隔之例。

　　對己國之外，其他民族之侵略與戰爭的異常狀況，不但把人
們追趕進異常的心理狀態，還藉偏見的增殖與增幅作用助其一臂
之力。

　　太平無事時，兩者關係即風馬牛不相干的日本人與在居留地
的華僑，相互間具真正意義的溝通是不可能成立的，只助長憎惡
的相互累積。辛亥革命以降的中日關係，把他們相互間由風馬牛
不相干，趕進水與油、犬與猿關係的深淵。

　　1942年2月15日數日後的新加坡惡夢，是在此底子之上所結
的惡果。

　　　　　　　　　　　　本文係為未刊稿，約寫於1970～1971年

39　前引《マレー軍方面作戰主任參謀談》，最後一頁。

近代日本與馬來亞華僑
——以華僑的前期性排日、抗日救國運動 為中心

◎ 林彩美譯

一、前言：血債紀念碑所提示的

在新加坡市中心面對海的一角，肅然直立著一座高222英尺的「日本占領時期死難人民紀念碑　1942～1945」。

此紀念碑在該國又稱為「血債」紀念碑。以1962年發掘出受難者遺骨為契機，發起建碑一事，而於日本占領25周年的1967年2月15日，在李光耀總理蒞臨之下舉行揭幕典禮。

何謂血債？即指「大東亞戰爭〔譯註：又稱太平洋戰爭〕期間日軍攻占新加坡，隨之發生肅清華僑所引起的血的債務。

將此肅清過程直接讓被認為提案者的辻政信（馬來軍方面作戰主任參謀）自己來談吧：

一直以來新加坡是抗日華僑的發源地，有胡文虎、陣（陳嘉庚）等一派。那是狐假虎威的傢伙，以英國的強大為恃，堅信不渝以為躲在其袖下是絕對的安全，虛張聲勢（像狗的長吠）誹謗日本，虐待邦人。對這夥抗日華僑，軍部決定加以徹底的

彈壓，採取拔本塞源的方針，光是新加坡就處刑了六、七千華僑，柔佛（馬來西亞之一州，位於馬來半島南端，新加坡島對岸）約四、五千，全馬來就處刑了約一萬的抗日華僑。那是採用這種方法。也就是招集了華僑，問到：「曾經有拿過槍的人舉手」便找出來很多。

這些無疑是抗日激進分子，以這些傢伙為線索，如拉地瓜藤似地追尋毒辣的傢伙，等全部處決後再集合華僑的代表者，結果都嚇壞了。然後說「任何事都可聽命，請饒了我們吧」這樣懇求，所以「那麼你們的命姑且由我保管，今後一直觀察著你們，請做心理準備，如果打壞主意，隨時要你們的命，提出與日本協力的具體案來」說完讓回家，結果非常高興，到四月底提出五千萬圓（日幣），到十二月又提供五千萬圓，極力與日本合作。所以馬來的開發不用日本錢分文，而以利用華僑的資力的方針在進行。這個話（消息）又傳到蘭印，幾乎不戰而降於軍門[1]。

辻的上記發言，依其講演的脈絡與印製成的小冊子所記載刊行月份來推測，大概可推想是三月下旬到四月上旬之間所做的演講。

因此之故吧，5,000萬圓獻金的事實經過與他的發言有些許出入。

這暫且不說，從辻的發言來推測，華僑的肅清與5,000萬圓的

---

1 陸軍省報導部，《マレー軍方面作戰主任參謀談》，昭和17（1942）年4月，頁29～30。

強制獻金可說有不可切割的關係。那麼日本軍對華僑的肅清與強制獻金其目的與背景到底為何？

　　在攻陷新加坡之後，對於日本軍當局有二重意義，首先需確立新加坡全島的治安為其緊急課題。

　　做為肅清指揮者的河村三郎少將（警備司令官）在長鬐監獄所寫下相當於「遺書」的《登十三階梯》[2]之中，把當時的狀況與軍方的意圖記述如下：

> 淪陷後的新加坡，蜂擁的難民與流浪者的掠奪與放火，加之敵方分子的活動也開始，人心騷然的狀況，2月17日（淪陷為2月15日）夜，河村到軍司令部，山下奉文司令官以「嚴肅的態度」說，「軍方因有他方面的新作戰之故，需要緊急調用大量兵力。然而敵方華僑到處潛伏，企圖妨害我方作戰，今不先發制人，自根柢鏟除，則做為南方基礎之馬來治安便未可期。警備司令官應盡快實施市內之掃蕩作戰，將這些敵方華僑剔出處斷，除去軍方作戰後顧之憂。細部依照軍參謀長之指示。」受此指示之後，又受鈴木宗作軍參謀長如下的命令：「特別因上面之結果，斷定為敵人者，即時嚴厲處分（死刑）。」

　　辻發言是「勝利者」特有的語調，而河村的「遺言」則有面臨死亡（完成該書後刑死）的人「掩飾圓謊」之氣息。

　　然而兩者是當事者之故，所以從他們的發言與遺言來整理出

---

2 河村三郎，《十三階段へょる》，亞東書房，1952年。

肅清與獻金的背景與目的便如下：

　　第一理由是，對南洋華僑長年的抵制日貨運動，更有九一八、七七事變以來的籌賑（救災）、募債（承購抗日愛國公債）、義捐（國防、抗日獻金）的「私憤」與「怨恨」的所謂報復行為。

　　第二理由可揣測的是，由於上述所舉一連串南洋抗日救國運動的展開，而對華僑「力量」的高估，因此對華僑的抗日愛國運動心生恐懼之故。

　　從而新加坡軍政下的治安，尤其鑑於新加坡在南方作戰所擁有戰術、戰略上的重要地位，治安的確立是緊急課題。

　　第三理由是接著預定展開對印尼、緬甸、印度等的攻占作戰，使之易於運用兵力之便，武斷地看作是軍當局考慮有必要加以彈壓，應不會太離譜吧。

　　第四個理由不難想像是，如完全制壓可謂是華僑抗日救國運動「根據地」的新加坡，不但對該地域治安的確立立即有效，而且可切斷對中國本土的支援，與對南洋其他地域波及效果的一箭數鵰之計。

　　總之肅清行動被強行實施，導致「悲劇」上演。

　　結果「血債」紀念碑在軍政崩潰後的第25年被建造。

　　在此意義下，該紀念碑可說是把近代日本與馬來亞華僑的關係最為濃縮、總結的象徵而屹立在那裡。

　　建造該紀念碑的過程，圍繞血債補償問題，戰後對日關係在平民百姓之間有所開展，具劃時代意義。而自華僑開始步入華人新里程的新加坡人，可說此舉係為與日本樹立新關係的里程碑，

該紀念碑聳立於新加坡市政廳的一角。

依此推想，該紀念碑特別可看作近代日本與馬來亞華僑揮別過去，邁入現在到未來關係的象徵。

如果追溯其過去的話，首先就是日貨抵制運動問題。

二、排日（貨）運動與其政治社會經濟基礎

（一）前期狀態──辛亥革命之前的運動

1. 做為嚆矢的擇貨運動

新加坡對外國商品的抵制運動原型，可從美貨抵制運動看到。所以他們稱之為擇貨運動，亦即商品之選擇運動。

1905年美國政府公布《排華法案》（Chinese Exclusion Act），對此上海發生美貨抵制運動，而呼應上海的運動為新加坡華僑運動的開始──同年6月20日，新加坡主要的華僑領袖們受上海美貨抵制運動的觸發，聚集於Wayang Street的同僑醫院，林文慶博士（日後的廈門大學校長，軍政下新加坡昭南華僑協會會長）被推為議長，響應上海之運動，決議進行從事美貨抵制運動。這運動又波及到檳榔嶼（檳城）而成為馬來亞「擇貨運動」歷史的起點。

此運動並不止於商品的抵制。另外，因意外觸礁為修理而被曳行到新加坡船塢的美國商船，被華工拒絕為之修理，態度極為強烈。該運動持續了約半年之久。

商品抵制運動如眾所周知，沒有比日貨抵制運動更激烈且更

頻繁發生的。

2. 排斥日貨運動的起點

　　南洋華僑對日貨的排斥自1906年開始。此年係日俄戰爭（1904年）中打勝仗的日本帝國，於1905年的樸資茅斯（Portsmouth）條約與俄國締結，獲得在韓國的日本優越權，旅順、大連附近的租借權，南滿鐵路的讓與，庫頁島南半部的割讓等協定的翌年。

　　在甲午戰爭的屈辱傷痛尚未痊癒之時，日本又在「滿洲」確立利權是不可原諒，他們忍無可忍而站起來。

　　他們根據之前排美運動的經驗，一面舉辦反日示威，另一方面則進行日貨抵制運動。

　　當時在新加坡的日本人僅約八百人，日貨聲價亦未定，只有一些以向自國人做買賣為中心的物品而已。能讓華僑買的商品就只有低級的棉布、雜貨與一部分成藥（做為中心的千金丹或頭痛藥之類也不敵胡文虎的萬金丹）。

　　因日俄戰爭的勝利而氣勢高漲的在留日本人，反日示威與日貨抵制運動，不啻潑他們冷水，並給其相關人士相當大的打擊，是不難想像的。

　　該時期的商品抵制，因日本商品在東南亞未確立市場之故，僅止於消費者不去買的運動。因為是消費者不買之故，殖民地政權當局也找不出彈壓的根據，還去找剛創立不久的中華商務總會（1906年3月15日創設，到民國元年改為新加坡中華總商會）幹

旋中止商品抵制運動的情形[3]。

順便一提，與日後排日、抗日運動有密切關係的孫文，所組織的革命同盟會成立於其前一年，亦即1905年。

3. 由於二辰丸案而發生的排日運動

在日本所發行的同類書[4]或論文[5]，幾乎全部都以因辰丸事件所引起的排日運動是南洋華僑呼應祖國運動的排日運動嚆矢。這種看法如上所述是錯誤的。

這暫且不說，先來談談辰丸事件到底是什麼事件。

事件的發端是，1908年（明治41年）2月5日，日本船辰丸在澳門海上，被清朝四艘砲艦所包圍，受到臨檢之後扣留在廣東。

清朝的主張是該船所載日本商館寄給澳門商人某某的槍枝洋藥有走私意圖，而且是要提供廣西省反清革命軍。

對於此日本政府方面宣稱，扣留是違法，要求即時釋放辰丸，賠償損害，以及為令其懸掛清朝國旗以代日本國旗之不禮貌舉動謝罪。

其所舉理由為，武器之輸送是國際法所允許，又辰丸在葡萄牙領海內（澳門受葡萄牙殖民地統治）遭非法逮捕。

清朝對日本的抗議與要求的解決之策，是提案將此爭議提交

---

3 關楚璞主編，《星洲十年》（1940年1月初版），頁979。

4 參照東亞研究所發行，《第三調查委員会報告書──南洋華僑抗日救国運動之研究──》（1945年7月25日），頁5，竹井十郎述，《我南洋貿易を阻害する華僑の真相》（1932年7月14日），頁35等。

5 長江住人，〈南洋華僑の抗日救国運動に關する資料紹介〉（《東亞学》第四輯〈1942年〉所載），頁207。

適用稅關規則為目的所設立的混合裁判所討論，或在清朝的管轄總督以及該地駐在日本領事列席之下附託英國遣清艦隊司令長官姆阿提督的仲裁。

日本拒絕清朝的提案，於同年3月5日以更強硬的態度交給清朝備忘錄，繼以先前的要求脅迫。

已衰弱不堪、只能讓步又讓步的清朝，不得已早早於同月14日即屈服於日本的要求，採取如下的處置：

⑴處罰降下日本國旗的責任官吏。

⑵對捕獲武器的賠償與補償允諾付給日本高達21,400日圓，另外做為滯船費付給日本一萬兩。

對此處置，日本僅做形式上的妥協策略，即允諾今後對武器以及軍需品之輸送取締規則予以嚴格實施。

另一方面於3月10日，對日本方可謂國權侵害的強硬態度而憤慨的民眾，企圖鞭撻與支撐軟弱的清朝，而在廣東舉行集會。

然而交涉對清朝不但看不到有利的發展。結果依舊以付出高額賠償金落幕，目睹此情景，華南（以廣東為中心）一帶民眾更加激憤而發起抗議活動。

他們的抗議活動依據先前對美貨抵制運動的經驗形式開始。以廣東總商會為中心，首先決議不購買日本商品，希望達到清朝被日本強奪的賠償金之一元對一萬元的目標。

換言之，亦即決定日貨抵制運動要持續到相當於一萬倍賠償金的反擊點。他們把手頭上的日本商品搬到廣場燒掉以為示威，碼頭勞動者則拒絕搬運日本商品。總商會約定對經辦日本商品之中國商人課以500元罰金、廣東人貨主禁止使用日本船等。

　　值得注目的是，做為本運動的餘波，以婦女為中心組織了國辱會。該會對排日運動直接或間接的支持奏效多少雖不詳，但對民族意識的自覺與高揚，恰如其分地起到先鞭作用，是無庸置疑的。

　　運動自廣東蔓延及香港，而感到困惑的日本政府屢屢向北京當局提出抗議。清朝也大致做了鎮壓，但效果不彰，該運動持續到同年12月[6]。

　　效果明確地出現在貿易數字上。

　　1908年日本向華南、香港的輸出額為8,200萬日圓，而運動的翌年則減少三成一，即降低到5,600萬日圓。

　　運動又從香港蔓延到曼谷、新加坡、馬尼拉、河內等。

　　但此華僑運動未見其高揚便告終了。因為，辰丸事件本身的確有侵害國權，日本方也有強壓、過分要求與訛詐的一面，不管怎麼說在另外一面是有切斷對革命派供給武器的關係之故，孫文一黨人的影響開始慢慢滲透，對反滿倒清、興漢滅滿趨勢正在變濃的馬來半島、南洋一帶的華僑來說，是一件左右為難的事，因此未能成為燎原之火而落幕。

　　加之國民意識尚未成熟之故，在南洋華僑之中福建系居多的新加坡、檳城等地運動的滲透未及於一般華僑，也可想是運動未能擴大蔓延的理由之一。

　　廣東的運動者似乎有鑑於此，中心人物之一的徐勤，將廣東的運動火種帶至以廣東出身者為多的泰國，自同年12月至翌年1

---

6 菊地貴晴，〈第二辰丸事件の経過と背景について〉（福島大学学藝芸学部編8-1所收）

月花費大筆資金，遍撒與張貼以激烈文字寫成的排日宣傳單。

只是他借舉辦清崇熙皇太后〔譯註：即慈禧〕以及德宗皇帝追悼會之席，舉辦排日演說會進行煽動性演說，可說恰好表示此運動的性格。對同鄉人反日意識的高揚，據說多少有其意義，但畢竟未能引起更大的效果。

又同時期日本商品如前述，市場量還極為微小，因此可說不如華南、香港，對日本經濟打擊不大。

4. 安奉鐵路事件（1909年）所引起的運動

安奉鐵路[7]是指配合日本帝國主義對「滿洲」方面侵略之要求，自安東（位於朝鮮新義州對岸的都市）至奉天（瀋陽）之間所鋪設的鐵路。總長258公里，在日俄戰爭中以運輸軍器、軍需品為目的所敷設的軍事輕便鐵路，於戰後的清、日間的滿洲善後協定（1905年），日本以經濟目的的使用為條件，包含線路改善與路線變更的管理權，交給南滿洲鐵路株式會社並命令其改築為廣軌。

然而老早企圖進入中國的美國，對於日本一國獨占滿洲利權感到很不是滋味，一邊表明支撐清朝的名分，一邊採行積極的滿蒙政策。國勢漸趨弱化的清朝利用圍繞中國列強間的矛盾對立，著手阻止日本的進入。

清朝以前記協定的改良工事非改築成廣軌為理由，主張該鐵路須與南滿洲鐵路分離。

---

7 參照滿鐵，《滿鐵安奉線紀要》（1913年）和《南満州鐵道株式会社30年史》（1937年）

　　日本的圖謀已趨定局，當局在英國的援護之下，向清朝發出最後通諜，強制性地令奉天總領事與東三省總督之間交換有關該線做為南滿鐵路的支線改築廣軌，變更路線的備忘錄[8]。

　　針對日本此具強迫性的所為而激憤的民眾，接續先前的辰丸事件展開排日運動。

　　然而辰丸事件是發生在華南的問題，而安奉鐵路事件是發生在可說是國內殖民地的滿洲邊境問題。具此特質之故，故而未能喚起廣泛的關注，只有緩慢的開展，可說幾乎沒有波及南洋華僑。

　　以上的排日運動是辛亥革命以前的運動，在國民意識未成熟，反滿倒清、興漢滅滿的情勢下，運動經常帶有不乾脆的性格，其局限是昭然的。

（二）後期狀態──辛亥革命以降迄山東出兵的運動

1. 由於二十一條問題引起的排日運動

　　南洋華僑的排日運動可看到更有組織、持續且範圍廣泛的展開是辛亥革命以後的事。

　　最初的運動可說是以二十一條問題為契機。由於二十一條問題引起的抵制日貨運動是有其前史。1914年3月因日、德開戰，而有日本軍的山東登陸，打敗山東半島德軍之後，日本軍的進軍

8　P. H. Clyde *"International Rivalries in manchuria"*，1928（植田捷雄譯，《満州における国際争霸》，1934年）

超越事前與中國協定之界線，況且對住民施暴等不法行為激起民眾的憤恨。接著青島的淪陷，圍繞該地稅關管理，日方照例提出無理的要求，領有青島的徵兆變濃之故，導致排日運動的抬頭。

對此前期性運動，日本一邊以駐留軍加以威壓，一邊向中國當局再三要求嚴厲取締。

中國當局與民眾都顧慮被日本所趁，僅止於示威的程度，翌年四月初逐漸暫告結束。

然而日本方趁西方列強因第一次世界大戰忙得不可開交之際，一下子對中國強行提出所謂二十一條的要求。原本日俄戰爭的結果，日本在條約上獲得南滿洲權益，但條約上關東州租借地（在遼東半島西南端，1905年依日俄和約納入日本統治下，二次大戰後被蘇聯占領，1950年歸還中國）須於1923年歸還，滿鐵中安奉線在1923年，其他鐵路在1939年有應允中國要求買取的義務。

原先日本就沒有放棄既得權益之意，可說其在事前已決定，永久確保這些權益為最終目標，而伺機行事才是其真實的外交方針。

日方早於1913年1月，倫敦駐在大使加藤高明與當時的英國外相格雷（Edward Grey）交涉有關南滿諸權益的期限延長，而已取得其諒解。

1914年8月，第一次世界大戰爆發，列強的關心便集中於歐洲。有鑑於此，當時北京駐華公使日置益判斷此期為對中交涉案件解決之好時機，而向部中大臣呈報如下五點意見：

第一，南滿諸權益之期限延長為99年；第二，以日本的援助

逐漸改善南滿、東部內蒙古之軍政以及一般內政；第三，承認在南滿、東部內蒙古的日本人居住與營業自由；第四，向日借款以建設九江・武昌鐵路以及南昌・杭州鐵路；第五，將來要建設南昌・廈門鐵路以及福州・三都澳鐵路之際，首先要與日本商量等為交涉條件。

此時，大隈內閣的外相是前述強硬派的「頭目」加藤高明，他與日置同樣，不顧已經因圍繞山東半島日軍進駐而引起的反日情緒與排日運動，加藤還是趁隙挺出解決日本方的懸案。

最後他整理出五項如下要求向中國當局強硬提出。第一項，要把山東省舊德國權益，全部讓渡給日本。第二項，關東州租借期限以及南滿鐵路（包含安奉鐵路）的權益期限改為99年。承認南滿與東部內蒙古，日本人在商工業上所必要的租賃權以及所有權。在這些地域如要授與外國人鐵路鋪設權，或鋪設鐵路需向外國借款時，要預先得到日本的承諾。在這些地域沒有日本的承認不得僱用外國人的政府顧問。第三項，將漢冶萍公司改為日華合辦。第四項，所有中國沿岸的港灣島嶼，不能割讓或貸與他國。第五項，中國中央政府需僱用日本人的政治、財政、軍事顧問。承認在中國的日本醫院、寺院、學校的土地所有權。必要的地方警察改為日華聯合。接受來自日本的兵器供給，或設立日華合辦兵器廠。武昌・九江・南昌鐵路以及南昌・杭州鐵路、南昌・潮州鐵路鋪設權須授與日本。在福建省的鐵路、礦山、港灣設備有關需要外國資本時，首先須與日本協議。須承認日本人在中國的布教權。

以上內容隨即洩漏而問題國際化，同時在中國國內更擴及南

洋華僑，掀起未曾有過的激烈反日運動。

　　列強因大戰忙得不可開交，未對日本的圖謀作決定性干涉。

　　日本在洶湧的反日運動之中，執拗地逼迫中國，竟重複交涉達25次，日方除了第五項之外，第一至第四項原則上無論如何都繼續堅持。於5月7日發出慣例的寶刀——最後通牒，9日中國政府接受，5月25日，以條約、交換公文的形式，日方的要求被接受，於6月8日相互批准交換而終了[9]。

　　新加坡也呼應中國本土展開排日運動，但時機不巧因在大戰中之故，殖民地當局發布戒嚴令，無奈的僅止於溫和的動作。

2. 因山東問題運動逐有質的轉變

　　1918年第一次大戰結束，接著1919年1月在巴黎舉行講和會議，中國代表提出收回德國的山東權益與廢止二十一條，加上列強對華特權之廢棄等要求，但全部被否決。

　　由而激昂的青年學生發動「五四運動」，舉著拒絕簽訂條約、撤廢二十一條、爭回國權、懲罰國賊、排斥日貨等標語，展開前所未見的大遊行。

　　在新加坡的戒嚴令已解除，真正的排日運動如烈火般地延燒開來。

　　自1902年以來在新加坡以華僑為對象開設醫院的西村竹四郎，將當時狀況寫成如下日記存留下來：

---

9 堀川武夫，《極東国際政治史序說——21箇條要求の研究——》1953年。

（1919年）6月10日，因山東問題而爆發的支那內地之排日氣勢，蔓延北京、天津、上海、漢口。支那國民對政府的軟弱外交不耐煩，以排斥日貨來對付日本。6月14日排日影響好像火星已延燒至當地，支那人患者頓時減少。6月20日晚七時，支那暴徒蜂起，以花柳界方面為中心，破壞邦人家屋。受害最大的是高橋藥房、鹽崎藥房，其他大小受破害者共25家。

暴徒襲擊之傳言在二、三天前即已傳開。性急的邦人之中，在樓上準備好石頭、啤酒瓶、木柴、棍棒之類，嚴陣以待，要給對方嘗嘗厲害。終於數百千支那人暴徒高聲叫喊著衝殺過來。馬來人警察沒有絲毫制止力，只是東跑西竄。暴徒如嗜血的暴虎吶喊著衝過來，有打破邦人門戶者，玻璃的碎裂聲等，頓成一片騷亂。邦人中之勇敢者，打倒或橫砍暴徒，支那人暴徒血流滿身，重疊於溝中，出現一幕血肉橫飛的戰場。一時人山人海、分不出誰是暴徒誰是湊熱鬧的。然後英人警部引領武裝警察趕到，因此暴徒飛快地四散跑開。負傷的人也不知何時被夥伴抬走了。

此後英人高級警察官來到，日本領事也到了，做了應急措施使居留民一起避難收容於勿拉士巴沙路（Bras Basah Rood）的日本商品陳列館。只留強壯的男子於自家。避難到陳列館的女人小孩都只有身上穿的衣服，僅有少數抱包袱的。有臥在地板上的人，有坐地板上的人，非常混亂。館的周圍有軍人在警戒。

6月21日，發布戒嚴令，全市交通機關只汽車在動，電車、人力車都停擺了。邦人以陳列館做為本部，研討防衛方法。

支那人商店把日本商品搬到家門前的道路上燒掉，火煙瀰漫全

市呈現恐怖光景，但無人制止 。

今夕又有暴徒來襲之風聲，軍人從軍艦登陸，警官也被緊急召集，邦人壯丁也手握棍棒警戒著各重要地點，有如戰時狀態。

6月22日，情勢稍微安靜，車夫開始工作，市場也肯賣食品給邦人。

6月23日，支那商店開店營業。邦人尚在休業，警戒氣氛十分濃厚。[10]

　　西村的日記大致可認為忠實地描述了當時的情景。只是他以暴徒來形容中國人，以日本人的立場上看是當然，但事實上其絕非暴徒，例如抬走負傷的夥伴以逃避警戒彈壓，不顧自身安危燒毀日本商品之舉相當廣泛地被實行的事實，言外之意相當地暗示我們，排貨運動以及反日運動是無私的，而且是有統制、有組織的運動。

　　西村負有名醫盛名，在華僑間也有名望，雖是「人命救助」的特殊職業從事者，但也受到排貨運動的波及而蒙受甚大的經濟損失。下列紀錄值得注目，即使是未直接受到破壞活動，但情況猶如下：

支那人這回——第四回對日排貨運動是如何地激烈，反映在本醫院經濟上。下面將其一端提示出來。（暴動翌日以降一個月之收入額）

---

10 西村竹四郎，《シンガポール三十五年》（1941年8月19日），頁194～195。

6月22日	50仙
23日	1.30仙
24日	2.80仙
25日	3.08仙
26日	0.80仙
27日	1.20仙
28日	5.30仙
29日	7.00仙
30日	3.30仙
7月 1日	3.80仙
2日	6.12仙
3日	1.00仙
4日	6.32仙
5日	3.80仙
6日	8.50仙
7日	9.20仙
8日	7.30仙
9日	6.15仙
10日	3.18仙
11日	8.00仙
12日	9.20仙
13日	7.50仙
14日	1.10仙
15日	3.20仙

16日	3.50仙
17日	5.20仙
18日	3.50仙
19日	8.25仙
20日	3.80仙
21日	6.70仙
22日	9.68仙

　　上記一個月的收入不到平常二天的收入。目下我的經濟一個月
需2,000美元。家計費1,500美元，事業費500美元。醫院的職
員、住家的傭人、園丁、司機總共24人的家庭。不能因收入減
少，立刻縮小家計費。被體面或慣習的牽累解決金庫的悲哀是
相當痛苦的。[11]

　　生意好的醫生其狀況尚且如此，即可想像當時的在留日本人
商人，照相館、理髮廳、牙醫等所遭受損失與打擊之大。而不只
一般日本人，日本的海運業聽說也受了打擊。[12]不管在留日本人
有多困窘，運動久久沒有終結。

　　西村氏的絮語如下繼續著：

　　7月25日，正要去享受難得的別墅生活之興的當時，遇到支那人
的排日運動，醫院急速冷清下來，每日只來二、三患者，真沒

---

11 同註10書，頁195～196。

12 前引書《星洲十年》，頁980。

勁上班。「這就是做人很重要的地方」所以不管有無病人，早上八點準時到醫院。實際上醫院寂涼不堪，呆坐著只會愈來愈沮喪（中略）。這一天，日本聲明要歸還山東。排日運動已接近終結。[13]

「已接近終結」只是窘困的西村主觀願望，事實上運動仍持續下去。

西村呢喃的日記續道：

9月14日，打開今日悲慘情境的一縷希望有：原先正在投資的礦山事業。醫院方面收入零，如可以礦山來彌補的話……，渴望著磕抹曼（鐵礦山）的好消息。

10月30日，支那人的排日運動已經過了五個月，患者依然未返回，本月的收入是359美元10仙，少得可憐。[14]

事實上他的困境可以下面數字看出：

月別	西村醫院收入
6月	802.40美元
7月	158.15美元
8月	378.36美元
9月	336.29美元
10月	359.10美元

13 前引書《新加坡三十五年》，頁199～200。
14 同註13書，頁200～201。

11月　　　397.00美元

12月　　　599.03美元

他一邊提示上表一面歎息：「上記數字不過是通常收入的二、三成而已。在孤立無援的海外所嘗這種痛苦，我想大概不被內地人所理解。」記述如上。[15]

三、竹井十郎所掌握華僑形象與軍政下的華僑政策

關於第二次大戰下日軍的華僑政策，已有池端、田中、川本三研究委員在文章中嘗試分析之故，本稿為避免重複，擬發掘介紹公認對軍方與華僑政策的決定相關人士，有極大影響力的竹井十郎所掌握的華僑像。

竹井在大戰中，係以南方圈研究會會長頭銜而很活躍的人物。

他於明治34年，年僅21歲就渡海到香港、廣東，接著明治39年又轉移到當時的荷屬印度的巴達維亞專攻語言學，之後走訪各地調查。

如他自己所說，東南亞華僑的排日運動，特別是舊荷屬印度的，不是表象，而要究明其遠因和根源性原因，嘗試實際情況調查[16]。

日本軍政下華僑政策的制定具體過程不一定清楚，但參與策

---

15 同註13書，頁203。

16 竹井十郎，《南方建設と民族問題》（昭和17年9月30日）頁230。

定的學者，研究者集團的意見是所謂的紙上談兵，不難想像是依
據文獻上之識見。但是竹井的情況是完全不同類型的意見提供
者。

　　怎麼說也是積累在地體驗23年，精通以馬來語為首的相關語
言，加之對華僑的實況在共同的生活基礎上熟知此事，我想在全
日本是出類拔萃的。

　　然而他的華僑論享有社會上的風評，也並非進入大戰之後。
他實地調查23年的識見，早在滿洲事變亦即華僑的排日、抗日運
動剛要進入新階段的昭和7年（1932）初，受當時東亞經濟調查
局的注目，有演講的紀錄。依此演講紀錄修改為〈阻害我南洋貿
易華僑的真相〉一文[17]。

　　令人驚訝的是，在昭和7年的階段，他早已以「因我們的敵
人華僑之故，商品受害，貿易受毒，如今毒害已將刺骨，經受劇
痛之苦，猶且未醒，錯覺迷濛，自掘墳墓，才是日本當業關係者
之現狀」[18]而敲響警鐘。

　　因為他是南進論主張者，自明治34年起即以23年漫長的時間
踏勘「南洋」，把殖民地統治的實際狀況，對仲介者般存在的華
僑的調查研究（追蹤包含排日、抗日以及華商的商業活動等廣大
範圍的領域），原住民生活實際狀況，更嘗試資源調查。成果可
在《踏勘二十三年，財富之源的南洋》[19]看到。

---

17 竹井十郎，《我南洋貿易を阻害する華僑の真相》（昭和7年7月14日，東亞經濟調查
　　局刊東亞小冊第十二所收）。
18 竹井十郎，《踏查二十三年，富源の南洋》（昭和5年10月1日）。
19 同前引書序文（頁2）。

　　因此對於南進論者竹井來說，華僑是排日、抗日的旗手之故，所以不只是壞傢伙，更是日本對南洋貿易的阻礙者，亦即敵人。

　　他把華僑定位為敵人，但對華僑的分析、考察並非情緒性，可說很冷靜，將彼我之力量放在全南洋——殖民地之下的南洋範圍來定位，在當時可說是卓越的見解。

　　他把華僑分類為南洋華僑與支那華僑。南洋華僑就是峇峇，是指當地出生的華僑。但說是當地出生，明白地不只意味出身是當地出生（土生仔）的，而是指中國人意識稀薄，其前代已長期間住在南洋，更正確地說是在辛亥革命之前已赴南洋討生活的人們。他們多數是不會講中國話的「華裔」。

　　峇峇之中有傳承純粹血統的人和與其他人種——最多的是與當地原住民婦人混血的兩個種類。又，混血種之中又有單混血種與複混血種之分。

　　峇峇的生活基礎是全面地放在居住地之故，其「同化」指向很強。但是其「同化」的結局是，中流以上是歐式，亦即嘗試著同化於殖民地主義者的，從而混血種少，如果有也僅止於單混血種。但中流以下就不得不走向與本地原住民同化的道路，混血也是與原住民之間的，因此一代接一代複混血增加，幾乎到與原住民無法識別的程度。

　　支那華僑是指新客。新客是閩南語所指的新的渡來者。這又轉而稱呼本國出生的中國人，亦即第一代。

　　又新客的第二代、第三代即當地出生者並不一定被叫作峇峇。特別是辛亥革命以降的渡來者，再是辛亥革命以降受一直升

高的中國民族主義洗禮的，被民族意識濃濃地投影的人們雖說是
當地出生，反倒在意識上可說與新客一模一樣。

當初峇峇是一種尊稱，新客是有幾分輕侮之含意。中國的辛
亥革命成功之前，因殖民地列強對中國輕侮的影響，加上新客是
兩手空空的下層民眾之故，模仿歐式的峇峇認為新客髒、不懂禮
貌的鄉下佬而加以輕侮的吧。

竹井把峇峇與新客所抱的一般心情記述如下：

> 峇峇不知本國支那，也不認識國字、國語。從而沒有國家觀
> 念，是失去國民性的。（略）雖不知支那本國，但支那國內強
> 盜馬賊橫行，陸軍如稻草人，海無海軍，大官小吏只誅求國
> 民，耽溺私利，生命財產無保障，外受列強之侮辱，沒有半點
> 國家的威力。好像連荷蘭般弱小國都看不起……就是說從新客
> 族的傳說他們也很知道。自己被荷蘭人──歐洲人瞧不起，畢
> 竟是支那太軟弱之故。我等的確被壓制，被誅求，但生命財產
> 比在支那安全穩固，生活也較容易，我等未受支那政府任何保
> 護，也未受絲毫照顧。雖受荷蘭政府的壓制誅求，但可賺錢，
> 一家一族能夠快樂生活這一點，遠勝於支那。[20]

又從竹井的實際生活感覺洞察峇峇的心情，下面一段話是應
注目之點：

「漢字在南洋有何用處，漢語在南洋又賺不了錢。」云云即

---

20 同註18書，頁5～6。

是，竹井又簡述自己的心情為，要之峇峇是「自己是支那的民族，但不是支那的國民，不，是不願當支那國民」。[21]

峇峇的半調子歐式化與對滿洲族統治大清帝國的厭惡感相交叉之下，「把支那下級民代表的新渡來者的新客看成支那國民的縮圖，卑視其以碗、筷吃飯是野蠻風習（略），誹謗新客的風俗為野蠻人，由以上可知支那本國之國狀而加以痛罵。」[22]

反過來看竹井所說新客的心情如何？

> 新客把本國風俗習慣全盤遷移過來，不顧羞恥與體面、辛辛苦苦、孜孜不倦地勞動。隨著資產的積累，其生活方式雖有提升變化，但依然絕不脫出支那人的領域。他們嘲罵峇峇族為忘國人、賣國賊、無學文盲，如卑躬屈膝的貓，愚昧如奴隸，罵華僑居留民團團長級的Mayolu、甲必丹等是內奸。[23]

以上竹井將華僑分類為南洋華僑與支那華僑，在表現上有稍欠成熟之處，但是做為傳遞當時華僑社會內部的意識對立與分歧的證言是珍貴的。

不過竹井雖指出峇峇的祖國意識逐漸在稀薄化，但是不忘強調的是「只是峇峇族把做為支那民族的缺點，同時也是長處的特徵，經過幾代都照樣傳承下來，這是絕不可能看漏的現實，也是要認識他們非常重要的一點。」云云之點。

---

21 同註18書，頁6。
22 同註18書，頁6。
23 同註18書，頁6～7。

就是說即使是峇峇但畢竟是中國民族，其本性難改吧。

這種看法至今還可見，特別是在二次大戰時，如前面所說，因為有排日，抗日運動可恨的主要分子是「敵人」的看法，所以可說是演變成屠殺事件心理的遠因之一，應該不會錯吧。

即使不是那樣，與新客不同，峇峇因親歐之故，還是不能避免變成日本「敵人」的命運吧。當時是「血緣」決定一切的人種主義見解盛行的時代，而演變成喋血事件。

這暫且不談，一般日本人有識之士不分青紅皂白對華僑的一體感、同一性、親中國＝視中國為祖國的看法瀰漫的時代潮流下，被有實際至當地生活經驗的竹井部分地否定的事實，有特別記載的必要。

縱然竹井的認識有局限，圍繞峇峇與新客想法的對立，從而在行動上的分歧、摩擦是史實所提示的。

但是軍政下的「緊急局勢」，無視一切，鞭便揮下了。

竹井如何看華僑所處的經濟狀態呢？做為中間人的華僑地位，他給予如下定位。他說：

南洋華僑（這裡所指似乎包含峇峇與新客的全部）的財力，實際遠比世人的想像貧乏。首先有必要打破世人的誤認，大多世人視其外貌之壯觀便驚訝，逕自發揮想像是常例，但真正想窺視華僑經濟組織者卻極為稀少。因此產生估計過高而釀成危險。[24]

---

24 同註18書，頁14。

　　其舉出以下諸點做為具體的印證：

　　第一，華僑的經濟組織極少是依據近代資本主義的組織，大部分是依「支那人獨特的慣習法」的。

　　第二，華僑的投資主體是土地建物的不動產與橡膠，砂糖、椰子、咖啡、胡椒等農業與錫礦等礦業。華僑大部分財富是集中於不動產和企業投資，他們最為伸展其勢力的商業投資，並不如其外貌上的壯觀，實際上是甚為貧乏的東西。

　　第三，除甚少之例子外，華僑無巨富，也幾乎無近代化大規模的企業。銀行、保險業、海運業等，也無可觀者。

　　第四，近代多少有向外發展者，但華僑自身經營國際貿易者占極少數。這是他們不諳國際商業知識，當然又幾乎沒有華僑社會所經營的國際貿易補助機關等為原因，不喜歡自己投資，經營仲介業比較安全且有利，而對他們所拿手的投機性事業至為方便之故。

　　而且關於華商的虛像，竹井說：「商業網有大有小，即使是華僑所張羅的，也不一定是華僑在商業界的勢力與實力的型態化。平面性的勢力不必然是立體性的實力」[25]如上將之看穿。

　　以上，竹井將華僑的實像依據他長年的在地體驗描繪出來。在今日可說「適用」的部分也還不少。

　　只是一邊描繪這些實像，是否因競爭者意識的高漲，或者有必要對關係者鼓吹「華僑不足畏懼」之故，把華僑商法、致富之道說是「不用說，華僑的財富是數百年來，自他們的祖先到現今

---

25 同註18書，頁17。

的他們，孜孜不倦，辛辛苦苦集攢的結晶，從支那本國輸出的資金完全沒有。因他們的智力，能力、勤勉的三條件勝過原住民，站在統治者白人與被統治者原住民之間，巧妙地抓住利益，此事是華僑創造財富最大的要素」一方面做如此斷定，但另一方面說「勤勉儲蓄是支那人的優點，是聚成財富之緣故自不待言，但他們大部分致富是欺騙原住民，訛詐白人所得的所謂不正不義之財富。」[26]

如前面所說，竹井認為有南洋華僑與支那華僑之別，但其內情同樣擁有不變的支那人國民特質與人生觀。而且也斷定此「支那人的人生觀的全部是始終一貫的詭道與投機。」

以上的看法在進入太平洋戰爭以後，被需要提出更具體的華僑對策所迫，提出如下的他的根本方針：

「華僑的勢力不可允許比現在更增進一步的方針之下，需策劃漸次減退之」做為根本方針，並提案在實行當初應加以權力性強壓。

此提案的背景，是前面所介紹的他的華僑觀為基礎是不必贅言的。這麼說在當初就應加以權力性強壓又是出自何種構思呢？

竹井說：

日本必須建設南方的新秩序。要建設新秩序就必須破壞舊秩序。驅逐以前的統治者，是破壞其舊秩序。但是舊秩序不只是以前的統治者，華僑也是舊秩序真正的一分子，如不對華僑施

---

26 同註24。

以破壞工作，就沒有新秩序的建設。[27]

　　華僑是附隨殖民地統治而出現，在此意義上將其看成是那體系的一部分是正確的。

　　但問題是破壞的作法，到底為誰而做，誰掌握主動權去破壞，破壞之後重組成什麼樣的形式才是問題所在？

　　竹井說：

　　榨取南方（洋）的原住民，阻害其經濟力的發展也不只是征服者而已，華僑也是實在榨取者，吸血者。華僑的財富是以欺騙、詭辯譎謀、榨取的行為榨取無知的原住民的血和肉。不對華僑加以制裁，那麼安定原住民的生活，增進其經濟力，終究竟無法做到。保護原住民，將其培育強化是日本的任務與使命。對華僑加以制裁此事，即是在經濟上保護原住民，進而也是謀求其培育與強化。[28]

　　如上在他的南方共榮圈思想之中，舉起冠冕堂皇的華僑制裁論主張，是我們應該注目的。

　　如果不是大東亞共榮圈，而是站在被縮小的南方（洋）共榮圈的立場，「日支親善」是否會消失？他說：

　　根本是在於華僑有沒有共存共榮的精神。華僑的共存共榮是他

27　同註16書。
28　同註16書，頁251。

們民族夥伴之間的事，日支親善是對於中華民國的我國國策的基礎。但是在南洋的華僑是出外討生者，原住民是南洋土著民族。在南洋原住民是主、華僑是從。阻害身為主要者的原住民之發展，也就是阻害我國南方建設者。孰輕孰重不問自明。

具在地體驗23年，對華僑問題造詣也甚深的竹井的這種看法，不難想像在大戰時期對軍政——特別是華僑政策——的影響極大。

長鞭揮下，華僑與原住民之間的挑撥離間策略積極地被推動，後遺症如今還根深柢固存在東南亞，而且變成新的排華論據的一部分。

近代日本與東南亞華僑的邂逅，從一開始就是不幸的。在大戰時也許有對排日抗日運動報復的舉動。感情上來說，又各個士兵的心中報仇之念攀根著，可以這樣看吧。

而更根本的是，當時日本當局與相關人士的目的「大東亞共榮圈」、「南方共榮圈」構思下的華僑只是徹底的「敵人」而已。

可是為了繼續戰爭所需的軍用物資，食糧等的籌措，還是得利用華僑。

表面上說法是去除華僑之「害」，訂立制裁名目敲下鐵鎚，為收買原住民的歡心而努力。但在背後卻比舊歐美系殖民地統治者更不擇手段，為了自己的掠奪驅使華僑，充分利用他們。

本文係未刊稿，並為未完稿，約寫於1971年

1970年代的華人（華僑）問題

◎ 莫海君・彭春陽譯

　　我是戴國煇，剛剛承蒙過獎了。雖然我學的是農業經濟，卻沒學到東畑精一教授的精髓，因此一直到今天，都還稱不上是學有專精。東畑教授不但口才好，而且又博學多聞，儘管我這個弟子不怎麼成材，不過多少還是承襲了他的能言善道，學到了吹牛這門功夫（會場笑）。在我受到東京大學照顧了十年之後，又被叫到亞洲經濟研究所來，不知不覺又經過了六年。這段期間，雖然我的工作主要是研究台灣經濟，但我始終懷抱著小小的野心，希望有朝一日能夠寫出一本中國近代史，因為這個關係，所以我開始想要去了解那些來自華南稻作社會被排擠出去的華僑，或許從華僑的角度來看中國近代史，也未嘗不是件有趣的事，因此，在研究台灣的同時，我也進行了對華僑的探討。我的著眼點絕對不會只單單局限於台灣。這可從我的第一本書《中國甘蔗糖業之發展》得到證明，因為這本書中所闡述的，正是屬於中國產業史一部分的甘蔗工業發展史。

　　這些就暫且不提了。1969年秋天，我大約花了五十天的時間，第一次前往東南亞——以馬來半島、泰國的曼谷、香港等地

為中心，進行田野調查，透過這趟訪查，讓我得以對華僑問題有了初步的體認。或許因為我是個中國人的緣故，所以並不擅長利用羅列標語的方式，或是像日本教授那般，一開始就提出方法論，還是採行歸納式的思考模式。日本人的作法通常是一開始就先規劃出大致的輪廓，然後再逐項將內容填入，但我們中國人向來有著白髮三千丈的傳統（會場笑），凡事的開始都是一片渾沌，然後才會逐漸凝結成形。當在報上讀到周恩來的談話，或是看毛澤東的做事方法時，我總有自己畢竟還是個中國人的感受，儘管在東京已經住了16年，而且還是在被日本殖民地統治了50年的台灣出生成長，但我感覺還是無法跳脫出中國人的框架。因此，今天我所要與各位分享的，其實也只是出自我個人親身體驗的華僑小試論罷了。

　　前年我銜研究所之命，特地前往東南亞進行了一趟實地調查，接著又利用去年一整年的時間摸索各種研究方法，製作成文獻目錄，並且終於決定從今年開始，以「東南亞華人之社會經濟研究」為題，編組研究計畫，針對連日本研究華僑的專家，例如須山卓先生、內田直作先生、河部利夫先生等人向來不太論及的、在這動盪的1970年代，極有可能自被圍堵的牢籠出現到舞台上的中國這個巨人，如何在東南亞開始發生影響力？還有，居住在東南亞的中國裔住民，也就是所謂的華僑，對此又會呈現出什麼樣的反應？而這些現象對於想要前往東南亞發展的日本諸位來說，又將衍生出什麼樣的關係？今天就是想要和各位來分享當我們思考以上問題時，所應該要具備的基礎知識。

何謂華僑

　　首先，請看講義開頭部分的「若干前提」這個項目，在日本談論華僑問題的時候，有一些人士會以情緒性思維來做論述，也有一些新聞記者所寫的報導總是充滿著偏見，例如：「所謂的華僑，指的就是那些赤手空拳前往東南亞闖天下，經商致富，養小老婆，吃山珍海味，住大理石豪宅，死後被安置在又厚又大的棺材裡，葬在有如寺廟般墓園中的那些人。」其實以上的描述，說的是一般人根本不可能會有的生活情形，或者是說只有特殊極少數的人，才會有的生活情況，但他們卻將這種錯誤的觀念套用在華僑身上，認為所有的華僑都是這種人。我覺得這樣的錯誤認知，正被廣為散布中。

　　我們的先生們和記者諸公從不告訴我們，在新加坡，經常可以見到客家出身的女性們頭上纏著紅色布巾，充當建築工人；在怡保，不論是錫礦山，還是橡膠園，也大多是來自中國裔的女工和男工。華僑的底層當中，這些人就占了絕大部分，在長期困頓的生活中，他們奠定了自己的生活基礎。不過我並無法透過這種不同的角度，站在他們的立場來告訴大家「華僑就是這樣過日子的」或是「他們是這麼思考的」等諸如此類的事情。畢竟，站在他人的立場，本來就不是件容易的事，因此，我決定以自己的親身體驗、所見所聞，以及在當地和記者們交談後的心得，配合歷史的脈絡來跟大家談一談。

　　目前東南亞的華僑總數，據說大約是1,500萬人，不過這個數字還值得商榷一番。台灣有一本《華僑經濟年鑑》，每年皆會

針對華僑人數進行統計，根據1970年出版的最新版本，除去新加坡，人數最多的分別是馬來西亞的400萬人，泰國的350萬人，印尼300萬人，而越南，南北越合起來一共是──怪了，國府怎麼拿得到北越的數字呢？莫非數字會變魔術？（會場笑）──145萬人，單單新加坡就有151萬人，占當地總人口數中比例最高的，依序是新加坡的75％，接著是馬來西亞38％，泰國則大約是11％。關於泰國這部分，儘管有一說是華僑和當地人相處融洽，不過箇中問題似乎還是不少。

　　這個先姑且不談，今天的討論主軸，我想放在馬來半島將近40％的人口身上，之所以會這麼設定，除了跟我曾親赴馬來半島考察有關外，另一個重要的因素，就是我想從人口結構和當地中國裔住民們在馬來半島的開發史中所扮演的角色來探討其與當地社會的關係。至於印尼部分，由於大部分的印尼人都與馬來半島的馬來人有著親戚關係，因此，馬來半島日後的走向，勢必也將影響印尼。基於這層緣故，所以對於研究印尼，我也有著極大的興趣。

　　接著，就讓我來談談「若干前提」當中的第二點吧，那就是究竟該如何來定義「華僑」二字？很多人都說「華僑」一詞已經是一個不用的詞彙，不過日前我倒是在報上讀到來自北京的王國權先生，稱呼定居在東京的中國人為華僑的報導。台灣方面也同樣叫這些人為華僑。華僑中的「華」字，指的是中國人的中華的「華」，至於「僑」呢，若是拿掉人字邊，就成了「喬遷之喜」當中的那個「喬」字，指的是遷移的意思，加上人字邊之後，就是「僑」這個字了，也就是「移住的人」之意。「僑」這個字，

表1　居住在東南亞地區華僑的分布狀況（1969年底）

國名	總人口(A)	華僑人口(B)	(B)/(A)X100	統計年次
泰國	3,247（萬人）	350（萬人）	10.8（%）	1969年底
越南（南北）	3,400	145	4.3	1969年底
柬埔寨	700	30	4.3	1969年底
寮國	300	10	3.3	1969年底
緬甸	2,700	55	2.0	1969年底
新加坡	203	151	74.4	1969年底
馬來西亞	1,053	400	38.0	1969年底
汶萊	12	3	25.0	1969年底
印尼	11,200	300	2.7	1969年底
菲律賓	3,715	11	0.3	1969年底
日本	10,000	5	--	1969年底
韓國	3,114	3	0.1	1969年底

資料來源：自《華僑經濟年鑑1970年版》算出。

表2　1947年度馬來半島的華僑主要幫派及幫派別與人口性別比例表

出身地	人口數	%	兩性比例（女性=100）
福　建	538,244（人）	31.6（%）	115.8
潮　州	207,044	13.9	125.4
客　家	397,371	16.7	120.3
廣　府	483,965	24.6	104.2
海　南	105,457	6.0	180.5
福　清	6,431	0.5	149.5
福　州	38,617	1.8	145.0
廣　西	71,108	2.8	164.0
興　化	9,619	0.8	163.0
其　他	26,678	1.4	133.6

註：不含新加坡。

資料來源：採自魯田野，《馬來亞》，頁54製成。

並非近代才有的新詞，只要翻翻《辭海》或《辭源》，就可以知道其實早在唐朝就已經存在了。一般的先生們都將華僑視為暫住者，換句話說，住在台灣的日本人就叫作日僑，印度人叫作印僑，美國人則叫作美僑。既然如此，那麼為什麼會說「華僑」這個用語會是個「廢詞」呢？其實語言本身是具有生命的，我認為不論是第二次大戰之後國際間的新局面、中國大陸中共革命的成功以及後來社會主義建設運動的展開，都與「華僑」這個用語脫離不了關係。這也是為什麼人們最後會把想定居在當地的人稱為「華人」的緣故。這些人並非暫住者，而是居住在當地的中國裔住民，這裡的「中國」，中華民族的成分要多過於國家的成分，不過還是有人不做這樣的區分。

　　詞彙從華僑一路演變到華人、華裔，乃至於在新加坡李光耀總理大力推行的造國運動下，積極推動的「Singaporean」一詞。他一心想藉由「Singaporean」這個名詞來提升國民意識。而當地又是如何看待「Singaporean」這個詞彙的呢？他們似乎比較認為這個語詞指的是接受英語教育，而且幾乎不會說中國話——也就是當地所謂的華語——的那一群人。我（在新加坡）和學生或年輕人聊天時，起初他們會用中國話說出「Singaporean」（新加坡人），聊著聊著就又說成了「我們中國人」。由此可看出他們心中微妙的反應。另外，我還拜訪了新加坡的同鄉會組織，也跟那裡四、五十歲的人聊了一些，他們至今都還認為自己是華僑。也有一部分人，除了強烈的華僑意識之外，還有著到外地工作，最後卻回不了家的感慨。因為他們的妻小都還留在海南島或是廣東。我去新加坡之前，從來沒想過那裡會存在著這種人，看到那

群無告之民，我才發現，原來當地還有著如此複雜的問題。

　　世界各地居住著許多的中國裔住民，他們各自都有著不同的漫長形成史，我們如果不先去了解他們現在生活背後的這段漫長歷史，或是不去從歷史的脈絡來看他們的社會與當地社會間的複雜關係，立刻對「Singaporean」，或不再是華僑、人種暴動、不與當地同化是不對的等問題下斷言的話，那是極為危險的。我從前年的實地調查的經驗當中，深切地感受到如果沒有前往當地掌握社會根柢部分，就很容易寫出毫無根據、瞎猜且各說各話的論文。

　　正因為如此，我才格外想要研究華人社會，尤其是馬來半島華人社會的形成與發展，以及他們與當地歷史、當地社會之間的關係。在我手上這份國際藝術家中心的《文化新聞》第15號（1971年6月1日出刊）當中，有一篇關於歡迎馬來西亞政府文化副部長阿利夫・阿馬德（Arief Ahmad）所舉行的聯歡會報導。在這當中，文化副部長提到：

> 馬來西亞是由原住民、華僑、印度人，以及其他少數民族所共同組成的一個綜合民族。馬來西亞原住民最早來自於中國西南部的雲南，在西元前二千年左右，逐漸從馬來西亞擴張至中南半島。

　　原來，馬來原住民還有著這麼一段離開雲南來到馬來半島，接著又逐漸擴張至印尼的歷史。我希望各位能特別注意一下，在這段擴張的過程中，所謂的馬來人究竟是如何形成的。

馬來半島華人社會

馬來民族成形於中世紀，學術上一般都認為這是一個經過多次混血的民族。現在的馬來人，也就是那些所謂伊斯蘭教徒的馬來人，其實並非一直都是住在馬來半島，據說他們原本居住在蘇拉威西島、蘇門達臘、爪哇等地，後來才陸續回到島上。這樣的論述，除了赫赫有名的溫斯泰德（R. O. Winstedt）在他的研究中曾經提及之外，長期在馬來半島擔任負責處理中國人事務官員的英國知名華僑研究專家維克多普賽爾（Victor Purcell）也持有相同的觀點。對於那個時期的馬來人，也就是現在已經成為伊斯蘭教徒的馬來人，溫斯泰德的描述是這樣的：

> 擁有橄欖色的皮膚，清澈眼睛，勻稱四肢，滑順黑髮，而且下巴幾乎沒有鬍渣、額頭寬大的現今馬來人，是原始馬來人與許多外來種族──從周朝至伊斯蘭教傳入時期的中國人、德干高原與孟加拉的印度人、回教印度人、泰國人，以及阿拉伯人聯姻之下所產生的外來種族──混血交融所產生的。

因此，在中世紀時期，中國人和印度人以及混血的馬來人之間，幾乎可說沒有發生過重大摩擦。我倒覺得是在歐洲的西方衝擊進入之後，印度人、中國人及馬來人之間才開始展開互鬥，這樣的觀點在學理上應該是可以被接受的，我想喚起在場各位充分的注意。

那麼，歐洲到底帶來了些什麼呢？1511年於麻六甲，葡萄牙

人為取得香料而消滅了麻六甲王國。在那裡的印度人、中國人、還有馬來人，全敗在區區僅有700人的葡萄牙人手中。此後於1641年，荷蘭趕走了葡萄牙，拿下了麻六甲和吉打，一段時間之後，出現了英國。1786年，英國租借檳城，這年，檳城的中國人遠比英國人要多上許多。1818年左右，大名鼎鼎的萊佛士開發新加坡，將新加坡建立為中繼港，到了1825年，新加坡這個中繼港的貿易額已經大幅超越了檳城、麻六甲。1860年，英國殖民地由原本受印度總督的管轄轉變成為英國國王的皇家殖民地，再加上1869年蘇伊士運河開通，新加坡的發展從此變得更加蓬勃耀眼。1877年，英國從南美偷來橡膠，開始開墾馬來半島的叢林，進行栽種，此舉大大影響了日後馬來半島的農業高度開發。

　　說到這裡，我不禁想到，住在爪哇的馬來人，人口的增加率相當高，速度之驚人，讓爪哇人口一下暴增不少，然而，為什麼馬來半島的人口卻沒什麼明顯增加呢？在這個時期，由於1833年所頒布的黑人奴隸廢止條例，英國已不能再僱用非洲的黑人奴隸，轉而從印度帶來勞工，而中國方面則是因為1840年鴉片戰爭的結果，導致華南一帶的農村經濟逐漸式微。從那裡被排擠出的，也就是我們現在所探討的華僑的祖先。他們的悲慘境遇相信各位都很清楚。廣東話有句話叫作「豬仔」，他們就好比小豬一般，讓人一把揪住，塞往船艙的最下層，然後被帶去開挖馬來的錫礦山、當橡膠園或是鋪設鐵路的工人。另一方面，隨著馬來半島的開發，原本住在蘇拉威西、爪哇、蘇門達臘的馬來居民又紛紛回籠了。這些人因而和打從很久很久以前便住在那裡的居民遇上了，不但宗教信仰不同，而且長相也不同，甚至連語言也完全

不通的新來者——印度人和中國人。其實，早在英國人幾乎完全
征服馬來半島之前，中國人就已經在這裡展開投資行為了。因
此，不論是居住地區還是職業，中國人也都和馬來人的農村型態
截然不同，遍及各地。不但職業、居住地區、建築樣式、宗教不
同，甚至連吃的肉的種類也不同，我想，所謂民族間的不協調
感，就是從此時開始產生的吧。不知道是幸還是不幸，進入20世
紀初之後，回教徒本身發起了一場回教復興運動，並且於1930年
代初，大力推動馬來民族主義運動，他們當中有許多人建議要恢
復神前人人平等的《可蘭經》精神，並強烈批判屈服於英國統治
下的蘇丹。相對於此，英國殖民地當局，針對一部分的貴族以及
蘇丹的子弟，進行英語教育，讓他們以特權階級持續存在，並進
行重整和強化。身為殖民地統治者的英國人，在當地也實施分割
統治，即使是職業方面，也進行民族分斷。因此，會出現反中國
裔住民、反印度裔住民的行動，也是理所當然。

　　另外，我來說一件在場的日本朋友們所不知道的事情，那就
是當年山下將軍從事馬來作戰之際，對華僑施加毒辣手腕的史
實。他煽動馬來人去反對中國人，將馬來人與中國人、印度人切
割，遂行戰爭建立軍政。由此可知，在探究1969年的五一三暴動
時，其實有一定的歷史脈絡可循。

馬來半島與辛亥革命

　　第三點我要談的雖然是「華人政治意識的高漲與中國革
命」，不過卻不能忽略馬來半島與辛亥革命之間所存在的密切關

係。在新加坡，幾乎家家戶戶的華僑家裡都懸掛著孫文的相片。
這當然跟歷史背景有關，或許是因為當地視毛澤東為禁忌的緣
故，所以年輕人才會以孫文的相片來取代。實際狀況究竟為何，
我並不是很了解。不過，這樣的現象不管是對現在以李光耀先生
為首的政治家們所鼓吹的「Singaporean」，或是新加坡國民意識
的提升來說都不恰當，因此新加坡政府也開始提倡懸掛新加坡總
理夫婦玉照的運動了。另外，在我曾經去過的馬來西亞的怡保一
帶，今年以來開始出現共產黨的游擊隊，關於此新聞日本方面的
報紙也刊載過。而他們究竟與中國革命之間的關係為何？又是如
何地向中國傾斜？就由我來跟大家簡單做一個說明吧。不過在這
之前，我必須先提一提陳嘉庚這個人，他是從前新加坡的大財
團，魯迅先生曾任教的廈門大學，就是他個人捐出大筆資金所創
立的。他在中國創立了幼稚園、中學、高中，最後甚至還創立了
大學，我想，「回饋故鄉」一定是促使他這麼做的最大理由。此
外，他所持的另一個理由便是，由於當時做為馬來半島中心的新
加坡，師資嚴重缺乏，所以才會想到要將新加坡和馬來半島的子
弟送回去接受中國教育。因為我並沒有做過調查，所以並不清楚
當時若是想要在新加坡設立大學，是否能夠獲得殖民地政府的同
意。無論如何，現在華語能夠在新加坡暢通無阻，都得歸功於以
陳嘉庚為主的這群人所發揮的影響力。

　　馬來半島的華僑們，協助英國人對馬來半島的殖民統治以及
經濟開發的附屬，以勞工身分而起家，有些人因此致富，有些人
立足於前近代社會經濟結構，透過村落流通的過程，被培育成為
小商人階級，還有一些人則以近代勞工之姿出現。他們心中深處

還懷抱著「衣錦還鄉」和「落葉歸根」的念頭，加入推翻滿清的行列。民國成立之後，華僑們也將歸國投資視為夢想之一，因而匯集成一股中國民族主義的激流，並且動用本身的資金，投注在教育普及的層面上。當然，這樣的過程複雜地與中國革命（包含抗日運動）的進行相牽連的形式展開。最近經常在報紙版面出現的馬來共產黨，若要檢視其創立的歷史，可以回溯至1930年代，他們最初潛伏在地下，當山下奉文攻打馬來西亞的時候，因為英國的統治軍隊撤退，所以就由他們來出面迎戰日本軍而公開化，透過游擊戰鬥讓本身逐漸壯大。戰爭結束之後，前首相東姑拉曼（Tunku Abdul Rahman）將馬來共產黨的指導者陳平視為凱旋將軍盛大歡迎，從這樣的史實來看，歷史真的是充滿曲折離奇，饒富趣味。總之，由以上的過程來看，今後當我們要探討華僑問題之時，絕不可忽視中國裔住民政治意識高昂的歷史脈絡事實。

最近，自從有所謂的乒乓外交後，五月時，由馬來西亞的國營貿易公社總裁東姑拉沙里（Tengku Razaleigh Hamzah）所擔任團長的19人使節團訪問了中國，隨後為表示禮尚往來，中國方面也由中國國際貿易促進委員會的張光斗先生擔任團長，於八月訪問了馬來西亞。當時的狀況根據美聯社（AP）的報導，約有5,000人，另一種說法是有8,000名左右的年輕中國裔住民，在吉隆坡機場高呼「毛澤東主席萬歲」。五一三暴動的傷痕尚未撫平，不，或許正因為尚未撫平，才會出現如此狂熱的場面。因此該從何種角度去看這樣的現象，就變得很重要了。有位針對馬來半島中國裔住民們進行華僑研究的大教授曾經很簡單地用兩句話來形容這樣的現象——「這些人已經當地化了」、「他們已經變

成Singaporean了」，不過，我總認為在探討今後的問題時，這樣簡單的觀點要做為歷史進行過程的判斷材料，未免也太薄弱了些。

在進行涵蓋所有外國研究的社會科學研究時，掌握現狀是絕對必要的前提，若是以自己的理念或是主觀願望為前導來接近問題，是非常危險的事情。相信這些不需要我多說，各位也一定非常清楚。

保有一個局外者的觀察眼光，不要輕易下結論，這也是很重要的。

馬來半島的殖民地解放運動與華人

接著，為了更進一步探討馬來半島中國裔住民的思考模式以及與中國之間的關係，就讓我們進入今天第四點的主題：「馬來半島的殖民地解放運動與華人」。以東姑拉曼、拉薩為首的脫離英國獨立運動，或是稱為脫離英國殖民地獨立運動，也有人叫作殖民地獨立，這樣的運動之所以能夠成功，中國系住民所扮演的角色，是極為重要的。例如印尼的國民黨，據說名稱就是學孫文所創設的國民黨而來。相信大家都知道，中國辛亥革命與在那前後所發生的菲律賓殖民地解放運動，兩者之間絕對有某種程度的關聯性。

在上次發生的新聞記者事件當中，李光耀總理明確指出的事項之一，就是媒體過度讚揚中國共產黨的成就。這樣的發言要用什麼樣的角度來解讀，其實是很有意思的。《南洋商報》或是《星州日報》，尤其是《南洋商報》在乒乓外交開始展開後，還

在頭版刊載了毛澤東手拿球拍的放大照片。在那之前，新加坡報社有一個共同默契，或者說是自我約束，就是不會在頭版刊登中國的消息。但是以乒乓外交為契機，這樣的限制似乎是自然消失。我認為這是新聞記者事件與政府官方所提出的第一個理由，在某種層面上具有非常密切的關係。第二是華文教育的問題。正如我剛才所說的，中國大陸內部的大部分地區，其包含中文的近代教育，都遠遠比不上馬來半島，尤其是新加坡。然而，在馬來半島到底要不要實施華文教育，其實也有相當大的爭議。針對是否要推進中文教育的議題，即使同屬於左翼，馬來共產黨的主張與《南洋商報》的主張，也未必一致。

在新加坡，有華文教育與英語教育問題，而在馬來半島則有馬來語教育的問題，那裡的回教徒激進分子除了認為應將馬來語制訂為國語，還強力主張應賦予馬來語特別地位，不但如此，在今年進行的修憲議題中，他們也極力要求修法將馬來語制訂為國語，而且不容許有其他反對的雜音出現。然而，中國裔住民一直存在著一種自負，認為在漫長的馬來開發史當中，自己絕對扮演了不可或缺的角色。他們強調「對政治，我們毫無興趣，你們沒有理由歧視我們。不要阻止我們保存自己的傳統文化。從小學、中學乃至高中，都是靠我們自己的力量所興建。而在五一三事件發生之前，壓根沒想過要導入中國大陸的教育制度，而是計畫捐錢興建使用中文來教育學生的獨立大學，在大學裡，雖然施行的是中文教育，但同時也希望能對馬來的獨立與建國有所貢獻。」而如火如荼地展開了運動。儘管東姑拉曼首相曾在五一三事件發生之前承諾會給予設立許可，但事件發生之後，獨立大學的建設

運動卻一下子成了泡影。隨後在今年春天進行的修憲中也做出了若干決議，主要包括了將馬來語制訂為國語、強化政策的推行、要求公家機關使用馬來語、高等教育機關必須設下馬來人的保障名額、修憲必須經過蘇丹（州的元首，酋長）同意，此外還禁止對馬來人的特權、國語、國教（回教）、蘇丹有任何的批判（即使在國會殿堂也一樣）。通常馬來人的窮人是無法上大學的，即使在馬來亞大學看到的也幾乎都是中國裔住民。有錢人一般在受過英語教育後，都會到國外的大學就讀。因此現在他們才會設法在憲法的階段，藉由法律來保障馬來人的優先政策，以及推行馬來化運動（Malaysianization）。

五一三暴動之後的新情勢與華人的對應

在這裡，我先來談談「五一三暴動之後的新情勢與華人的對應」。去年〔1970〕9月，拉薩當上了首相，在這之前，他以美、蘇、中三國做為後盾提出了東南亞的中立化政策。之後，便如我先前曾提到過的，派了國營貿易公社總裁東姑拉沙里前往中國，而中國方面也由張光斗率團來訪，開啟了兩國間新的互動模式。聽說在此之前，周恩來從不曾使用過「馬來西亞」這樣的字眼……，北京當局向來用「馬拉亞」來做為稱呼。儘管他一向不承認涵蓋了新加坡的馬來西亞，不過在與東姑拉沙里晤談的時候，卻因為讚揚拉薩——提及日本軍國主義的話題時——而使用了馬來西亞這樣的字眼。

此外，他在制訂新憲法強力推動嶄新的馬來化運動同時，也

一邊和中國大陸進行交涉，而且還在今年八月簽訂了非官方的通商協定。在這裡我要特別提一下，最近公布的馬來西亞第二次五年經濟開發計畫中，特別針對貧困、失業、人種間的經濟面不均衡等問題，訂出了明確的解決目標。在該計畫當中，提到和我今天要談的話題有關的人種間經濟面不均衡一議題時，有這麼一段敘述：「關於社會的重建與經濟面不均衡的矯正，唯有斷絕特定人種與特定經濟活動的連結，才能讓社會重建，換句話說，必須要設法讓主要從事農業的馬來人，打入由印度人和中國人所主宰的工業與商業部門。」此外，還聽說他們計畫要成立國營貿易公社來負責橡膠的出口，至於米的流通機構，也打算要成立類似日本食糧廳的國營單位，重編流通過程。我認為拉薩是一位了不起的政治家，斷然採取了多項措施。不但如此，在「一個中國」的前提下，近來他在外交方面也表現得相當積極。

　　這麼一來，到底會發生什麼樣的結果呢？那就是中國裔住民的有錢人，會被編列入新國家的資本，成為支撐新政府物資的基盤。再者，由於貿易以及流通層面的重整，也可能因此導致官僚資本的強化。另一方面，因為禁止批判蘇丹，所以馬來農村的土地制度和蘇丹制度將因此得以維持，由此可以預見，中國裔住民、印度裔住民的中小企業，將會迅速崩解沒落，而且該階層亦會快速瓦解。現在的拉薩政權，認為馬來人之所以貧窮，都是中國人和印度人所造成的，因此刻意讓馬來人進入金融公庫這類的機關，企圖透過這樣的改變使得馬來西亞在經濟面的人種結構能夠取得平衡，藉此得以確保馬來西亞的治安以及社會的安定。如此一來，實際造成的影響，便是中國系住民社會的中產階級，很

可能今後將漸漸沒落。

　　不過，讓我們冷靜思考一下，若不從內部去解決回教的意識形態與蘇丹制度所引發的農民問題，只是一味地由上頒布政令，企圖保障馬來人的特權，以及流通過程的馬來化，如此真能達到拉薩所想要的近代化嗎？關於這點，我個人則抱持著相當大的疑問。尤其是流通過程的重整對象，又是鎖定在印度與中國裔住民的多數中產階級身上，歷史經驗告訴我們，這類中產階級的崩解，只會導致共產主義信徒的增加，對於由上而下所推動的近代化路線，是沒有加分作用的。另外，經濟政策如果不是同時提升多數者生活水準的話，是無法受到長期支持，所以我才會認為拉薩的近代化路線有相當大的問題。

　　另一方面，中國裔住民，也就是華人，因為最頂端者與官僚資本結合在一起，所以正如英國等的外國資本一般，不被視為改革的對象。華人的舊世代確實至今猶堅固地抱著已經不存在於中國的前近代意識，這也是事實。不過，年輕世代倒是已經開始有所動作了。

　　對他們而言，問題並不是出現在視為「祖國」的中國，而是如何讓自己的文化——中華文化，自己的語言——中國話，以及自身的華文教育，在到目前為止深受英國殖民地統治壓制、飽受束縛的文化中，釋放出其對歷史的創造力，並且加以強化，與世界史接軌。

　　因此，年輕世代與向來抱持著落葉歸根生活理念的華僑之間，產生了代溝（generation gap），也因而決定摸索另一種新的生活理念。

　　為了自保，華僑們建立出一種社會組織，特別是以地緣相結合的「幫」，五十多歲的人們委託「幫」，送錢回老家，或是請求幫忙寫信，以及辦理婚喪喜慶。然而現在的年輕人卻不懂「幫」內部通用的中國方言。因為，他們的共同語言是北京話。從前的通婚範圍都局限在「幫」的內部，現在卻逐漸超出了這個範圍。之前中華總商會在選理事時，會依照「幫」的人口比例選出，然而年輕人卻認為這是不對的，他們覺得唯有打破「幫」的制度，未來才有發展的可能，因此大力促進「幫」的脫胎換骨以及近代化。他們似乎認為自己與「幫」的關係，不過是領領獎學金罷了，並認為那裡只是打打撞球和打麻將的娛樂場所。「幫到底現在與我何干？」的反應才是實情。存在著此種代溝的同時，年輕人也已經不再將中國視為懷鄉情愁的祖國，只不過是在意識形態上認為，那是個使用相同語言的人們進行原子彈及核彈試爆的國家罷了。這些都是我去了當地之後才感受到的事實。相對地，馬來人的年輕人當中，有許多人認為馬來西亞的軍隊不堪一擊，必須要學習印尼的軍隊才可以，於是他們在提倡復興運動，或者說是回教的復興運動時，處處都可見到印尼軍隊和蘇哈托政權的影子。

　　而在這變化的局勢當中，一步步登上國際舞台的中國，又給這些人帶來了些什麼樣的影響呢？或許，習慣窩在「幫」底下的老一輩的人，大概只是單純地覺得「偉哉中國」吧。他們即使因為旅行的目的回到中國，也未必就會積極地支持社會主義。更遑論考慮要留在中國生活了。至於年輕人，當他們在批判歐洲或對歐洲文明的局限（多數指的是對英國殖民地統治的反感，或是對

美國行動模式的反彈），有了更深一層的認識後，也開始認真思考，自己究竟該如何面對當今中國思想、文化等一連串的挑戰？他們認為，在這個課題上，絕對不能將馬來人摒除在外，而是應該要讓中華民族、印度民族、馬來民族這三個民族都學會尊重各自的語言，摒棄自己文化當中應當摒除的部分，承襲值得延續的部分，共同攜手打造美好的國家。不過，當我問說：「你們會深入馬來人的部落嗎？」時，他們給我的答案卻是：「那地方太可怕了，我們不敢去。」綜觀歷史，我們可以發現，這全是漫長歷史形成的過程中，所衍生出極其不幸的民族間的對立情感。我們通常會很容易怪罪當地的中國裔住民不願意同化，不願意進行文化的融合，其實這些都是不對的。

　　近來，美國也出現了二代日裔、二代華裔、黑人、印地安人等的問題，然而我們對此所做出的一些評論，要是對這些不幸的人種衝突問題上加油點火，是不對的。從美國的建國過程中，我們可以發現起初歐洲諸國的人在陸續到達時，依然保有各自的生活模式，隨著時間的累積，他們之間才逐漸有了共通的理念，美國這個國家遂而形成，然而不幸的是，印地安人和黑人以及其他少數者，至今仍受到不公平的對待。而這個問題也讓美國現在必須付出極大的代價。我想，在探討華僑問題時，特別限定在馬來半島的狀況思考時，應該極具參考價值才對。

　　馬來半島殖民地政策的發展歷史過程，就某種意義而言，也可說與世界史具有一定程度的關聯性，在這段歷史的發展過程當中，馬來半島漸漸形成馬來民族占四成，中華民族占三成八，印度民族占二成，其餘則由其他少數民族分占的人口結構分布，而

這樣的結果其實並非出自於英國帝國主義的主觀意圖。

不同的民族究竟要如何整合為一個近代國家？而且還得在人數比例均等的條件下彼此相互努力扶持，這實在是個既困難但又讓人感到興趣的課題。我認為這絕非只是馬來半島居民的專屬課題，相反的，馬來半島正好提供了一個絕佳的實驗室，讓身為人類一分子的我們，有機會得以好好思考該如何才能揚棄因民族規模的不同所引發的歧視或壓迫，以及存在於民族與民族之間，充斥著經濟壓榨的社會關係。

當我們用客觀的角度來面對事情的真相時，確實可以把存在於馬來半島各民族間國民所得再分配的不均衡問題，看成是英國帝國主義所留下的遺毒之一。不過，我認為將國內一切的矛盾都歸咎於所謂的民族問題，也就是轉嫁到華僑或印僑問題上，絕對是缺乏正確科學認識的作法。

說到這裡，我想請各位注意一點，那就是到目前為止，在東南亞遭到屠殺的華僑可說已經不計其數。例如西班牙時期的菲律賓，還有九三〇事件的印尼，而這些都只是眾多範例中的冰山一角。華僑不但被視為代罪羔羊，而且主要受到攻擊的對象還是那些手無寸鐵，屬於華僑社會中最底層的民眾。

華僑已經轉化為華人的身分繼續在居住國紮根，力求生存。

看看美國的黑人吧，即使語言被硬生生剝奪、被強迫斬斷與父祖的土地──非洲的關係，而唯一保留下來的僅僅只有皮膚的顏色，但他們的問題卻依然無法獲得解決。對21世紀懷抱希望的人類，絕對沒有任何一個人有權力去抹殺那些占人類比例中不算少數的一部分人口。就拿馬來半島來說吧，那裡有400萬人之多

的中國裔住民，是一個極為龐大的集團，他們擁有自己的語言、文字與文化，這些資產不但不容被抹殺，也無法被抹殺。

　　我想我們都不應該干涉民族間的對立，也不應該阻撓他們企圖建立比馬來西亞民族，馬來民族更大的民族的旺盛企圖。誠心希望各位不要插手介入，而讓那些人再度陷於不幸。做這樣的請求，並非因為我是中國人的緣故，我想，只要是做為一個活在21世紀的人類，值此關頭，無論身處世界的任何角落，都可以這樣說吧。

　　最後，赫曼・康〔譯註：Herman Kahn，美國軍事理論家〕說過，21世紀是日本的世紀。不過，我認為這樣的說法未免太小兒科了些，當年中野正剛與東條英機對峙，於自殺前在色紙上寫下了王之渙〈登鸛雀樓〉當中的半首詩，「欲窮千里目，更上一層樓」──為了要看到千里之外的景致，所以必須再上一層樓，換句話說就是進步還要再更進步，因此我們不要把21世紀局限為是日本的世紀，而是應該要以21世紀乃亞洲的世紀、人類的世紀的觀點來放眼天下。此外，在探討華僑問題時，也千萬不要滿腦子只想將他們視為利用的對象，而是應該將他們視做人類創造世界史的一部分，若是我們能站在這種高度來思考，相信一定能做出更正確的判斷。

　　拉拉雜雜說了很多枯燥乏味的話，我想就此打住，感謝各位的聆聽。

　　　　本文原刊於《ゼミナール講演要旨》第1集，東京：アジア經濟研究所，1972年1月，頁31～52

東南亞的華人問題
──華僑研究與華僑觀的省思

◎ 馮雅晴‧吳元淑譯

前言

　　山口〔一郎〕教授介紹我的時候，客氣地說我是他的朋友，事實上，山口教授是我的老師，也是學長。

　　我於1955年也就是昭和30年秋季前來日本留學，其後，十年間在東京大學大學院專攻農業經濟就讀。

　　在東京大學我遇到東畑教授等許多博學多聞的老師們，而除了專攻的科目外，也到其他學部的研究所修課。

　　研究所畢業後，我正煩惱是否再到美國留學時，接到亞洲經濟研究所的邀請，承蒙大家的盛情，讓我成為研究所的一分子，好不容易在這裡學做研究。

　　入所至今已經六年了，我是台灣出身，所以研究的主題以台灣經濟為中心。

　　最早的一件工作是和當時擔任調查研究部長的笹本〔武治〕理事和即將退休的東京大學東洋文化研究所教授川野重任，合編《台灣經濟總合研究（上、下、資料篇）》〔《台湾経済総合研

究》〕三冊，已於前年出版〔1968年12月〕。

　　接著，負責的工作，是齋藤一夫編纂的《台灣農業（上、下）》〔《台湾の農業（上、下），1972年2月15日》〕兩冊。

　　第三件工作是關於台灣的工業化研究，但因種種因素而尚未出版。這個工作也是我與笹本先生、川野教授的共同研究。

　　我結束台灣的工業化研究時，因我出身台灣，又是會講客家語的客家人，客家是約占台灣人（1945年8月15日以前台灣的漢人住民，在台灣俗稱本省人）14%弱的少數族群，而台灣多數人使用的閩南語（又稱廈門話），我也懂一些，所以有人問我要不要做看看關於華僑的研究。

　　原本我的博士學位論文，是關於7到17世紀蔗糖的歷史，以及將甘蔗加工製成糖的過程，因剛好直接與工業部門、農業部門相關聯，十分有趣，我也試著以中國為中心去探討。

　　我最關心的問題是為何中國沒有產生內發性的產業革命，我試著以糖業切入這個問題。第二個課題，砂糖向來被視為與佛教或商品經濟有密切的關係，是文化交流重要的核心之一，我希望盡可能透過研究砂糖來考察印度與中國、越南與中國、中國與日本、中東與中國間的交流關係。因此，我的第一本著作是《中國甘蔗糖業之發展》〔參見《全集》10〕。原打算繼續撰寫，但因決定進入亞洲經濟研究所，這個計畫目前仍被擱置。

　　以上是我的研究經歷，這些研究其實並非與我對華僑研究的關心全無相關，雖不能說華僑研究是我上述研究的延伸，但至少可說是研究的連鎖。

邁向華僑研究

　　我能使用華僑們所說的中國方言、客家話與廈門話（潮州話與廈門話非常接近）。我說中國的標準話，在台灣稱為國語，現在大陸稱為普通話的北京官話。這些成為我從事華僑研究的條件之一。

　　由華僑的歷史脈絡來說，東南亞的華僑幾乎都出身自華南地區。由於華僑是以稻作及蔗作地區出身者的團體為中心，與我對農業經濟到農村社會學研究的關心有著密切的關聯。我們在台灣的祖先，某種意義上是由華南地區流亡的農民為中心所組成，與走出中國大陸向外發展的過程相同。在此意義下，也反映我對中國近代史興趣的一面。

　　或許可以說是中國知識分子傳統的「通病」，也可說是我的願望或夢想，最終希望在走完人生旅途前能完成台灣史的撰寫，也因為我有這樣的願望，我將華僑研究當作中國近代史研究的一部分，華僑問題可說是我本身的問題之一。特別是擔任舊印尼糖業推手的正是華僑，這也是引起我關心的原因之一。

　　現在我們切入正題，從華僑所處的現地狀況及華僑本身所背負的舊中國意識來說，傳統上華僑社會是封閉的。也因為他們是近代中國成立之前被迫離開中國，當時方言分歧，多以社會組織、血緣、地緣為條件構成組織。諸多原因影響，局外人比較不容易踏入華僑問題。相較於一般的外國學者，我本身不論是語言或情感上，甚至人脈上都有優越性，所以想試著做看看。1969年秋季，研究所派遣我到東南亞進行為期50天的籌備調查。

其中一部分的成果發表在先前提到的《與日本人的對話》
（社會思想社出版）一書中。

還算是年輕一輩的我，向來只寫過學術論文和艱澀的論文，
《與日本人的對話》出版後，開始受到各界的邀約。

在台灣出生，擁有受日本殖民統治的經驗，光復（指回歸祖
國）後在台灣接受中文教育，加上我是以中國人的身分在日本從
事研究，可以藉由台灣探討日本與中國的歷史關係，或透過華僑
略窺東南亞與日本的關係。在這裡先對自己些許誇張的表達致上
歉意，雖然覺得十分幸運可以從多重角度觀察事象，而自己也共
有這歷史悲劇的部分結果，深感遺憾的是，由於個人能力不足，
還無法充分地驅使利用這些條件。

我個人希望在不影響研究進度的範圍內，心平氣和繼續與日
本的友人對話。雖然僅僅是不高明的對話，但是如果可以藉由對
話達成東亞和平或增進彼此的了解，也不失為報答大家盛情的一
點貢獻。《與日本人的對話》一書封面的題字「東寧」，就是我
組合唐朝書法家褚遂良所寫的東與寧兩個字而成。

當東畑先生解讀為「東亞的安寧」時，我感到很吃驚，我
的本意與戰爭時期的形象並無關係，「東」雖然可說是東亞，
「寧」取自平靜的意思，雖然有些女性的感覺，但是我希望能解
讀為祈求日日和平的意思。

本來只抱著業餘愛好的對話，卻逐漸變成我的本業，本人感
到煩惱也感到十分不好意思，承蒙山口先生的邀請，今日來此獻
醜了。

我的課題

　　進入正題，今天的主題是華僑，相信在座的各位都走在研究的尖端，直接參與華僑研究者也不少，我今天不談現在流行的華僑商法，或是如何與華僑做生意等議題。因這些議題大家比我更清楚。在這裡我想以一位伏首書齋的學徒身分，來談談哪些論點不適合用在華僑，以及現在世界情勢變成三極或五極的結構等說法（我不採用這種權力政治power politics的邏輯）。我也認為尼克森訪問中國後，東南亞進入了激烈的重整期。在這個重整的過程中，華僑到底會採取什麼動向呢？以國民所得再分配的角度來看，現在居住在東南亞的1,500萬華僑（參見表1）〔請見本冊頁83〕，平均所得比當地其他民族高出一些，我待會兒再介紹所得高的原因，我想先談談該如何看待華僑因所得高而引發的問題。

　　第二次世界大戰結束後已經又過了四分之一個世紀。此一期間華僑的祖國中國，經歷了社會主義革命，甚至發生文化大革命。而且現在的東南亞各國由殖民統治下解放，與民族主義高漲相反的另一面向，根深柢固的排外主義盛行。在此一狀況下孕育出的華僑，已經不能算是華僑，而是華人系的新生代，他們如何思考、如何行動，似乎略可預見，我相信未來華僑的動向是值得矚目的問題。

　　在日本大家都知道日本人論很風行。所謂民族認同求諸何處，這個問題不單是日本特有的問題。世界上到處充斥著壓抑和歧視的問題，以美國為例，就有黑人、印地安人、日裔或華人系的第二代、三代等問題，年輕一輩將此當作他們恢復人權的問題

或運動。在這普遍的問題或運動的脈絡中，事實上華人系青年也參與其中。如果忽視上述所提，老實說恐怕就無法理解在東南亞對輿論的形成，具有強烈影響力的華人系媒體對日本的批判。

特別是華人系的華僑問題研究者，按照日式的說法，二次世界大戰期間或戰後世代的研究者中，反映了戰後的狀況，在那之前只有留學中國的研究者，後來留學美國的哥倫比亞大學、麻省理工大學（MIT）、哈佛，或英國的劍橋、牛津、倫敦大學的學人陸續歸國，開始活躍於檯面上。

我並不是要特別推崇歐美名校，我想表達的是，戰前華僑研究是由留學中國的少數華僑出身研究者為主流，而現在由華僑出身者的華僑研究已經換上新色彩，如果我們無視這些新的動向，仍拘泥於二次大戰前的華僑研究或是華僑觀以敷衍了事的話，恐怕會造成雞同鴨講，牛頭不對馬嘴的研究上的矛盾。我希望將日常感受到的這些疑慮傳達給大家。

這些新的研究者如何掌握或重新掌握自己，我們如不能正確地做了掌握，然後去研究華僑問題、東南亞華人問題的話，恐怕會犯了進退維谷的錯誤，我有如此深切的感受。

值得注意的是，他們尋求自己的認同時，批判日本成為內發性動作的一環。

我認為他們絕不是只拘泥於過去日本所造成的傷痕，而以狹隘見解像被害妄想症似地批判日本。當然他們的見解和想法並非完全與歷史脈絡脫節，也不是即興掌握事象（當然其中有些人可能如此）而激烈地進行日本批判，這就是我今天想要向大家談的問題。

　　我希望能活用先前已說過的多角度的觀點來切入主題，和大家對話。

　　最近，田中宏先生在田畑書店出版一本東南亞批判日本的譯作《亞洲人眼中的日本》〔《日本をみつめるアジア人の眼》〕一書。雖然書名說是亞洲人，但其實寫的幾乎都是華僑，有點掛羊頭賣狗肉的感覺（笑）。但是這是一本非常好用的書。書中對日本的批判到底合不合宜，留給大家做判斷，內容呈現他們前所未有高水準的對日本之看法，以及思考今後如何與日本相處等，是值得一讀的資料。

　　在日本華僑研究是如何進行的呢？我認為略可分為二次大戰戰前階段、戰後及現在三個時期。

迄今的華僑研究

　　戰前階段的研究係滿鐵或東亞同文書院系統的人所從事。主要是研究在中國的抗日運動或抵抗運動中華僑的動向。華僑一方面掌握了東南亞的流通機構，進而發動抵制日本商品運動；也提供國防獻金給當時的國民黨政權。也就是說他們支持中國革命以及抗日運動。由於上級〔日本政府〕要求切斷華僑和中國的關係，所以必須要掌握華僑與中國的關係之實況，這可以視為是因應上級要求的研究之一。

　　大平洋戰爭開始後，隨著新態勢的發展，下一個議題浮上檯面。先不論抗日戰爭的本身的內情是什麼，表面上是以第二次國共合作的型態進行抗日運動。華僑與中國革命的關係──自辛亥

革命以來因傳統的關係而支持延安政權者，以馬來半島尤其是新加坡為中心，或以名人陳嘉庚為中心而呈現。

此外，太平洋戰爭的爆發，華僑所面對與荷蘭、英國等殖民地統治國的關係產生實質的轉變。

華僑當時產生新的問題，由該如何支援在中國大陸的抗日運動，進而發展成在同盟國陣營的框架中以何種方式與盟軍合作。

經我這樣的說明，或許會覺得這一連串的關係是單純明快的，事實上卻錯綜複雜。

另一方面，侵略國日本當局如何呢？濟南事變（1928年），日軍出兵山東以來，華僑的抗日運動，特別是抵制日貨運動十分棘手，而做為抗日運動之一環，一連串華僑所發起的物質資源的援助活動，都令日本當局感到十分不悅。

這樣的狀況下，日本的軍政府如何切斷當地居民（印尼人、馬來人以及印度人）與華僑的聯繫，成了研究課題。這一政策同時也促成本地人的排華運動，倡導從白人帝國主義解放的運動，在建構大東亞共榮圈的政治宣傳下，屠殺華僑的事件頻頻發生。

馬來半島的情況是像英國殖民地化的過程中，有海峽殖民地的表現般，不論時間或空間上都不統一而有如一擴散現象般逐漸滲透的過程。也有像麻六甲、檳城、吉隆坡那樣華僑進入較早的例子。英國帝國主義巧妙地展開隔離統治，有限度地讓華僑成為殖民地統治的幫手或副手，編入自己殖民地統治的體制內，剝奪殖民地的利潤。藉此華僑亦累積了小財富，經營錫的廢坑，以及趁著一次大戰後英國勢力的削弱而投入橡膠園的經營。

因這樣的特殊關係，華僑時而被殖民政府排斥，時而被利

用，華僑在當地的客觀地位及其利害關係是錯綜複雜的。

這個複雜的關係在山下〔奉文〕將軍南下作戰時，被急速地單純化，日本軍一面對華僑施加打擊，亦即是對親中國、親英國的華僑採用武力制裁，並將視為「敵人」的華僑從當地居民中區隔出來，進而對喪失容身之地的華僑施予小惠或懲罰，試著將華僑編入大東亞共榮圈構想中的一部分。

這種構想的主要目的並非要向華僑促銷日本商品，而是利用華僑所掌控的流通機構，調度日本國內及軍政的必需物資，並強迫其獻金。

戰前的華僑研究主流，大多是反映這個狀況。

戰後的華僑研究於1950年代後期陸續出現，日本於戰後經濟復甦的過程中開始進入東南亞，研究多偏向如何利用華僑，或如何與華僑一同經營合資企業（joint venture），或如何定位這個販賣日本商品的中間商人等型態的時代要求。

這一時期從事華僑研究的人為數甚少，雖然少了批判的火藥味，但研究動機是如何利用華僑，這個觀點其實與戰前及戰時差異不大，可視為戰前研究的延伸。在此意義下還是屬於試圖掌握實態的研究。

從華僑到華人

隨著殖民地解放鬥爭的發展，現地國的獨立活動中（雖然其實際狀況存在著各種問題），有由華僑成員所組成的政權，像新加坡就建立華人為主體的政權。華僑已擺脫出外求生計的行動模

式，或放棄向來視中國為祖國而自己僅是過客的華僑意識。當然居住地新態勢的發展，是產生這種行動模式的背景，但中共政權的建立更是讓他們不得不採取這種行動模式是不能忽略的。

另外，新世代的出現也是一個重要因素。

這樣說或許有些無禮，但是向來視華僑為被利用客體之華僑研究，或持續抱持著華僑就是亞洲的猶太人之華僑觀，不但錯得離譜，還會引起反感。

今後，面對華僑問題，我們不得不採取的態度是，不再視華僑為華僑，而應該視華僑為華人系住民，也就是把華人系住民與各國的國民以同樣的人看待，對等、同格，即承認做為人的等價以此為前提交往，也只能這樣交往。

這是我認為第三階段的研究應該採取的姿態，今後我們必須嘗試以這種態度來接近問題。

因為「僑」字並非「當用漢字」，我認為日本的各大報社採用華商來表現的時代感覺是危險的。特別是在漢字文化圈裡生活存在共通的語感，所以比較麻煩。如果以華商解釋是正確的，那麼新加坡總理李光耀先生、神戶的作家陳舜臣先生，也包含我本人都變成華商了。因為有這樣的疏忽，日本的平民才會誤會東南亞的華人系住民都是商人、都很有錢。事實上多數的日本人認為，華僑是經商的有錢人，專門榨取現住國，甚至創造出現住國因資源被剝奪，所以一直無法向近代化邁進的神話。

我認為這種感覺，會讓我們無法與新世代的華人系青年，或已非華僑的華人系領導階層相處。我們必須承認華人系住民為地球共同體的成員，也是亞洲的一分子，然後思考未來該如何攜手

並進。

　　他們也和我們一樣，有些是商人有些是農民，也有政治家也
有學者，有的貧窮有的富有，有資產階級也有無產階級，如果我
們無法認識實態，就無法正確掌握今後全盤的動向。只要是有心
人士都應該已經察覺到，華人系住民也是改寫世界史負重任者的
一部分，我們必須著重每一個面相來處理華僑問題。

　　日前我與堀田善衛先生的會面時，他的一席話讓我覺得十分
有趣，他表示：「日本原來就屬於文明孤立的國家，日本人不太
可能變成國際人。」我並沒有這麼悲觀，卻認為這是值得反思的
話。我們都是本身情況方便時，才接觸亞洲與歐洲，所以不被信
任，這和現在我們所面對的華僑問題，在本質上有共通之處。華
僑也是人，他們不是可以讓我們單純以投機主義來利用的對手。
日本要以亞洲一分子的姿態走下去，或在新的亞洲情勢的發展
下，如何與華人系人們好好相處──並不是指狡猾地交際的意
思，而是要在更長遠的目標框架下，找出彼此共存的哲學。

　　我有這樣的構想，而於昭和46年的會計年度開始，我擔任主
持人，展開為期兩年的計畫，參與計畫者還有一群年輕日本研究
者，是向來與傳統的華僑研究全然無關者，在研究所組成研究團
隊，以「東南亞華人的社會經濟研究」做為主題開始研究。

　　有點慚愧的是，擔任主持人的我，針對華僑問題尚未發表正
式的論文。已出版的兩篇作品（第一篇是〈我的華僑小試論〉，
收錄在《與日本人的對話》〔參見《全集》11〕中，第二篇是
〈1970年代的華人（華僑）問題〉，收錄在亞洲經濟研究所廣報
部《專題研究演講要旨第1集》中）也僅是演講的速記而已。

　　我們的研究計畫目前仍在基礎工程的階段，第一步是製作文獻目錄，今天我帶過來的是暫時印製的兩份文獻（《日文華僑關係文獻目錄》以及《中文華僑關係文獻目錄》）。此外，正進行卡片的製作，預定今年秋季前完成的文獻目錄有《歐洲語言暨當地語言華僑文獻目錄》〔《歐文及現地文華僑文献目錄》〕及《客家關係文獻目錄》兩項。

　　基礎工程的第二步，是由研究團隊共同制定新的研究視角。原本研究視角應該是撰寫研究史的過程中發展出來的，可惜由於是共同研究而目前沒有累積研究史之餘裕，所以我希望至少能致力於擷取當地出身研究者的研究成果。第一份資料是本月末將印製的《南洋華人小史》做為本所所內資料。這份資料是以出生於馬來半島怡保市的王賡武教授（坎培拉的澳洲國立大學教授）於砂勝越廣播電台的教學講義 "A short history of the Nanyang Chinese" 整理彙集翻譯的。今後打算採用的是畢業於哈佛大學的新銳研究者黃枝連（馬來半島出生，去年年底為止在南洋大學任教，現在轉任香港浸信會學院（Baptist College）所撰寫的一系列論文。

關於「幫」

　　剛才話題大多偏重研究方面，接下來想從東南亞華人的實況進一步談華僑觀的問題。

　　由附表〔參見本冊頁83〕可知，現在東南亞地區的華人系住民總數約有1,500萬人。

　　將這些人以幫（以地緣性結合組成的團體）來區分的話，可分為福建、潮州、客家、廣府、海南、福清、福州、廣西、興化、三江等共十個幫。

　　再稍微詳盡說明的話，幫是以中國大陸的出生地為中心所組成，以中國行政區（以省為單位）來說，大體是以華南沿岸亦即是廣東、福建等省為中心，廣東省形成廣府幫及潮州幫，福建省則是福建南部，亦即是閩南（漳州、泉州、廈門等），特別是馬來半島（包含新加坡）歷史上較早進入東南亞，業別以貿易、經營橡膠園占優勢。因此，稱福建幫是誇大的自稱。這種情況下，福建北部的興化、福清、福州並未算入福建幫，他們又細分組成小團體。蓋因福建北部地勢重山疊嶂，而各自使用不同的方言所致。還有，海南用不著說就是海南島，而廣西就是廣西省。三江是指出身華南地區以外者，特別是以出身華中長江三角洲地區者為中心所構成。

　　如上所述，幫原是以地緣關係而結成，但是客家則稍有不同。若追溯客家的源流，南宋以前其出身地的確是黃河流域、特別是以河南、安徽、山西等省，但前往東南亞階段時，出身地並非黃河流域，而是南下後散住在廣東、福建、海南島、廣西省（僅有少數）等地區者。其主流以廣東省的嘉應州即現在的梅縣為中心，自不待言。以萬金油而著稱的胡文虎一家出身自福建省永定縣，新加坡總理李光耀出身廣東省大埔縣，曼谷產業界大亨邱細見出身地廣東省豐順縣，各不相同。雖然使用的語言在音調上有所不同，但都是客家話，與其他幫的組成原理有些不同。

　　雖然其他幫形式上是以地緣關係組成，但其使用的語言彼此

間具有共通性。只是客家人由華北南下後即使散住各地也不易與當地融合，不論是語言或生活方式仍繼續保持傳統的樣貌，可說是以客家語為中心而結合，華南出身地未必是結合的條件。當然，在客家幫之下進而冠上較細的華南出身地名，例如嘉應會館、豐順會館、大埔會館等並存即是。

辛亥革命以降，在近代中國形成的過程中，國民意識逐漸產生，廣東出身的客家一方面屬於自己的幫或同鄉會，另一方面加入更大的地緣單位例如廣東會館。典型的例子則如吉隆坡的同鄉會組織，這些同鄉會組織執其他組織之牛耳，或受居領導地位的有力人士的行動模式所規定。

南洋客屬總會在新加坡擁有非常巨大的建築物，這棟建築興建的契機與胡文虎、陳嘉庚的對立有關。當初由緬甸的仰光（Rangoon）進入新加坡的胡文虎，是福建省出身客家人，對大老闆陳氏已盡了禮數，但畢竟兩雄不並立遂致對立。但是萬金油的市場在馬來半島及印尼，因而必須對抗福建幫壓倒性的優勢才可能立足。想出集結廣泛分布的客家人（當時可以細分為嘉應會館、豐順、大埔、惠州、興寧、五華、永定等），做為對抗福建幫的方法。遂成立了客屬（全歸屬客家之意）總會，但馬來半島自葉阿來（吉隆坡的開發者）以來廣東省客家人向來就擁有強大的勢力，受不了胡氏如暴發戶的傲慢姿態，因此無視客屬總會而寧願加入廣東會館。

在香港、美國及日本，由廣域的客籍人士組成的公會，也有不稱為客屬公會而稱崇正公會的例子。崇正取自「崇正黜邪」，希望能藉此化解土（既住者）客（新移民）的對立，寄託更高層

次的理想，所以不冠上客家。

　　幫的稱呼及大分類的介紹就到此為止，同鄉會及其會址的稱呼又細分成很多種，因時間不足，下次有機會再介紹。

華僑的形成與幫的機能

　　接下來想簡單報告幫的機能，在這之前我打算說明幫的成因及為何目前幫的意識仍深植於華人社會。

　　如眾所皆知，中國人進入東南亞的時期相當早。但是現在我們談論到的華僑或華人系住民，

戴國煇（中）赴東南亞考察時，攝於新加坡客屬總會前，1969年11月（林彩美提供）

大體不外是鴉片戰爭前後受到西方的衝擊，華南農村的社會經濟秩序瓦解而出走的流亡農民後裔。因此，他們是赤手空拳地自中國農村出走的人，他們與日本移民巴西者所受到國家的保護不同，也異於以歐洲殖民統治政權為背景而殖民者，自不待言。

　　華僑的祖先定居在居住國絕非是在海外順利發展，在某種意義上可說是當時世界史的一種反映。歐洲禁止奴隸貿易後，對殖民地統治當局來說，找尋替代黑人奴隸的勞力是必要的。華僑正好可滿足這種對勞力的需求而被東南亞接受。華僑像豬仔（小豬）一般，以英語稱為pig trade的形式被帶走而居留下來，乃是

一般常識。探究這段歷史的脈絡，由於所謂華僑的人們是赤手空拳而需要自衛組織，也因為是近代以前被迫出走，故使用的語言停留在方言；其意識亦距國民意識甚遠，仍保留傳統的村的意識，自衛組織也局限於血緣，或是方言相通的地緣範圍。現今當地仍存在著以血緣關係組成的同姓公會，只是其規模比較小，因此對現在的社會情況並沒有造成什麼問題，茲不再贅述。

這種歷史背景下成立的幫，最初理所當然地成為代筆寄回故鄉的信件、代寄金錢、協助新移民、幫忙喪葬儀式等之機關。

當然，對殖民者的歐洲人來說，為了pig trade與當地就業勞力的效率化、管理的方便等，乃在pig或其它人當中選擇集合和管理pig的中國人進行間接的控制。這種人稱之為「甲必丹」（captain的譯音，日文意指工頭）。

華僑人口增加，華僑社會從形成到發展的過程，當然與殖民地開發的過程並行，也促進幫漸次穩固及幫別職業的特定化。

福建幫執貿易及橡膠業之牛耳，客家從事藥業、典當業、怡保（位於馬來半島）的錫礦山，海南幫經營餐廳或擔任服務生，興化則經營地下錢莊。因此，我們向新加坡的客家人無法購買橡膠。

幫亦有結婚的服務（當時通婚圈限於幫內），學校的設立、生活貧困者的救濟、資金的融通（互助會形式）、同鄉子弟獎學金的給與等之機能。最後，由幫別中推選代表，組成中華總商會，負責與殖民地貿易的交涉。直到最近新加坡的中華總商會被稱為地下國會，而馬來西亞則以總商會的幹部為中心，組成MCA，與前總理拉曼領導的UMNO（巫統）、MIC（印度人國大

黨），結成「聯盟」等在新的狀況下形成新機能。

該是重新認識的時候

日本一般的華僑觀是：華僑為有錢人的集團、不容易融入當地、掌握流通機構而從中榨取利潤、妨礙當地的近代化、頑固保守對現住國欠缺忠誠心。

本來要了解外國人、外國文化、其他民族並不容易。很多情況下，外國人對特定外國的事物抱持關心的，一般是新聞性的（journalistic）或異國風情（exoticism）的事物。

但是為了促進彼此間正確的交流和相互了解，光是靠新聞性的見解是行不通的，我們並非異國的旅人，如果只看到異國情緒，陶醉在特殊的事物或層面，將模糊人的視線，導致偏見之危險。

例如每當描述日本時令人困擾的是，大家總是提到丁髷〔譯註：Chonmage，江戶時代的特殊男人髮型〕、藝妓、富士山等，從這些事物無法理解日本吧。我認為更正這些偏見是外國研究者的使命，也是義務。

最近的例子是熱門新聞的橫井庄一事件的報導非常不恰當。因是日本人所以才能堅持到現在的論調，有心人士或許會擔心此報導可能與極端國家主義（Ultra Nationalism）相結合，即使不需要將視野放大到世界規模，在日本就有經歷過那種極限，甚至超越橫井先生在逆境下堅持的例子。例如《藏匿洞穴14年》〔《穴にかくれて14年》〕（三省堂）一書中的劉連仁即屬之，前蘇俄

也有因與納粹合作而躲起來過隱居生活直到最近才被發現的例子。

如果外國人接受日本熱門新聞對橫井事件的報導，那麼該如何看待這次聯合赤軍的問題呢？外國人應該覺得日本人真殘酷吧。做為邏輯的發展其可能性非常大，這很危險。我們好像離題了，對華僑問題膚淺的認識也是如此，假如只就某局部當作一般看待，則有無法掌握實態的危險。

如前所述，先思考人的問題，再將問題放置在歷史的脈絡當中，以及現住國的具體政治、社會、經濟結構下，試著找尋其定位，依照此一步驟描繪華僑的樣貌。

之前已指出華商一詞所具有的問題點，希望日本各大報社不要再使用了。

我想大家已經發現，我將華僑及華人區別使用。曾經是華僑後裔者，我稱為華人系住民。

嚴格來說，華僑是指仍保有中國國籍而長期居留在外國者，華人或海外華人（不限於東南亞）是指血緣與文化上還保留與中國的紐帶但國籍上已無關係者。

這麼說來，住在東南亞的華僑後裔大多數都屬於華人，真正的華僑已經很少了。我認為今後具嚴密意義的華僑人數將呈減少之勢。

當然上述用語的區別，會因華人系住民的世代及他們居住國家的政治社會狀況而有所不同。60歲前後的世代，因為其仍維持舊有的思想及生活習慣，或可持續延用華僑一詞，我們這些局外人即使繼續使用也不致遭受批評。但是其以下的世代或接受英語

教育且融入西方生活者，若稱他們為華僑，則將引起反彈，因他們已沒有華僑意識或想要放棄華僑意識。這點非常重要，希望大家能留意。這種情形在新加坡及馬來西亞尤其普遍。

我在其他地方亦有報告過，華僑轉為華人的意識變化，與現住國的獨立後的政治社會狀況，以及父祖輩的祖國中華人民共和國，也就是成立共產主義政權等，有著錯綜複雜的關聯而帶來變化。

我們目前研究計畫的題名為「東南亞華人社會經濟的研究」，就是上述狀況的實際反映。

原本華僑的「僑」是暫住的意思，其語源是「喬遷之喜」，即預祝遷居愉快的「喬」字旁，加上人字邊，可解釋為遷居者。

但是由東南亞的現況和父祖輩的祖國成立中共政權等新情勢，他們漸漸不再是暫住者了，曾經被當成豬仔般外出求生計的情況也少了，他們已不得不以定居者的姿態成為現住國生活共同體的一員。

父祖輩的祖國中國，對華人系資產階級來說，是血緣與文化的回憶之地，而不是生活的空間，更不是發展事業的地方。而對無產階級或激進的知識分子、學生階層來說，中國已不是曾經歷過辛亥革命、資產階級革命期，自己革命的舞台。即使是以社會主義革命為志向者，當然要以現住國的革命為目標，亦不直接與中國革命的課題相關。

剩下的只是村落中零售商人的小資產階級問題，不像上層資產階級般擁有勾結當地政權和官僚而決定行動方式的條件，也不像無產階級和激進的知識分子學生階層般，可以投入現住國的政

治革新及革命運動。加以現住國褊狹的民族主義（Nationalism）的表現之一的排外主義，其主要對象不外是這群小商人階層。說他們是全然悲劇的階級或階層，絕非過言。

　　華僑移居泰國的歷史比較長，據說因為信奉的宗教不是伊斯蘭教而是佛教，比較容易融入當地。我不認為原因這麼單純，這些華僑多數已歸化，也積極地更改泰國姓名，也有自稱華裔的人。由不久前的無血政變時，泰國首相他儂的發言亦可得知華裔因政治狀況的變化而遭受非難，不論再怎麼歸化，在中國裔公民的名下都會被疏離。

　　我之後再說明該如何看待這樣的情況，現在華僑的用法仍有部分是可行的，但我認為東南亞華人這個用法，可以較正確地掌握今後的事態。

　　我之所以認為華僑的用語仍有效，是因東南亞的華僑社會承襲了中國古老的習慣，他們對中國式的生活方式──婚喪喜慶的儀式──抱有極大的鄉愁。這是他們最大的缺點，華僑擁有中華思想的痕跡，並擔任歐洲殖民者的助手，在現住地社會過著中間者的生活方式，混和這些特徵後所帶來的，是尾隨歐洲人身後蔑視當地人的風潮仍根深柢固地殘留在意識底層。曾經造訪當地的人都知道，華僑的身上除了看得到守舊的一面外，也能看到非常進步的一面。

　　舉新加坡為例子，台灣的官僚等曾說過：「要向新加坡學習。」因為如果向中國大陸學習就不妥了（笑），所以說要向新加坡學習。李光耀原來屬於左派，漸漸向右傾斜，現在則提出社會民主主義的口號。我認為他以由上層主導的近代化為目標的同

時，在某方面想與中華思想切割，或是拋棄老舊的中國，在當地尋求「落地生根」。

邁向「落地生根」的險峻道路

「落地生根」的意思是落在哪片土地上就在哪片土地上生根。這種生活原理或生活哲學的出現，當然是戰後的事。在這之前常使用的「落葉歸根」是指葉子落下了，就要回歸到根部，日本式的說法是指死在榻榻米上或回到故鄉。

我認為現在東南亞的華僑、華人，正處在由「落葉歸根」轉變為「落地生根」的生活原理之過程中，充滿苦悶和矛盾。

我認為必須從歷史的脈絡，檢視原本「落葉歸根」的生活原理是如何形成的。藉由清楚地掌握歷史脈絡，可更加了解東南亞今後出現的問題，或是馬來西亞的華僑問題，或是以李光耀為中心的新加坡政策。今天上午的新聞，報導了自新加坡與馬來西亞分裂以來，李總理的第一次訪問吉隆坡。我認為這是繼尼克森訪問中國後的新潮流之一。回歸話題，我想談談該如何思考「落葉歸根」的歷史意義。

如前所述，現在東南亞的華僑幾乎都是鴉片戰爭前後來到東南亞的華僑後裔。但是再往前追溯歷史，明代以前或因中國易姓革命，就已有逃亡到河內、泰國、緬甸的情形了。

鴉片戰爭是歐洲衝擊下的一大事件。現在的華僑（參見表2）〔本冊頁83〕幾乎都是出身福建省、廣東省。為什麼會以這些省分為中心呢？這又讓問題回歸到如何看待與鴉片戰爭間的關

聯上。非常清楚的是，鴉片戰爭前後華南一帶特別是福建省、廣東省原本自給自足的經濟崩解，包含中國稻米生產力高的廣東省在內情況都很混亂，人們被迫出走。他們經由香港以海路進入東南亞。事實上我的祖先也是以此為契機進入台灣北部。以台灣近代史來說，大體上南部的開發，係和日本關係很深的鄭成功被清朝打敗後移住台灣而逐漸開發，但北部大多數是鴉片戰爭結束後不久移民進入台灣，並在台灣北部的丘陵地帶種植茶樹或砍伐樟木製造樟腦；開發過程中，將戰前被稱為「蕃人」的高山族趕入山裡，展開稻作農業。我的祖先來到台灣，而我的親戚則出走到東南亞。

如表1所示〔參見本冊頁83〕，華僑散住在各地的數量非常多。為什麼會有數量這麼多人出走呢？泰國約350萬人、越南約145萬人、柬埔寨30萬人、寮國10萬人、緬甸55萬人、印尼300萬人、馬來西亞400萬人。重要的是華僑占各地總人口的比例不同，且出身地也不同。

先前介紹幫的部分時，談到華僑出走的時期及各地接受華僑的方式不同，例如福建南部的人多到新加坡，泰國則以潮州人最多，居第二的是客家人，怡保客家人比較多，蘇門答臘以廣東人為主，爪哇多客家人，菲律賓幾乎都是福建人，亞庇（Kota Kinabalu）即北婆羅洲（North Borneo）的華人系住民以客家人為中心。

華人系住民占馬來西亞總人口的四成，要追究其原因就不能不思考接受華僑的馬來半島的歷史狀況。人類本來就怕事，不會想要離開生長的地方。特別是大陸型的人。希望大家不要忘了，

除非一方有不得不出走的原因，而另一方有可以接受移入者的條件，才有可能成立，出乎意料之外的，大家都沒有注意到這點。有這麼多華僑走入馬來半島，正是因英國殖民統治馬來半島的結果之一。

雖然有點畫蛇添足，但我想講，馬來半島的殖民地開發，諸如錫礦山的開採、鐵路的鋪設、為了栽植橡膠樹和整備苗圃而進行密林開拓等之勞力，因已不能使用黑奴，所以引進印度人和中國人。這也是印度裔住民占馬來西亞總人口兩成的原因。

原本自明代開始中國人就前往檳城、麻六甲等地貿易，這些地區都有類似中國城的區域。新加坡由萊佛士開港，當時中國人也就是華僑僅百餘人，蘇伊士運河的開通，使得新加坡與歐洲間的航路縮短一半，僅六十餘日即可到達，使得英國在馬來半島的開發——以錫、橡膠為中心——急速地展開。包含港灣勞工在內的工人數激增的結果，使得新加坡的華人系住民占總人口的75%。

先前談到廣東話的豬仔是小豬的意思，豬仔的貿易，pig trade是模仿奴隸貿易，其交易的目的地不限於東南亞，大家熟知的有送往澳洲、美國，成為礦山及鋪設鐵道的勞工。當漸漸不需要華僑的勞力時，批判華僑勞動過度的黃禍論跟著出現，華僑遭受激烈的迫害，這段史實大家可能都不生疏吧！日裔人士在美國也遭受到同樣的迫害而受到排擠，自不待言。

與美洲大陸的排華有一些不同，東南亞的中國人依歐洲殖民者的要求或受到入境限制，或遭受強制送返或迫害。說這是一種弱者屈從於強者的投機主義並被擺布玩弄亦不為過。

在美國被trade的pig擁有比黑人還高一點的地位，當地的印地安人也有遭受白人傷害而走上滅種的悲劇之路，當不再需要華人系勞工時，他們遂別有生路，例如從事洗衣業或餐廳等低級職業找到活路，但無法像東南亞各國的華僑，可在當地居民和殖民者之間以小商人而累積小財富，或像馬來半島的華僑以第一次世界大戰為契機，趁著殖民者暫時撤退的機會分享少部分的殖民地利潤。

馬來半島原本的少數民族與現在一般稱為馬來人者不同，現在通稱為馬來人者與這些少數民族可能有共同的祖先，其大多數是15、16世紀以降自印尼群島漸次移住或返回者，並定居在馬來半島的農村。

英國殖民者一面將這些馬來人封閉在農村中，重編並強化蘇丹制（土侯制度），一面巧妙地實施分割統治，讓華僑和印僑從事的職業與馬來人向來所從事的農業依民族進行區分和掠奪。其結果是現在從三大民族的居住地到職種都可看到分割固定化。而國民所得的再分配造成各民族間階級的差異，在殖民地解放之後，民族間的對立成因由原異民族間情感上的因素，又加上經濟收入差異之因素。當然在對立的原因中，也有因宗教不同而引起的部分，還有因生活習慣、勞動習慣、教育程度（華僑自行普及教育投資）等各種因素交錯而造成，自不待言。

還有一點不可忘記者，華僑由pig階段歷經殖民地發展階段，大部分的階層成為村落級的小商人而找到生路，這不過是將現住地的農業封閉在舊型態的一項殖民統治的結果罷了。

事實上是在現住國依舊不變的社會結構及殖民地掠奪體制之

一環中，形成了華僑的小商人階級。

　　經過這樣的回溯，華人系小商人階級存在本身，確實是妨礙現住國社會近代化的一個因素，而排除這個因素的方法，絕對不是民族的排外主義這種情感上的爆發（暴動、屠殺事件等）或實施忽視當地土地制度、社會結構而制定的華商排除法案所可奏效的。

　　我認為戰後迄今，泰國則自戰前開始實施的各種華商排除、限制法案在各地實施，都毫無成效的真正理由，亦是忽視現住國的社會結構，只依靠上面的權力而操弄的民族排外情感所致。

　　華僑居於中間者的地位，常處在有可能被排斥的一種不安定狀態下，他們只有追求「落葉歸根」的生活原理，努力地工作儲蓄小錢，寄錢回國，將希望寄託在有一天要回歸祖國的意識下。

　　他們冀望「落葉歸根」，那麼做為棄民提供金錢與人力援助給想要推翻滿洲人掌權的清朝流亡者，可說也是當然的行為。孫文所說的「華僑為革命之母」，也可以在上述的脈絡中得到說明。當然辛亥革命初期主要推手是廣東出身者或客家人，由此容易確立革命與華僑間的精神紐帶，可以說華僑的能量就是以該紐帶為基礎而引發出來的。

　　我們回到之前的話題。我已經解釋過由「落葉歸根」到「落地生根」轉變的背景和理由。但是通往「落地生根」的道路是極為險峻的。這就是當地華人所面臨的真實境遇。

無告之民在呻吟

　　華人的上層有些會進入現住國的政界，成為官僚或官僚資本家，有些國家華人甚至用勾結軍方的方式以活動。部分會聯合外資（已開發國家資本），以合資的方式進行企業活動。由外資的角度來看，是想利用華僑的資金、流通網絡、經營能力，站在華商的角度，他們與外資有追求利潤的共同目標，另一方面，藉外資的後盾，以外國的國力來分散遭受排斥的危險，無疑是種無形的保障。

　　最近也有不少日本人懷疑華商是否真的有產業資本家的本領，這無疑是無視於歷史條件、政治狀況而產生的疑惑。

　　現住國的政治狀況在無法提供上層資產階級發展的保障的情況下，他們的對策是一方面在當地活動，另一方面送子弟前往已開發國家作分散留學，完成學業後就試圖取得留學國家的國籍，要探究這種分散國籍的行為成因，需要深刻的洞察力。

　　由華僑居住國的體制面來看，主要是軍事政權，且由上層主導近代化發展的單向政治激化了矛盾呈現出來的話，華僑成為民眾容易訴諸感性的邪惡對象，被冠上不忠誠、榨取者的罪名而遭受排擠，其主要的對象先前已經說明過了。砲火集中於那些欠缺逃往外國的能力和資金，也無向當地政權政治獻金之能力，因階級的意識而無法回中國的小資產階級。

　　無法逃往外國留學的華人系學生、知識分子也是愈激進，就愈容易被視為中共的第五縱隊，而成為各種矛盾情結的禍首及批判的對象。

軍隊和警察不接受華人系青年，即使大學畢業，因當地人優先政策而登用之道處處受阻，這種情況下他們不知道要到哪裡、向誰忠誠，此乃是人之常情。

原本是以惡人身分，公開出現在民眾面前的白人帝國主義者離開檯面後，華人系這些無告之民，罪刑又加重一級，他們成了容易嫁禍的代罪羔羊。

目前華人系住民特別是這些無告之民，有一部分自己努力地嘗試從「落葉歸根」轉變為「落地生根」，但是當地的政治氣象常與他們的期望背道而馳。

我談及太多話題，使得今天的報告變得很雜亂，我的報告到此結束，接下來就留到問答的部分再做一些補充。

在這裡我只有一個願望，希望大家去現地國時，千萬不要從事任何跟分裂民族有關的事情。不要再讓悲劇重演了。我樂觀地相信，他們（包含所有的民族在內）自己會在苦悶和矛盾的過程中，發現應該走的道路。

謝謝大家。〔以上馮雅晴譯〕

問與答

山口一郎（以下簡稱山口）：現在我們談論華僑問題，戴先生介紹包含華僑一詞亦有問題，並歷史性地挖掘華僑問題。

由於沒有充分的時間，故只留極少的時間提問和討論，我希望以後還有討論的機會再繼續進行相關問題的探討。

○：非常有意思，這是個相當令人玩味的題目。由於我二月

底才從雅加達到新加坡、吉隆坡繞了一圈回來。馬來西亞的確是有問題。而新加坡雖也有問題，但其面積只與淡路島差不多大小，人口約二百萬人，以目前的狀況來說，工業化進展相當快速，某些部分甚至比日本更加有秩序。

戴國煇（以下簡稱戴）：以官僚組織來說，其效率可以說相當高的。

○：新國占地狹小，此乃有其自馬來西亞獨立出去的經緯，又，印尼因產石油等而頗有勢頭，則以加里曼丹（Kalimantan）為中心而發展。

這些國家雖各有其問題，但其中我認為馬來西亞的政治比較廉潔，各位認為如何呢？

戴：新加坡才是最廉潔的。馬來西亞仍有問題吧。向來皆仰賴天然資源發展，今後該將如何呢？也誠如我剛才所說明的，由於馬來西亞華僑已轉為「落地生根」的志向，東姑拉曼首相的融合政策因而推行順利，直至讓政策急速停頓的五一三事件爆發前一年為止，其推展並未發生太大問題。今後華人的中產階級崩潰，只要讓青年們走投無路情事發生，就會立刻把他們推向馬來亞共產黨。我拜訪當地時感到相當驚訝，竟然有人認真地主張讓印度系和華人系將馬來半島一分為二，西邊由華僑及印僑建立國家，東邊則由馬來人自理。果真如此，我認為將是非常大的悲劇。然而，觀察目前狀況，如何評價五一三事件已成為一議題，這意謂著此事件已給予馬來人一定程度的教訓，然此氛圍若延續下去，就會演變成華裔族群不得不與馬來亞共產黨攜手合作的局面。

　　年輕的華人世代，由於教育程度高，且具有行動力，因此具有與馬來亞共產黨合作的條件，是幸或不幸有成為那種結果之基礎，是我們應該認識的。對我個人來說，馬來半島由於經歷英國殖民統治而形成這樣的型態，就思考世界問題的觀點來看，這或許是一個最好的實驗室。擁有不同歷史的民族，以四比四比二的比重同處於一個國度。我認為這在20世紀後半我們所追尋的人類共通問題之一，馬來半島是一個重要的實驗室。

　　○：但我認為不單是人數比重的問題，癥結點是各種族能力不同。

　　戴：所以，擁有能力的華人若不自我反省是不行的。這與目前愛爾蘭的問題相同。各有能力的人要在何處犧牲自我呢？馬來西亞的華人系住民及印僑有經濟能力，馬來人則擁有政治、警察及軍隊，其身邊又有外國人顧問團，此狀態下總算構成平衡，但就現實問題來說，在國民所得的再分配上，由於民族間的差距日漸擴大導致悲劇性的惡性循環形成。與其變成這樣的情形，我認為像馬來西亞這樣擁有豐富天然資源的國家，實在不應再重蹈無謂的覆轍。

　　年輕的華人系知識分子也要積極地從中華思想或歷史的軌跡，思索該如何進行自我批判以克服此問題，而馬來人也嘗試在自身中尋求阻礙其發展的要因，並同時切除內在某些部分。然而，不幸的是，馬來語的優先政策與伊斯蘭教的國教化，在新的憲法下，這些議題連在國會內部都被禁止討論，此作法正如同作繭自縛。而因無法執行可能導致目前政權的支持基盤崩解的政策，目前正處於掙扎艱困的狀態吧。

　　所謂將伊斯蘭教國教化，由我們觀之就如同不管對馬來人如何說明，他們總是對華人抱有頭腦好、勤勉、小氣的守財奴之偏見。我一再說明並非如此，他們仍堅持己見。我認為這樣的價值觀是無法與伊斯蘭教切割。然而，嚴格禁止批判伊斯蘭教的憲法制定公布了，因此若不由馬來人自身提出伊斯蘭教復興，伊斯蘭教徒所提起的議題，可能得不到任何人的協助。

　　在這層意義上，孟加拉是很有趣的例子。孟加拉的前總理拉曼曾提倡政教分離，仔細調查後，發現孟加拉的鄰近國家多非伊斯蘭教徒，而是以佛教徒為中心，所以才會有此主張的出現。以拉曼總理為代表的孟加拉政權的中樞階層，在其社會係中上階級，若他們主張政教分離，當然必定對伊斯蘭教文化圈帶來一定程度的影響，引起有趣的事態，但現在並非如此。大家都隱匿在伊斯蘭教的框架中，進步的部分及掌控政權的人相反的皆利用此來助長強化，導致事態更加混亂。

　　以前的國府或現在的台灣也是如此，想要透過重編並強化儒家的方式對抗共產黨。然而，共產黨雖以打倒儒家為口號，但實際上自五四運動以來就有這樣的趨勢。五四運動以降中國確立邁向近代的志向而出現的。對此以蔣介石為中心的人們，以中國傳統且有問題的部分做為對抗共產黨的核心，而走上更加被窮追不捨的過程。

　　與此相同，現在伊斯蘭教的政權也採取同樣的方式。沒有企圖跳脫伊斯蘭教，與普世界連接，欠缺所謂明治維新時期薩摩藩先推翻舊制進而轉化的力量。

　　若到鹿兒島拜訪，雖無古剎而顯露出一絲寂寥，但另一面則

是日本近代的痕跡。

　　本來居於中間階層的華人系住民乃是防止赤化的防波堤，但當地政權卻壓迫他們，加以馬來人在經濟等各方面又無法提升，反而以瓦解華人中產階級的方式開展政策，未知悉最終導致自身的災難。但是否是為了保持政權而不得不執行，則不得而知。

　　實際上是第二次世界大戰後，就欲藉由建立中產階級來阻止赤化，是近代化路線或是美國的政策，是一直被如此思考的。馬來半島的情形則是與此趨勢相反。這或許是貫徹歷史的一個波狀運動吧。

　　○：有這樣複雜的內部矛盾之處，若分別在中國、蘇聯、日本出去的話，乃會導致更為複雜的事態吧。

　　若日本出去會變成如何，就是我們的問題了。我認為若日本出去，並無妙法可對應。變成醜陋的日本人也不行，是相當困難的。

　　戴：這情形像是剛才提到與堀田先生的對話中，我所提出的問題。

　　日文中有「自分」一詞，剛才提到我請教他是不是沒有「他分」一詞，他回答說沒有。然而遍查資料後，個人期待或許在古日文中是有此用詞。因為有自他共認的想法。

　　因為沒有他分，是說自分也不是真正存在。這與歐洲近代的自我（ego），好的意思是與個體的形成有關，我認為今後為使日本不自外於國際社會，在確立自分的過程當中，也必須認同他分。所謂的他分，就必須要認同東南亞各國人與自分是同等的。而所謂的認同，若只是操作腦袋中的觀念是無法得到信賴的。嚴

重的問題今後才會出現，除積極的對應之外，我認為我們應藉此好好思考，藉由認同他分，自分才能活得更好。

　　山口：今後是應該好好地評估這個問題該如何處理，以及您現在所提及的部分。回到剛才所提及的「醜陋的日本人」，其醜陋之處究竟如何，我們不太清楚。希望透過仔細觀察其內涵，來努力學習認同他分。

　　○：我待在大陸及台灣前後將近二十年，與中國人多所接觸，雖說都是華僑，但福建華僑及廣東華僑的想法則相當不同。

　　戴：去年年初，我在《經濟評論》的別冊中與尾崎秀樹先生就「中國人及日本人」的題目有一次對談〔參見《全集20・主觀的中國評論》〕。對談當中，看來日本人的體系統合較佳，包含語言與樣貌大致相同。然而，中國人則北方人與南方人，或光是福建省內就存在好幾種語言，彼此無法相通。因此，或許將中國視為一個歐洲較為適當。例如我會說客家語和廈門語，就如同在歐洲會說法語和德語。而將中國視為一個非常強大的統一體，此不知是幸或不幸呢？中國人自己也這樣認為，這由於傳統上一直有這種統合為一的力量。今後這樣的力量將如何演變仍不很清楚，我認為是相當耐人尋味的。

　　中國人當中，北方人與南方人的氣質相當不同。

　　若回溯改朝換代的革命，南方人成為皇帝的只有明朝的朱元璋而已。雖有像周恩來這樣優秀、有能力的人，然若要成為帝王之尊，或許得稍微糊塗，大智若愚、但格局胸懷寬大的人不可。沒有足夠的包容力是無法成為帝王的。然而，宰相就需要聰明、反應快速的人，這類人以南方人較多。請參閱附表2〔見本冊頁

83〕。最上面的是福建，然並非剛才所說的福建全省。

恰巧新加坡等有為數眾多的南福建人。南福建是指何處呢，主要是指「閩南」。大致是泉州、漳州、廈門一帶，這一帶的語言是所謂廈門話（閩南語）。這語言乃自二次世界大戰結束前在台灣的八成台灣人（漢民族系）所使用。

福建省出身的人，如同表中所示，多來自福州、興化等地，他們與北福建的語言不相通，行為也不同。

南福建有相當多的商業人才，頭腦靈活，文人亦多，似乎南宋以來便是如此。雖沒有太多知名政治家出身於此，共產黨的幹部只出了一個陳伯達。國民黨系則有海軍軍人，這或許因福州的馬尾是中國海軍發祥地的關係。然而卻沒有政治家，有的只是商業及文學人才。

說到廣東人大多是血氣方剛的人。客家人則以淳樸著名，眾所周知漢民族中不纏足的只有客家人。所謂的客家，乃是南宋時自黃河流域南下的最後一支北方民族。故其語言與北方語言相近。

這樣的族群在國共兩方都有。中共方面有朱德、葉劍英、廖承志；國民黨方面則為數眾多。1930年代召開的國民黨軍參謀會議中，以過半是客家人而成為話題。這件事在日本外務部於昭和7年出版的客家研究曾提及。

胡文虎是福建永定出生的客家人，只有客家人是不拘出身哪個省分，郭沫若則是四川省的客家人，朱德也是。廖承志則為廣東的客家人。李光耀是廣東大埔的客家人。客家人不限於出身地區，其語言都是相通的。蓋由於其由北方南下無法在某特定地區

落地生根的關係吧。因其無法在某特定地區落地生根而生活貧困，因此以考試尋求出人頭地的機會，諸如醫生、學者、軍人等。客家人也出了許多革命家，太平天國的主流就是客家人。目前，太平天國有一部分流亡者在西部婆羅洲（Borneo）。個性有北方人的激烈，而較具山頭主義。

興化人在金融方面比較強，大埔人則幾乎都經營當鋪。

如上所述，可知地緣關係和各職業的同業公會「業幫」有很深的關係。

像這樣前近代傳統的同業公會組織仍遺留至今，然其並非依照原有的形式遺留下來，而是因應當地急速形成的國民經濟及國民意識，漸漸以「幫」的形式重整之。他們的通婚對象也漸漸不局限於公會內部。剛才所提到陳嘉庚時有些離題，陳嘉庚等人歷經辛亥革命過程中，在他們的領導下進行了華文教育。在新加坡、馬來半島、印尼以北京話皆可通行，然而在香港等就無法通行。通行的結果，是使他們逐漸失去自己的母語。直至目前為止，他們的通婚對象都找同樣是出身南福建者或客家人，但是年輕一代則喪失他們所使用的母語，而統一使用北京話，他們謂之「華語」。向來的同業公會組織，也漸漸的如同日本的寺廟，其業務範圍偏向婚喪喜慶、貧戶的救濟、獎學金的資助等。

向來身為同業公會會員，以同鄉會（例如「福建公會」）的形式串聯運作，但已逐漸崩解。這或許可說是呼應「落地生根」吧。

在印尼，九三〇事件以降，中華學校及工會組織從表面上看均被沒收了，但實質上仍然存續著，仍從事匯款業務。在新加坡時感到相當震驚的是，從海南島通常只有男人遠渡重洋賺錢，他

們為賺錢而繼續留在當地生活。然而，新加坡對於從中國再入境者除老年人及具特殊情事的人之外，並不隨便發給認可，所以他們乃選擇留在當地，透過新加坡的中國銀行匯款回國。

　　山口：在前次的對談中，或是今天的對話中，許多問題仍然留下值得繼續探討的問題點，希望能留待以後進行總括性的討論。〔以上吳元淑譯〕

　　　　　本文原刊於《会報》第4號，東京：中国・アジア貿易構造研究センタ
　　　　　一，1972年5月，頁9～64。係於「中国・アジア貿易構造研究センタ
　　　　　一」的演講紀錄，1972年3月22日

如火如荼的中國統一運動

◎ 李毓昭譯

　　這是1970年的某一天，離加拿大大使「take note」〔譯註：討論建交事宜時回應中國要求的用語，意思是「留意」〕這個片語蔚為流行，中國外交使節首次駐在北美大陸沒有多久。

　　掛美國牌照的車龍在多倫多港四周綿延不絕。老年夫妻或剛邁入老年的人比年輕人多。這群一看就知道來自東方的黃色臉孔，握手流淚，面露喜色。這是美國大陸罕見的景象。究竟發生了什麼事？

「祖國」的大衝擊

　　在人潮的另一邊，可以看到有中國標誌的「東風號」。對於美國人、加拿大人或屬於亞洲人的日本人來說，這艘貨輪並不大，也不怎麼起眼，那群人卻在對著這艘貨輪流淚。

　　目睹這場景感到吃驚，事後轉告我的人，當然不是日本人。那個人是福建省出身的技術員，在戰後從大陸移居台灣，以國民黨員身分（也許只是形式）擔任公職，而有幸留學美國。這是他

去加拿大拜訪友人時，在中途看到的。

　　A先生是旅日華僑，也是上述國民黨年輕技術員的遠親，對政治沒什麼興趣。他說：「你大概無法體會對著『東風號』掉淚的心情。我兒子這一代也無法體會。我可以體會一點點。」

　　亦即「那艘船是我們做的，可以不靠任何人的協助做出來。我們的父執輩，不，連我們這一代有些人都曾經被當成豬仔裝在甲板上或船底下運到美國大陸。那艘船就不一樣了，是我們自己行駛的船，親手製造的，運送的東西也是真正的貨物，而不是豬仔。」以前有所謂的「豬仔貿易」，代替奴隸的勞工與豬仔無異，被送到美國大陸（東南亞華僑同樣是豬仔貿易的產物）飽受虐待，而且在礦山、鐵路、鋪鐵軌的工作結束後，就被美國人以「黃禍」之名殺害、排擠、壓抑、歧視。那些豬仔和後代受過漫長的風雨吹打，嘗盡辛酸，也難怪會開車排長龍駛向多倫多，對著那艘不起眼的小船歡呼。

　　老一輩的華僑應該都不懂得什麼是文化大革命，什麼是共產主義。那些事都不重要。只要能夠以中國人的身分堂堂正正地走在路上，他們就滿心歡喜。

　　1950年11月27日聯合國討論韓戰時，中華人民共和國的代表伍修權在聯合國用中國話演說，以旅美華僑為首的全世界中國人無不大聲喝采。

　　自聯合國成立以來，中國話就與英語、俄語、法語、西班牙語並列為五大公用語。對於國民黨代表只說英語一事，中國裔人士會感到不快是不言自明的。但由於麥卡錫主義肆虐，他們的聲音逐漸無人聽聞。

「保衛釣魚台」運動擴展到各地

但儘管歷經漫長的灰暗冬天，嫩芽並未枯萎。旅美中國裔知識分子和青年處在中國與加拿大恢復邦交、東風號事件、尼克森·佐藤共同聲明、周恩來對共同聲明的批判、對日本軍國主義復活指責、美國某位高官對日本軍國主義的批判，以及長達多年的激烈反越戰運動、學生運動等風潮，不可能不從這些動靜中察覺到美國政治氣象的轉變。

釣魚台成為導火線

使他們打破沉默的最大契機不是別的，正是他們所謂的「釣魚台」，也就是日本所稱的「尖閣列島」問題。

釣魚台問題是因1968年以來在此列島四周勘查海底油田，發現豐富的蘊藏量，而產生台、日、韓共同開發的構想，也因為該群島屬於《歸還沖繩協定》中的歸還區域（但美國表明希望該群島的歸屬由當事國協商，對該列島的領有權抱持中立），而成為眾所矚目的焦點。

旅美中國裔知識分子和留學生是從1970年11月底開始，在上述北美政治氛圍轉變的浪潮中，推動「保衛釣魚台」運動。

他們起初將日本主張領有釣魚台視為軍國主義傾向的象徵，而以支援國府台灣的形式展開活動。可是國府當局在文革結束後周恩來大力推展外交的情況下，不能有刺激日本政府的行為。尤其是當時即將進行第二次日圓信貸談判，正在傷腦筋。

　　對國府來說，此群島的所有權不過是形式，最重要的是豐富的石油資源，只要掌握住，不必乞求就能得到美國援助和相當於日本借款的東西。換言之，對台灣來說，幾近永無匱乏的財源比較重要。

　　這筆財富如果無法全部掌握（實際上並沒有開發所需的技術和資金），至少也要設法得到有利的分配。這麼想也是人之常情，因此產生的就是台、日、韓共同開發的構想。

　　海外華僑根本不把國府的煩惱當一回事。鴉片戰爭以來的民族恥辱始終顯現在領土問題的敗北上，令他們扛著不如人的歷史重負。他們懷抱著總有一天要平反的心理。釣魚台問題為這種心理點了一把火。在1971年春季以前，光是美國一個國家，就有53個地方成立了「保衛釣魚台委員會」。

　　柏克萊加州大學是美國學生運動的麥加之一，此地的活動甚至得到著名中國學者夏曼教授等人的支持而發展。

　　運動波潮並不止於美國，也傳到了歐洲、香港、東南亞、日本各地。連1950年代之後採行戰時體制，處在戒嚴令下的台灣當局也壓制不了，出現以華僑歸台留學生為主的組織，對日本大使館發動示威遊行。

給蔣總統的質詢信

　　苦惱的國府當局派高官去美國遊說，起初拚命說服，但效果不彰，就打出以「疏導」（企圖意志的疏通與誘導）為名的防衛戰術，將此運動抹黑為中共第五縱隊的陰謀，帶有威脅意味。

　　可是民族主義才剛燃起，國府當局的態度猶如西原借款〔譯
註：1918年段祺瑞以參加第一次世界大戰名義向日本借款，經手
人為日本銀行家西原龜藏，因此以之為名〕時的懦弱外交，對於
釣魚台在內的沖繩歸還日本問題的報導，國府當局採取管制措
施，這種態度開始受到指責。最後有53個行動委員會聯合以「全
美各地保衛釣魚台行動委員會」的名義，向蔣介石總統遞交一封
公開的質詢信。

　　由於信是寫給蔣總統的，這個階段的運動不論內容如何，都
可以看成表面上還是支持國府，依然保持苦勸國府的立場。

　　信中要求於3月29日（1971年）之前公開回應以下10項決議
內容：

1. 在3月29日前，公告全世界並正式照會各有關政府，釣魚台列
   嶼為中國領土，不容侵犯。
2. 嚴正譴責日本政府之蠻橫侵略行為，強烈抗議美國國務院之
   無理聲明，並公布之。
3. 派兵進駐釣魚台列嶼，派艦巡邏其附近海域，以確保我領土
   主權之完整及維護漁民作業之安全。
4. 阻止日本在該列嶼私設氣象台，並沒收其非法界碑。
5. 永遠停止參加所謂的「中日韓」三國共同開採海底資源之會
   議，並公布第一次會議之紀錄。
6. 公布與美國四家石油公司所簽合約之全文。
7. 在國內外公布一切有關釣魚台外交交涉之經過及紀錄。
   （8、9省略）

10. 不得壓迫國內外愛國運動，開放國內言論，報導有關釣魚台
　　問題之一切發展。並於接獲此信後，在五天內公布於《中
　　央日報》海內外版、《香港時報》（國民黨在香港的準機
　　關報）及其他中華民國機關報紙（參用《七十年代》月刊編，
　　《釣魚台事件真相》，頁117～118）。

除了這份公開信之外，還有一份由523位旅美的知名知識分子與
學者簽名，同樣寫給蔣總統的上書電文，要求確保釣魚台群島主
權和相關的大陸棚資源。

國民政府傷透腦筋

　　上述公開信的內容並非國府當局所能回答。可是情勢緊迫，
不能置之不理。

　　該年3月28日，國府當局照例不由蔣介石出面，而以總統府
祕書長張群的名義公開回應，但只限於關係到「釣魚台群島的領
有權」、「中（台）、日、韓三國民間共同開發海底資源會議」
的兩個項目做形式上的回答。

　　從張群的回信和當時的外交部長魏道明在立法院的發言，可
以窺知國府高層複雜微妙、煩惱不已的表情。

困窘的國民政府

　　1971年4月之後，情況變得更加波折。乒乓外交拉起序幕，

其後於7月16日發表的尼克森訪中聲明猶如晴天霹靂。運動宗旨從保衛釣魚台急遽轉彎，變成要求中國統一。

在那之前，台獨運動向來是以美國終究不會丟棄台灣的樂觀為前提，這時開始陷入窘境。

台灣留學生原本對釣魚台問題一直保持沉默，現今雖然動作緩慢，但也開始批判台獨運動人士。

對旅美中國人社會造成的衝擊並不僅止於此。有外電報導，聞名的諾貝爾物理學獎得主楊振寧博士忽然去了上海。

楊博士等人進入中國

楊博士之前曾多次委婉拒絕台灣當局的邀請，但是對國府並未口出惡言。他是首位獲頒諾貝爾獎的中國人，受到全世界華僑的推崇。

不僅在學問方面，全美中國裔知識分子也很欣賞他的品德與見識。正因為如此，才會在美國和全世界的華僑社會引發漣漪。尤其是9月21日夜晚，楊博士返回美國後，首次在紐約州立大學演講，吸引了1,000名以上的聽眾，超過主辦者的預想，狹小的會場熱鬧滾滾。

楊博士回美國後的心得概要會在下一期介紹。CIA（美國中央情報局）要員曾在他幾年前有意返國探視病重的父親時百般阻撓，而且在他去香港與近親會面時也將他包圍得滴水不漏，極力提防他進入中國。對於知道這些事情的旅外中國裔知識分子來說，美國政策的急遽轉變實在令人驚訝。

　　我想有許多人知道楊博士的父親是清華大學的知名數學家，但想必沒有讀者知道他也是國民黨以前有名的杜聿明將軍（目前住在北京）的女婿。

　　楊博士在北京和岳父杜聿明將軍，以及同是黃埔軍官學校出身的鄭洞國、侯鏡如、焦實齋等國民黨以前的知名軍官聚餐。大概有許多旅美中國人對於能從楊博士那裡得知這些人的近況深感興趣。

　　由於有許多舊國民黨員或目前還在台灣的國民黨要員的子弟、相關人員在美國，此事的影響不可謂不大。

　　楊博士之後，又有芝加哥大學教授何炳棣博士隔了四分之一世紀訪問中國。何博士是社會科學家，經常前往台灣，是一般人以為中國不會接納的人物。

　　何博士是第一位前往祖國的社會科學者。由於他與東南亞的華人系社會科學者關系密切，讓國府當局很頭痛。

　　趙元任夫婦是胡適的朋友，同樣是著名的語言學家，他們的歸國訪問也受到報導，但此後的動向不明。

　　後來竟然連「保衛釣魚台行動委員會」的六名領導人也進入北京，接受周恩來總理的款待。台北出身的陳恆次也在這六人之內，足以令出身於台灣的人士大吃一驚。

　　國府當局宣布要撤銷他們的護照。現在連美國都不甩國府了，更何況美國境管局也同意他們再度入境，國府的動作也就遭人奚落說「胡說八道」。

　　就在國府是否會在聯合國總會開議時遭到驅逐的重要關頭，季辛吉發布再度訪中的聲明，「保衛釣魚台運動」就在牽扯到聯

合國代表權問題的情況下，急速變質為要求中國統一的運動。

國府早在那之前就唯恐該運動會發展成「第二個西安事件」。對他們來說，情勢變得相當險峻。

國府上述的遊說與姑息的補救動作之所以如此無力，看該運動的發展狀況即可明瞭。

有剛從美國返國的消息人士表示，國府還私下緊急運作，動員台灣父兄向留美子弟發出「愛的書信，哀求他們不要參加政治運動的信函」。

對國府來說，僅存的唯一策略就是把運動貼上紅色標籤，使「危險分子」孤立，並且讓數量不多的國民黨系留學生成立組織，意圖挽回局勢。去年底在華盛頓一家豪華飯店花了10萬美元舉辦的「反共愛國大會」就是其中一環，甚至找來流亡台灣後、未必與國民黨主流沆瀣一氣的1930年代政論家胡秋原，擔任在全美遊說的講師。

從被趕出聯合國到今年初，世界各地的國府大使館都舉辦了前所未有的「國是會議」，一改之前的官僚習性，以懷柔的手段和大餐款待旅居的知識分子與留學生，要求他們提出建設性的批評與建言。據說受邀者有些只是苦笑，有些則是認真進言說，台灣萬一被共產黨解放，自己就不再是富人了。

台灣學生也有新動作

那台灣內部呢？

1971年4月12日，台南的成功大學有六十多名學生高舉「中

國領土不容侵犯」的標語，從校區走到市內的美國新聞處門口
（當然有穿制服和便服的警官「保護」）示威。

　　一般認為，除了官方發動的集會和遊行之外，台灣絕無這種
自由，因此都為這破天荒的舉動感到訝異。

　　兩天後，經過激烈的辯論，以台灣大學和政治大學為主的學
生也舉辦了多達2,000人的抗議集會。這是50年來未曾有過的景
象。其中有60多名特別獲准搭乘校方租借的巴士，在日本大使館
和美國大使館前面下車，只能在狹小的範圍內展開遊行示威。

　　有香港報導指出，當局很擔心學生的遊行示威會刺激民眾，
而轉變成大規模的反政府示威。

　　由台灣的年輕知識分子、研究者團體刊行的《大學雜誌》以
前所未有的激烈言詞發表「國是諍言」。台灣大學接著舉辦50年
來首次的「有關言論自由的討論會」。有消息來源指出，這一連
串的活動是巧妙地分由從僑居地回台的留學生和在台灣的本、外
省人學生在推動。

　　從1950年代後半期開始，國府為了擺脫國際上的孤立，達成
經濟自立，就積極引進外資，努力誘致華僑投資，而接納大量的
僑生就是其中的一環，目的是加強與華僑之間的民族性或經濟、
文化上的紐帶，但此政策可說卻適得其反。

　　箇中原因是居留地政府的政策，使留學生無法自由往來中國
大陸，他們也對當地的政局和教育感到失望，因此返台的人數占
了現今台灣各知名大學的三成。

　　他們懷抱著民族主義的熱情，關心社會正義的程度，與在台
灣50年來處於被鎮壓與被灌輸紅色恐怖，成天只顧平安保身，而

將希望放在出去國外留學的在台台灣學生有根本上的差異。他們當擋箭牌時，當局因為要考慮到對整個僑界的影響，只好採取遊說的姿態。

基於旅居東南亞的嚴峻生活體驗，以及對第二次大戰的日本軍政鮮活的記憶，來自美國的「保衛釣魚台」呼聲很容易就燃起了他們的熱情。數量多的華僑學生促進了運動的發展，也降低了被分別擊破的機率。

撼動東南亞的新浪潮

多數識者頂多將香港的地理位置視為中國面對自由陣營的窗口，或是自由陣營對中國資訊的收集站。可是他們疏忽了一點：香港既是中國對台灣的窗口，也是台灣對中國的窗口。

頹廢都市香港的新世代

如同經由香港前往中國的人幾乎都有的看法，香港既是殖民地，也是腐敗的社會。寄居該地的中國人那種頹廢、享樂的風氣確實令許多有識之士搖頭。

香港大學是傳統英國殖民地出身的官僚必走的菁英路徑，循著這條路徑攀上龍門是上流子弟最大的心願。沒考上香港大學的「二流」、「三流」人才就改走另一條路——先進入由戰後的美國反共團體（有一種說法是裡面也有CIA的資金）和流亡學者合作設立的中文大學，然後去北美留學。也有一部分是以華僑身分

去台灣留學，接著再同樣嘗試去北美留學。

　　基於這樣的關係，北美、台灣、香港的中國裔青年都會互相聯繫，保衛釣魚台運動和接下來將提到的身分認同活動，從外表看來都有一定的共通點。

　　另一方面，跑到香港的大陸流亡者已在香港住了四分之一世紀。即使父母那一代是流亡者，下一代也不會有流亡者的自覺，這就是所謂的新世代。

　　衣食無缺的新世代會依循上述的大學路徑，但多數貧寒的男女青年則在1950年代後半，成為促進香港經濟急速發展的寶貴人手，如今已是主要的勞動者來源。

　　1967年香港發生暴動，這股能量的中心就是他們。

　　對流亡者那一代來說，香港是過去的中國，是重溫中國生活模式的場所，但是新一代的青年卻未必會這麼想。

　　鑑於九龍半島的租借期僅剩二十多年的現實問題，香港對新一代的人來說，與其是逃避生活的處所，不如說是自己壯年時的安身立命所在，賭上一生事業的地方。可以想見他們內心充滿無法克制的欲求，想要從中國得到認同。

　　釣魚台問題在這個時候發生，日本商品在香港市場充斥，日本資本進入香港，而大量觀光客的言行舉止，無論如何都會刺激到他們。

　　他們於是擺脫無精打采、醉生夢死的香港人形象，參與香港暴動，包圍日本總領事館，並採取可以用激進來形容的行動，抵制日本商品。這些事情都還鮮活地留在我們的記憶裡。

　　保衛釣魚台運動尤其牽扯到反對日本軍國主義復活運動。他

們於去年〔1971〕的7月7日（盧溝橋事變爆發之日）舉行「七七事變」34周年紀念日，在日本總領事館前示威遊行，有將近100人毅然採行靜坐戰術，導致4人受傷，12人被逮捕。由於當局的鎮壓令他們憤慨，當月13日維多利亞公園又有抗議集會，聚集了數千人，讓人擔心會再演變成香港暴動。

經過中國回到聯合國、尼克森訪問中國等接二連三的衝擊，連算是中間偏右的月刊《明報》、《人物與思想》都在不知不覺之中將論調從中立變成中間偏左，精神奕奕地辯論釣魚台問題、認同問題，並進一步地討論「台灣往何處去」等議題。

令人吃驚的是連國民黨系統的週刊《新聞天地》都在批判台灣，討論台灣的內部改革。雖然至今仍堅持反共立場，但是對國府與蘇聯靠攏的傳聞，不忘從民族立場予以叮囑，真是饒具興味的現象。

鎮壓風暴席捲新聞界

自乒乓外交以來，如同日本報紙的報導，東南亞發生了一連串鎮壓新聞記者的事件。

《新加坡先鋒報》〔Singapore Herald〕有三名主管被驅逐出境（1971年5月），同一時期還有《新加坡東方太陽》〔Eastern Sun〕停刊，這兩個事件主角都是英文報，一般認為對所謂華僑社會的影響並沒有那麼大。

可是歷史最悠久，被視為東南亞最具影響力的新加坡報紙《南洋商報》也有四名主管被捕，原因據說是觸犯了當局的禁

忌。該報是中文報，而且刊登了自乒乓外交以來不曾有過的對中國的大幅報導，在頭版還配上一張毛澤東主席手持桌球拍的放大照片。

《沙炎叻報》（Siam Rath）在泰國是具有影響力的報紙，其總編輯Nopon Bunyarit和同樣有分量的報紙《泰國日報》（《泰叻報》Thai Rath）總編輯甘蓬‧瓦察蓬（Kampol Watcharapol），以及該報著名的專欄作家Prasan Mephelumgmart共三位，都被以破壞他納外交部長名譽的嫌疑逮捕（1971年6月7日）。

不用說也知道，他納部長是亞洲有名的華人系外交官，精明幹練。他在去年11月17日因為「泰國恐怕會因泰籍華人受到中國加入聯合國的鼓舞而傾向共產主義」，而在總理他儂發動政變時去職。

尼克森震撼、中美靠攏的衝擊，也波及到菲律賓和馬來西亞。

菲律賓政府將中國人新聞記者干氏兄弟強制遣送回台灣；中國訪問團為了答謝馬來西亞的橡膠使節團，在團長張光斗的率領下訪問吉隆坡時，有將近一萬名華人系青年在歡迎中高喊毛主席萬歲，此時是1971年8月22日，五一三暴動（1969年）還餘波盪漾，眾人不禁啞然。

不論各位樂不樂見，華僑的新浪潮已經湧起，此後也還會再出現。

他們向中國尋求的「認同」是止於血緣、文化的紐帶，還是會發展成國家概念的祖國？世界正在展開五極化的新趨勢，與台

灣的回歸和東南亞今後的動向息息相關，因此格外值得注意。

本文原刊於《週刊東洋経済》第3668號，東京：東洋経済新報社，1972年6月3日，頁44～49。發表時不具名

充滿苦澀的「多極化」應對

◎ 馮雅晴譯

壓抑親中政策的苗芽（泰國）

現在散住於東南亞的華僑，馬來西亞400萬人、泰國350萬人、印尼300萬人、越南145萬人、新加坡151萬人等，總計約1,500萬人。

這裡打算探討泰國、新加坡、馬來西亞的部分。

1969年夏季從中國文革進入善後階段開始，泰國南部及東北地區大量流入中國製雜貨、食品等違禁品，私下販賣，這是眾人皆知的事。

對中政策緩和的萌芽

1957年以來持續軍事獨裁的泰國，於1969年2月10日進行睽違12年的下議院選舉。當時美國在越南已出現必至敗退的跡象，在野黨的民主主義戰線、經濟人聯合戰線等少數政黨提出承認中國論，引起眾人的關注。特別是進入1970年代後，加拿大和義大

利的承認中國，以及聯合國大會通過阿爾巴尼亞決議案，在泰國政界掀起了微妙的波動。

首先檯面上出現了恢復中國貿易的議論，而在大學裡學習中文的熱潮漸次增加。私底下，1950年代以後在泰國政治右傾化和軍事獨裁體制下，中華學校的親中派教職員多數被逮捕，學校也被封鎖。因此華僑子弟的母語（北京話）教育也被學校教育剔除，被限制在小班（不可以超過七人）的私塾教育或家庭內教育。但是，有消息來源指出，華僑子弟學習中文的趨勢，開始呈慢慢恢復的徵兆。

政府要人中，華人系出身且手腕相當敏捷的他納外長，在他儂首相的包容下，正式稱中國為中華人民共和國（5月14日的外交部記者招待會上），顯示了積極與中國接觸的姿態。但是對這種積極的態度，閣僚內部也有強烈的反對意見，而引發本系列第一回刊載的逮捕新聞記者事件。

輿論的動向所引發的騷動，甚至波及大學，1971年9月3日泰國最高學府朱拉隆功（Chulalongkorn）大學舉辦座談會，民主黨黨主席社尼・巴莫（M. R. Seni Pramoj）與經濟人聯合陣營黨黨主席特普氏，針對中國承認問題進行激烈的論辯。

在這之前，由於乒乓外交的展開（1971年4月7日），利用國內輿論壓力的影響，長年明哲保身的華僑界領導者們，首次表明贊成對中貿易（4月16日由中華總商會會長安彭發言）。是否應該恢復與中國貿易的議論，其激烈程度不亞於與中國建交的議論。

當局也認為一時無法抗拒時代的巨流，在國家安全保障會議

上，於11月3日決定「解除對中貿易禁令，緩和現行反共法，允許受中國邀請的文化、運動代表團參訪中國等」方針。但是卻不忘附上「不久的未來不會建立外交關係，且現階段不允許個人及政治團體的訪問中國」等但書。

退回保守反共立場

形式上雖然採取了積極的姿態，但政界主流的內部還是以堅持反共保守的軍人勢力占優勢。因此，宣布解除對中貿易禁令後不到三星期，於同月19日他儂首相立即依據下列理由進行不流血政變。理由是「唯恐居住在泰國的中國人，因為中國加入聯合國而獲得勇氣，使得泰國走向親近共產主義的道路。泰國政府很難預測中國加入聯合國對居住在泰國300萬中國人有什麼影響。如果這些中國人多數浸染共產主義，泰國領土境內到處可見的恐怖分子滲透將更加惡化，可能會讓泰國陷入混亂中」。

政變的結果，一直採取積極卻慎重姿態、華人系出身的他納外長因此而下台，政變後甚至被排除在新設立的國政評議會成員之外。

自二次世界大戰前就歷經了長年的屠殺及打壓的華僑，非常慎重地應付與中國接近的一連串變動。例如針對聯合國的「驅除國府決議」，曼谷銀行的陳經理認為：「這是非常棘手的問題。中國不能由兩個國家來代表，但是也不應該讓中共加入聯合國」，中華總商會會長安彭表示：「支持政府的政策，國府為泰國的良友，對國府被聯合國排除感到惋惜。如果政府不更改對中

政策，對中貿易是不會有任何改變。」此外，立明副會長以「不予置評」來回應。因應新事態的發展，檯面上雖未有明顯的犧牲，但不難想像他們的心情會有多麼複雜。

走入死胡同的李光耀路線（新加坡）

馬來半島（包含新加坡）的華僑動向，對東南亞今後的情勢有無法估計的影響力。

新加坡處於戰略要衝的位置，也是東南亞唯一的華人政權，華人系住民占總人口數的75%。同樣的馬來西亞的華人系人口約占總人口數的四成，存在有力的華人系政黨，政治活動相當旺盛，可說是傳統的華僑世界少有的例外，政治意識、教育水準都很高，馬來亞共產黨（Communist Party of Malaya）的主流係為華人系所占。

而且，眾所皆知的是，東南亞的華僑以香港—新加坡為軸心，建立起獨自的貿易網和情報網。他們長年在險惡的條件下生存，此期間所磨鍊出來的敏銳掌握國際情勢之能力，讓大家十分驚歎。

1969年秋季，佐藤‧尼克森聲明發表時，當我們還聚焦在批判日本軍國主義時，他們已經把目光移向別處。透過他們的媒體反映輿論，諸如美國國務院廢除美國人旅行中國時攜帶中國名產回國內的限制，美國人可在中國自由地旅遊，以及第七艦隊巡邏台灣海峽，由經常巡邏改為有時巡邏〔譯註：指發生事端時〕的政策，甚至正面地評價對國府的軍事援助的急速縮小傾向等。

乒乓外交過後不久新加坡的新聞記者逮捕事件，報紙的停刊、廢刊的打壓事件，這些事件的發生都不是偶然的。

幾乎是同時，華文新聞雜誌激烈展開對日批判，但內容都一面倒批評日本，顯得有些偏頗。對日批判的目的，是要喚起民眾對日本軍在戰爭中邪惡面的認識，同時也是暗中對當時政府棄中國親日本路線的批判。這些是從住在新加坡的記者且是華僑問題研究家的某氏聽來的。

抵抗中國滲透的李光耀路線

他這麼說。不論是新加坡總理李光耀所領導的人民行動黨（PAP）取得新加坡政權的過程，以及該黨或李光耀的獨裁體制確立的過程中，都完全利用英國所留下的遺產——教育、人才的控制（重用英語教育出身者及排除華文教育出身者）——其本質就是由上層主導，強力促進近代化。

PAP政府在1959年6月取得內政自治權。這個「新生」的新加坡剛起步時頒布如下的綱領「解除殖民地體制、獨立、民主，並以建立非共產主義的社會主義國馬來亞（Malaya）為目標，最終與馬來亞聯邦合併，以達成更完整的獨立」，因為這是英聯邦（The Commonwealth）的內政自治領（dominion），其局限十分明顯。

從馬來西亞的分離獨立，使PAP右派夢想破滅。其後，新加坡積極地從許多國家導入外資，使得工業化急速地進行（設立裕廊Jurong加工區以及推廣加工貿易），並以美英日三國為主，開

放積極外交，接近中國以外的蘇聯東歐圈，並於北韓設置領事館等，顯示其政策為「邀請各國的力量進入新加坡，而在各勢力的平衡下，去除中國色彩，以防止中國的滲透」。

理所當然，新加坡華人系住民的左翼運動根深柢固。李光耀過去在PAP的左派勢力同志，於1961年6月組成「社會主義戰線」，反對組成反動的馬來西亞聯邦。現在多數的指導者都已被送進牢獄。

此外，我們不可忽視上層華人的強力組織「中華總商會」，不談意識形態，其殘存民族、文化上臍帶的執著是不可忽視的。

新加坡華僑的傳統

尤其是將知名評論家李星可主筆逮捕入獄及打壓東南亞最有力的華僑新聞《南洋商報》，可說其意義極為重大。蓋因《南洋商報》是陳嘉庚所創，為東南亞華僑最有力的團體福建幫（以地緣關係組成的同業工會）的代表刊物。

中華總商會的正確中文名稱是「新加坡中華總商會」，英文名稱為Singapore Chinese Chamber of Commerce〔& Industry〕。

而日本的商工會議所雖與之相當，但實際上其功能不限於商工會議所的範圍，據說中華總商會是新加坡的地下國會，特別是1930年代開始到新加坡獨立的1959年這段期間，被視為代表新加坡華僑的最高機構。

總商會的核心陳嘉庚、李光前、陳六使等福建幫至今仍有其影響力，對李總理來說，都是令他頭痛的人物，自不待言（案：

陳嘉庚是新加坡的有力領導者，很早就開始支持中國共產黨，解放後以76歲的高齡歸國，歷任政治協商會議常務委員、全國人民代表大會常務委員、政治協商會議全國委員會副主席等職，1961年病歿於北京。已過世的李光前是陳家的女婿，歷任總商會會長、新加坡大學校長等職。陳六使也任陳氏一門的總商會會長，亦是創辦南洋大學的核心人物，任該大學理事長，受李總理離間策略的影響，現在已經離開理事長的職務）。

他們這群接受華文教育的舊世代，傳統上不僅是走親中路線，更認為華人人性尊嚴的恢復與新中國在國際政治上聲望的提升有微妙的關聯。這樣的想法與李系提倡本乎歐洲價值體系的近代化路線相互牴觸。

大排長龍守護中國銀行

另一方面，進步的知識分子、學生、勞動者們的心情，與上述上層華人有共通的一面。但是他們基本的想法是，由上主導近代化路線，無法去除殖民地政權所留下的殘渣。何況先不談國家的打造，沒有紮根而僅有皮相的英文教育，無法培養出真正獨立自主的人，也無法創造文化。此外，他們強力鼓吹反對新殖民地主義，要求言論和集會的自由，反對一黨獨裁。

他們支持新中國對世界史所提出的命題，也準備接戰毛澤東思想，而被誤認為是中共的第五縱隊，在分析今後事態發展時，這樣的想法恐怕造成誤判。

某氏的談話繼續進行，「李總理假借都市再開發政策的美

名，巧妙地冷落華文學校，強化政府對南洋大學的管理，打壓學生運動，並採行一連串培養新加坡人意識的政策（目標是削弱華人的中國色彩，強化培育新加坡人意識）。儘管如此，華人系住民的中下層還是強烈希望透過母語教育，擔任文化創造的推手，進而參與歷史，導致李系施策的成效不彰。其中一個例子就是『中國銀行事件』。」

中國銀行可說是新加坡唯一的中國官方窗口，因為流動資產沒有達到法定比率，所以當局以1968年7月30日到1969年3月22日為止，以沒有通報資產內容為由，對中國銀行提出告訴，要求關閉。

對此，連一般勞動階級也為了拯救中國銀行，在銀行外大排長龍，想要開設新的戶頭。接著，最後他說了下面這段話：

眾所周知，新加坡是大小與淡路島相當的小島國，擁有英國的軍事基地和馬來半島與印尼的廣大經濟腹地，約有一千萬同系的華僑經濟依附於此，才取得今日的地位。

因此，馬來西亞與印尼的國民經濟與高揚的民族主義（Nationalism）走向，都關係到新加坡的存亡。如果切斷了與經濟腹地的關係，李系的路線可能會讓新加坡變成像中東以色列那樣，被人數占壓倒性多數的異教徒阿拉伯人包圍，而處於孤立的狀態。不論上層華人擁有多少資金及外資，而結合廉價且高效率的華裔勞工，在加工出口業找到活路，仍有其局限。

何況以色列擁有以色列文化的支持，而新加坡拒絕了相當於猶太教的中華文化，很明顯的就算成為歐洲價值體系的支流而依附其驥尾，新加坡也無法成為亞洲的以色列。正因為看到了這個

死胡同，左翼支持者結合當地人進行真正的民族解放鬥爭，雖是一條險阻叢生的道路，但他們嘗試進行由下的近代化。他表示如果忽略了這種暗流，不，是地下水的激流，就無法確實掌握中美接近所引發動向的真實姿態。

在新加坡中華總商會的華文機關報《經濟月報》第48期（1971年4月10日）中，打破了長年的禁忌，刊載了〈正義老人陳嘉庚先生傳〉，還有，針對馬來西亞的親中政策或許稍嫌有些遲，但在乒乓外交開始僅晚了三星期的4月29日，刊載了由中華總商會會長黃祖耀提議，通過派遣「中華人民共和國商工視察團」的報導。

新加坡的焦慮

有趣的是，該會有力幹部林再欽理事本身由於擔心用中國的稱呼恐怕遭致誤解，乃主張採用中華人民共和國的稱號。正視李總理等固執地避免觸及核心之發言，在總商會的幹部會議中獲得贊成，也可能是時代潮流使然。

這種中華總商會敏感的反應，只是因受政府當局的控制，對國際情勢的落後所做的彌補，如果將所有的動機作政治性解釋，當然可能造成錯誤。

而最接近真實的動機，是因為新加坡經濟的重要腹地馬來西亞開始急速地接近中國，新加坡無法再袖手旁觀了。

黃會長在視察團組成準備會議上做以下的發言，也為此提供了證明。他表示：「中國的外交政策不斷改變，大多數的國家都

希望增進與中國的貿易關係。尤其是鄰國馬來西亞已經決定派遣代表團前往中國，值得注意。由新、中貿易的趨勢觀之，對中進口額從1969年的4億185萬新加坡元（以下相同），減少到1970年的3億8,550萬新加坡元，對中出口額也由1969年的1億7,400萬新加坡元下降到1970年的6,940萬新加坡元，減少了五成多，由這個實況來看，新加坡不能再拖了。」

由對中友好得到成果（馬來西亞）

馬來西亞於1969年5月發生迫害華人暴動。當時正在舉行五年一次的下議院、州議會選舉，而執政的「聯盟」（The Alliance，由馬來民族統一機構、馬華公會、印度人國大黨組成）大幅落敗，演變成五一三的大暴動。之後國會停擺，由國家行動理事會（NOC）代行國政。一直到1971年2月17日，NOC才解散，也於19日解除「緊急狀態」，同月的22日，休會22個月的國會再度召開，接著，3月上、下議院通過強化馬來人優先政策為主旨的憲法修正案。

原本暴動的原因大致可歸納出兩點。其一，1955年以來東姑拉曼前首相的經濟政策與形式上的民族融合政策，事實上是採馬來人優先政策，但無法將馬來民族主義者中的激進派（這裡指右翼）的不滿和窮困納入體制。另一是華人協會做為執政黨，卻只在意自保和確保經濟上的優勢，對中、下層華人青年、學生、勞動階級強烈要求民族平等，以及馬來人優先政策所引起的半失業狀態和欲求不滿的情況，無法提出正面的解決方案。這些不滿都

表現在選票上，遂發展成民族間的衝突。

試圖親中的拉薩路線

　　拉薩政權鑑於與印尼九三〇事件（1965年）相關的打壓華僑政策，結果招致經濟活動停滯之前例，再且支持馬來西亞經濟的重要物資橡膠、錫受到世界不景氣的影響，所以憲法修改後的拉薩政權不得不採取促進對中貿易的政策，打算幸運的話還可將為維持價格由政府購進的橡膠轉賣給中國。明顯的，這是為了撫慰華人系住民而實施的政治心理術。

　　在這樣的脈絡下，副首相拉薩（當時）在尚比亞的非同盟國會議上，呼籲在美、中、蘇的保障下，實現全東南亞地區的中立（1970年9月10日）。會議結束後，拉薩進而訪問羅馬尼亞，探聽與中國交流的可能性，回國後表明無條件支持中國重返聯合國。

　　1971年11月27日，在吉隆坡舉辦東南亞國協加盟五國外長會議上，在拉薩的倡議下，發表了共同宣言：「為了達成東南亞中立化的目標，一致同意採取共同行動。」

　　之前，在首相拉薩幹旋下，著手進行派遣訪中貿易使節團的準備。外長依斯邁發表政府正在檢討派遣訪中貿易使節團時，是1971年4月7日乒乓外交開始的兩天後。

　　在中國國際貿易促進委員會的招待下，馬來西亞第一個使節團於5月6日出發，以國際貿易公社總裁東姑拉沙里（馬來西亞原住民銀行理事長）為團長，成員包含政府官員、馬華商聯會（相

當於中華總商會）、民間商社代表及東馬來西亞即沙巴和砂勝越
的代表共19名的大使節團。

從四位政府高官加入這個使節團來看，很明顯的除了貿易
外，還具備交涉政治問題的目的。由於拉薩首相對中態度積極，
不但實現了與周恩來總理的會談，也成功地與中國簽訂契約，中
國保證購買幾乎全數橡膠基金局（RFB）所囤積的橡膠（根據新
加坡的消息指出，3,000～5,000噸，價值約600萬美元），並保證
今後每年購買15萬到20萬噸的橡膠。另一件值得矚目的決議是，
中國承諾會派遣回訪使節團訪馬。

呼喊「毛澤東萬歲」的年輕人

當張光斗團長（中國國貿促進委員會委員）一行13人於8月
22日到達吉隆坡機場時，受到約5,000多名華人系市民高喊「毛主
席萬歲」、「中國萬歲」的熱烈歡迎。這一行到28日為止，參訪
了橡膠園、錫礦山、椰子園等後，兩國發表以下的共同聲明：

第一，今後兩國間的直接貿易，透過馬來西亞的國際貿易公
社來執行。馬來西亞於北京的中國銀行本行結帳，而中國則在馬
來西亞的在地銀行進行結帳。

第二，中國當場購買橡膠4萬噸，至年末8萬噸，棕櫚油5,000
噸，木材5萬立方公尺。而馬來西亞則向中國購買消費物資、輕
工業製品機械類等。

該共同聲明中，附註張光斗接受馬來西亞第二個五年計畫及
關於馬來西亞國營企業機構任務之說明。

　　該五年計畫的重要目標之一，是促進流通機構的馬來化與合理化政策。今後，相信這些政策將以各種形式影響華商。

　　此外，中國幫助馬來西亞進行貿易國營化，也就是擺脫對新加坡的中繼依存關係，中國暗中也獲得保障華人系住民的合法權力及承認華商角色的正當性等。

　　另一方面，值得矚目的是，周總理與先前東姑拉沙里訪中使節團華商代表的談話中，批評華商意識已經過時，強烈希望其汰舊換新。顯示北京不採取受盲目的同胞愛所蒙蔽，而妨礙他國國民經濟發展的方針。

　　中國高度評價包含國營貿易公社在內的國營企業的角色，不僅對馬來西亞國內，且對向來以馬來西亞為經濟腹地獲取中繼貿易利潤的新加坡，都是極大的衝擊。

　　如果今後中國和馬來西亞的雙向貿易協定進行得順利的話，相信不久印尼也會步其後塵。總之新加坡至今所仰賴的經濟支柱之一，就是靠中繼貿易獲取利潤，中國的支援使馬來西亞有利地重編時，預料李光耀政權的路線將瀕臨巨大的危機。

本文原刊於《週刊東洋經濟》第3672號，東京：東洋經濟新報社，1972年6月24日，頁68～72

華僑

◎ **章澤儀譯**

　　嚴格說來，華僑指的是保有中國國籍、因私人目的（非因中國公務）而長期（不含短期旅客、技術研修人員和留學生等等）居住海外的中國人。

　　然而，從華僑居住國的國籍法觀點，或其國民對一般中國裔人士的看法，接納法又各有不同；同時，華僑的祖國──中國本身又因其政權而致使華僑政策互異；甚至華僑本身都因其所處之政治、社會、經濟狀況而在各僑居國內所屬階級、階層和世代等的差別，其意識自然也不同，這種種因素更使華僑之範疇無法輕易界定。因此，華僑在全世界的分布狀況與人口統計始終難期正確，我們也只能以概況或概數而論之。

　　一般所謂的全球華僑概數約為1,800萬人。若以今後對世界史之動向具潛在影響力的群體而言，則指居住在東南亞地區的1,500萬人和美國境內的40萬人。

　　不消說，前者是華僑人口的密集區域，當地華僑占僑居國總人口數的比例也非常高（尤其是新加坡和馬來西亞；前者為75%，後者為40%），其經濟地位（上層與當地官方資本關係密

切，不僅是工業化的重要資金來源，更是管理經營人才的主要供給源；中階層由於歐洲殖民統治的結果掌握大部分的主要流通過程，其子弟便成在地國今日高級技術者的重要成員；縱使是所謂下層，其普通教育水準也較在地人高，是低廉卻高效率的勞動力）特殊之故，是東南亞經濟近代化進程中不可忽視的存在。

此外，在辛亥革命以來的傳統影響下，華裔知識分子、學生層高度關注知識，其知識水準或政治意識亦高（華裔出身者不只是馬來亞共產黨內的主流，在新加坡、印尼和菲律賓的左派勢力中也占有不小的比重），因此具有一定程度的輿論形成力，對政治動向又有一定影響力，值得重視。

至於美國，先有19世紀後半被帶到北美大陸當農園、採礦、鋪設鐵路等苦力勞動者的老華僑及其子弟，繼有戰前戰後赴美留學或做為知識勞動者的新一代華裔住民定居在大學暨各領域的研究單位從事知性營為。他們不單在自然科學領域為中美兩國帶來衝擊，也開始改變美國對中政策和輿論形成，尤其在尼克森震撼（Nixon Shock）以後逐漸發揮影響力，令人矚目。

其中，對《琉球返還協定》（1969）尼克森·佐藤聲明的拒絕反應、保衛釣魚台（尖閣列島）運動，以至反對日本軍國主義復活運動、聲援中國重返聯合國，連同象徵中美接近的尼克森訪中而掀起的中國統一運動等激進訴求，特別被視為華僑世界的新浪潮；自中間以至激進派的華僑知識分子、學者及留學生的訪中，加上年輕世代尋求對中國的自我認同諸動向並行，可預見對台灣的回歸及中美關係新發展都將有莫大影響。

華僑的意識轉變

　　在此之前，我們一般想法的華僑只是被擠出到外國賺錢謀生的人。這些人出國的契機大致有以下數種：在鴉片戰爭前隨季風搭小舢板出海的人；鴉片戰爭後因西洋衝擊而破產的華南一帶的流亡農民，窩在蒸汽船的甲板底層，以苦力或豬仔（pig trade）的形式流出到海外；亦有因國共內戰（新中國的成立）而逃難、以政治流亡的形式移居外國者。然而，隨著二次大戰後東南亞的政治獨立，陷入在地民族主義漩渦中進退維谷，現在有愈來愈多的人不以華僑而要做為現地國住民的一部分而以華人系住民或華裔紮根。特別是年輕世代進入當地社會的各領域，又在他們的祖國發起社會主義革命，文化大革命激烈地對世界既有體制挑戰，使其意識的轉變格外顯著。不可以把他們以「華商」之名統稱，也不應該用傳統的華僑觀來看待他們。

參考文獻

游仲勳，《華僑経済の研究》，アジア経済研究所，1969年

內田直作，《東洋経済史研究》，千倉書房，1970年

戴國煇，〈我的華僑小試論〉，收錄於《與日本人的對話》，社会思想社，1971年〔參見《全集》11〕

戴國煇，〈從「落葉歸根」到「落地生根」的苦悶與矛盾〉，收錄於《中央公論經營問題‧1972年夏季號》〔參見《全集》11〕

本文原刊於安藤彥太郎編，《現代中国事典》，東京：講談社，1972年11月28日，頁33～35

從華僑到華人

◎ 劉靈均譯

1

　　方才承蒙介紹，敝姓戴。如同剛剛伊藤部長介紹的，我這三、四年在本研究所主要是負責「華僑」問題的計畫，但是進度卻總是遲滯不前，終於最近才完成第一份成果，也就是《東南亞華人社會研究》上下兩卷的刊行。因為上一次的每月慣例演講會中，客座研究員黃枝連先生主要以華僑史或華人社會形成史為題作了演講，所以我想接下他的棒子，盡量從現在的問題，或者是以後可以想見的華僑或者華人問題中舉出幾個問題，藉以介紹我以及我們在研究會不斷討論的過程中所得到的若干成果。希望藉此機會能夠回答諸位的疑問，並請各位不吝指教。

　　首先介紹我（們）所認為的「華僑」問題。關於這點，首先我想說說我的看法。我（們）中的「們」，指的只是本研究所與我一同進行共同研究的團隊罷了——這也含有幾分和我今天接下來要說的，是在日本或者東南亞各國，在學術界都還沒得到知識市民權的意思。必須在華僑問題的「華僑」上加上引號也與這有關聯。

　　我是這樣想的。所謂華僑，確實在1945年8月15日，也就是第二次世界大戰結束之前，以多元的樣貌存在著。這些過去從中國移民東南亞出外工作的人們，以華僑的身分存在著。但在1945年以後，緊接著就是1949年10月1日中華人民共和國建國，加上東南亞各國逐漸從殖民地統治中脫離獲得自由；在此過程中，也同時進行從華僑蛻變、變身成為華人居民的過程，可以說現在尚持續著如此的變貌、發展過程。因此，今天的主題才會是「從華僑到華人」。我們現在所說的華僑問題，已經和戰前的華僑問題有基本上的不同，可以說正是華僑在一個全新的時局下具體的蛻變、變身成為華人的過程中產生的問題。那個問題一方面是各居住國的優勢民族——這裡所謂優勢民族，雖然人口數字的多寡也是一個因素，但在此我們姑且將之限定為掌握政治上主導權的民族——在國家建設（nation building）的過程中，如何將華人這群弱勢與歷史的結果，特別是殖民地遺制與建國的過程相互結合，其中包括政治、經濟、社會、文化面的問題；另一方面，過去的華僑如何發現做為華人的自己的路，對各自居住國家的建設如何協助或貢獻的問題出現。我以為我們必須要確實掌握其具體的問題。

　　所以，我也想在這裡強調：問題的核心同時包含了在居住國的國家建設上華人的「自我確認」，與其自身主體性的確立時，所產生的困難且複雜多歧的問題。然而我眼前並不急著貿然對於建設國家的具體內容與其概念進行定義。或者說，從今年開始的新計畫預計是一個進行三年的計畫，在這個計畫結束的同時，或許就可以經由共同討論試著將「國家建設」概念化。由此可說，

我們今天就姑且將國家建設當作單單是建設國家，或者是形成一
個國民國家，或者是國民經濟的形成。這些姑且不論，這樣思
考，我們可以認為過去一般被稱為華僑的人從華僑蛻變成華人的
過程，是在各居住國的國家建設過程中不斷摸索著。

2

　　先不管這些。就如同我的綱要上所寫的，從「落葉歸根」轉
為「落地生根」的移行，正好相當於從華僑蛻變、變身成華人的
過程。我在這裡想對於「落葉歸根」多做一些說明。正如各位所
知，我們現在主要研究的對象，或者是我們將之做為問題的所謂
「華僑」，大抵上是1840年，也就是鴉片戰爭之後離開中國前往
東南亞的苦力們的後裔，或者是說這些離鄉背井還活了下來的
六、七十歲的人們以及他們的家人。

　　這樣的華僑出現的原因不從兩個側面來思考是不行的。總
之，必須要同時具有迫使人口從中國內部離開，以及中國外在環
境的人口容量這兩個要素才能成立，但一般而言，絕大多數人都
只將華僑或華人現在的狀況當成問題，而忽略了歷史形成的脈
絡。就這點而言，我認為以此認識問題的樣貌極有可能發生謬
誤，所以必須在此稍微補充一些解說。1840年以後中國人之所以
離開自己的國家，或者是不得不離開自己的國家，正是因為他們
的祖國中國的社會蒙受鴉片戰爭前後歐洲的衝擊或侵略，政治、
經濟、社會體制逐漸崩解，得不到溫飽的農民只好流亡。通常這
些流亡的農民會以農民起義或其他各種形式將其矛盾在國內逐漸

轉嫁、收斂；然而剛好這個時候歐洲資本主義進入東南亞，進行殖民地開發。希望大家想起來，在這同時，不，是不久之前，北美、南美，包含古巴的西印度群島等的歐洲人的殖民地統治以及殖民地開發的基礎勞動力，主要是由非洲來的黑奴負擔。這樣的奴隸貿易型態被英國禁止（1833年，《奴隸廢止法》）因此為了在東南亞的殖民地開發統治，或者殖民地開發所欠缺的勞動力，就利用了中國這種狀態，以香港或澳門或廈門為中心，大概以廣東、福建為中心的華南一帶，這種流亡的農民以苦力型態被帶走。同時，當時的印尼、馬來半島或者是菲律賓，這些國家都被捲入殖民地統治體制中，當然現在的當地原住民也還沒掌握政治權力。當時，一方面大多當地土著居民被關在農村，由白人的統治階級對他們實行殖民地統治。所以他們必須要引進華僑，也就是中國人的苦力，利用這些勞動者，或者是將印度人帶入當地，藉以進行殖民地開發。因此造就了有名的富尼瓦（J. S. Furnivall, 1878～1960）所說的複合社會之形成。這些人事實上造就了後來所謂的華僑社會，而由現在的華人社會繼承之型態繼承並且發展下來。

當時的中國人移民，也就是苦力們，一開始在中國無以溫飽，不是自願，而是被趕走，不得已離鄉。我們可以看到在他們的目的地，有幾個非常罕見的案例；幾乎快要建立了「華僑之國」卻半途而廢。其中著名的一個例子，就是羅芳伯等人在婆羅洲西部的東萬律（Mandor）地區所創設的蘭芳公司；大部分人來這兒賺錢，與當地政治無涉，年紀大了就歸國返鄉度過餘生，並將當時在當地所留下的各種生意基礎傳給自己的子孫。這種生活

原理我命名為「落葉歸根」。

　　然而就如我剛剛所說的，有新的狀況發生了。包括比第二次世界大戰的影響更重要的新中國的建立，以及東南亞各國在政治上的獨立都是其主因，也就是新中國的建立理所當然的讓新移民離開中國的狀態消失。同時，華僑或多或少做為殖民地統治者的協助者、附庸、殖民地統治的媒體或潤滑劑，甚至做為壓榨當地居民的幫手，被利用的部分在東南亞各國獨立後幾乎都漸漸消失了。另一方面，從較為粗略的估計看來，華僑大部分都在村落階段或者都市中從事商業活動，或者做為商人資本存在的中小商業資本、中小商人資本，以這個階層的人較多。當然隨著各國的情況而不同，也有農業勞工或礦業勞工，但最多的應該是這些階層的人。當然其中也有少數上層的華僑、華人階層可以儲蓄資產，經營較大規模的工商業，但從這個角度想，他們在居住國達成政治獨立的階段就再也不能考慮落葉歸根了。就是說變成不是暫時出外賺錢的大致方向落實。

　　另一方面，由於新中國本來是以共產主義為目標或理念而正在發展社會主義建設運動，從華僑或華人所占的階級性基礎或者是他們的經濟基礎看來，在這樣的新中國，他們不可能再回到祖國度過餘生，或者像國民黨統治時一樣，將一部分資本帶回祖國，讓他們資產階級式的、也就是做為資本家發展的先驅，讓中國這個父祖之國成為其企業的活動場域。說詳細些，在某個時期新中國的華僑政策，特別是第一次五年計畫結束之前，曾經期待華僑藉由歸國投資或者愛國捐款、匯款給留在中國的親戚等，當作外幣的一個供給源。但從社會主義本來的性質、性格與前述華

僑階級的基礎或經濟的基礎看來，那根本無法成為社會主義建設的中心課題，當然也不能期待它百分之百依照期待執行吧。

因此，我以為他們無論如何都必須要從過去「落葉歸根」的生活原理，轉變為「落地生根」，亦即在這片土地上生根苗壯。而為了能夠自己轉換、蛻變，他們已經不可能繼續存續自己做為華僑的身分。也就是說，如果想要為華僑下定義，那並不是以短時間的旅行者、留學生、技術研修者這種形式留在外國的中國人，而是長期在中國的領土之外經營他們的生計，卻仍然保有中國的國籍——不管是台灣的國籍或者新中國的國籍——而繼續生活的人們，才能夠被稱為華僑。一直以來，所謂華僑的範疇，事實上是有被曖昧敷衍過來，應該要更新之。隨落地生根，理所當然會成為實質上的問題的是，「華僑」已經無法維持出外打拚的習性，或者認為自己祖先的國家無論如何是心靈的故鄉，或者是鄉愁的對象，抑或是自己和歷史之間、生活習慣之間的關聯，具體而言那不過就是中華文化的問題和血緣的問題而已。在現實生活面上，最自然的狀況，還是必須取得居住國的國籍，歸化並且以華人系住民的身分生活下去。所以必須以華人系印尼人、華人系馬來西亞人、華人系菲律賓人之類的身分，或者新加坡總理李光耀所提倡的新加坡人的概念形成後，以華人系新加坡人的身分繼續下去。他們現在可以說是處於這樣的狀況下生存。

第二個問題，所謂華僑問題事實上不只是東南亞的問題。在這層意義上「中國」，正如我仍然必須使用引號，如果華僑做為「中國」人出外謀生者，這個問題就不只是中國與其他國家，特別是東南亞國家之間的問題而已了。就如同大家仍記得的，去年

在烏干達發生的持有英國國籍的亞裔人士遭到排擠。雖然問題癥結點是印度裔人士，但這也算是其中的一個例子。所以在非洲就存在著印度裔人士的問題。像這樣，殖民地統治或者在世界史發展階段所產生的問題，如果我們更寬廣的看，我們所面對的東南亞的「華僑」問題，事實上並非只是所謂華僑的問題，而是世界性的殖民地遺制問題之一部分。看得更廣一些，美國的問題，比如說以盎格魯・薩克遜裔的人為中心，雖然有些不同，但有義大利人問題；而若將他們一起算成白人，白人這個階級與後來和華僑以相似形式被帶到美國來的黑人之問題。而且還有原先應該是主人的當地居民，也就是所謂的印地安人的問題。所以最近有印地安人，正確說來是「土著美洲人」（native American）的復權問題等等也不斷被提起。他們並不是被闖入者的白人們恣意的「誤解」所稱為的印地安人，正確來說應該正名為「土著美洲人」──這樣的運動最近也急速出現。如此想來，事實上所謂「華僑」問題本身就是人類的問題，或者是人類共通的問題，或者應該是世界性的問題吧。我們今後應該要有這樣的視野來思考問題──這是我們目前所達成的，有關「華僑」問題的某一種理解方式。

3

　　接著要向各位報告，華僑與華人系居民應該要有所區隔。這件事在日本的用語上雖是很瑣碎的問題：比如說，華僑的「僑」不在「當用漢字」之列，所以常常被寫成「華商」；華商當然可

以是華僑，所以也可以是華人，但華僑卻不一定是華商。這件事情往往不太被察覺，特別是新聞記者諸公往往會將華僑寫成中國人。華僑確實是中國人，然而如果他們成為華人系住民，就像我前面所說明的，就已經不能算是中國人了，不管是法律面或者是邏輯面。漢字既然為一種象形文字，其語感是非常重要的，同時語言也是意識的一種表現。在此我當然不覺得語言有改變萬物萬事的狀況的力量，然而我仍然認為這有可能讓人造成誤解之虞，特別是並非專家的一般讀者，所以我才會主張用語上應該明確區隔使用才是。

　　先前我已經說過關於華僑的定義。那麼，華人系住民究竟指的是哪種人呢？在我的定義中，華人系住民指的是完全植根於居住國，並代代相傳，生活基礎都在這兒；因為他們是華僑的後裔，或者因為是中國人的後裔所以也可以稱作「華裔」；但比起他們，我們更重視的問題在於1840年以後出外工作者以及他們的子孫，所以事實上華人系住民，也就是已經從我前面所報告1949年到1950年代前半獨立的諸國得到新的居住國國籍的人們，顯然在法律上已經不是中國人了。因此他們也就不是華僑，應該是華人，也就是血緣上繼承了中國人血緣的人。雖然在百分比上各有不同，那也是因為有人與其他民族的人通婚的緣故。在此同時，他們雖然在文化或者在生活形式上仍然保有中國式的生活方式，但在法律上他們顯然當然擁有做為居住國的公民應當享有的權利。即便就像我後面將要提及的，實際生活上他們的義務與權利未必受到完全且明確的保障。不區分華僑與華人系住民的狀況不只發生在日本，事實上東南亞各國幾乎所有的政治家，特別是原

住民的政治家或者是報業人士等也常有這種狀況。會這樣恐怕是
因為各種政治性的要素混雜起來，複雜地交錯在一起吧？他們過
去反對帝國主義，所以帝國主義在現在，在政治獨立之前從表面
消失無蹤。接下來的問題就在於，他們在建設國家的過程中至今
仍然不斷進行著充滿痛苦的實驗。在這個過程中會首先被當作敵
人，或者是被當作敵人來進行政治手段的，當然還是外人、客
人，也就是過去的華僑，以及得到國籍的華人系人民。所以在這
樣的狀況下，就我所知，幾乎所有國家都不將華僑與華人系住民
分開處理。只有新加坡因為華人系住民的人口占大多數，而實質
上也以他們為中心在搞政治；前述的這個問題比較清楚，也就是
現狀下，似乎其他國家都不能做出清楚明確的定位。

　　接下來的問題在於，到底東南亞有多少這樣的人。實際上除
了新加坡以外，幾乎沒有任何明確的統計數字被發表。究竟是沒
有統計，還是沒有發表出來？雖然我們並不能驟下判斷，但我舉
個例子：我1969年受到研究所的派遣，到馬來半島進行為期一週
的調查旅行，事實上馬來半島仍然留下許多英國殖民地統治的體
制，所以統計特別周詳。但是我聽說，其出生率、死亡率、或者
人口增加率，不管哪個面向來說都是華人系占了較大的比例，如
果發表了這樣的調查，恐怕會天下大亂，所以事實上是被按下不
發表的。現在雖然在泰國或者印尼、菲律賓，因為不斷混血而造
成統計的困難，但我再怎麼想都覺得東南亞諸國的政策制定者，
應該就像我前面所述，沒有將華僑與華人系住民分開的餘裕，或
者還沒到可以具體實施政策的階段，所以統計應該也是被按下不
發表的吧。同時也有可能是因為還停留在無法統計的階段，但是

我在此不能向各位斷言。只是，現在我們要顯示東南亞華僑及華人系住民大概有多少人數時，總是使用國民黨當局的統計資料。雖然以這份資料做為概數並無不妥，但那卻是非常不準確的數字。同時從國民黨傳統政策看來，也仍然不將華僑與華人系住民做清楚區別。當然，比如九三〇事件後印尼發生的各種問題，以致印尼和新中國的邦交關係至今仍然凍結，因此國民黨才能趁隙讓各種企業進入印尼，雖然未能在當地置領事館，卻也有中華總商會的代表、國民黨的通信社中央通信社的分社，還有因為中日航空協定有關問題的中華航空雅加達分社等方式存在著。因此，現在對國民黨派的華僑報導方式也有改變，特別是最近也開始出現華人系住民的概念。這讓人感到，我們所關心的華僑問題顯然只是一個外交或是國民黨對中國共產黨的鬥爭中，做為一種妥協而暫時的，或者說戰術上的作法。

4

　　因為沒什麼時間，我只把我認為應該將華僑與華人系住民做區分這件事向大家報告。事實上現在的區別方法以後會造成怎樣的問題呢？如眾所皆知，東南亞各國現在為了國家建設在進行各種艱辛的實驗，處在水深火熱之中。因此現在各國，整個東南亞約有1,500萬人是華僑或者是華人系住民，那些人的所謂Human Resource，也就是人力資源的問題，或者是他們所持的資金、資本應該要如何動員活用、流通過程究竟要如何近代化等改編的問題，理所當然會產生。這個問題會因為不能區分華僑或華人系住

民而發生大混亂。我原想跟大家多說一些細節的部分，但因時間有限，我主要還是希望各位能夠讀讀我和我們團隊所寫的東西，給大家做些參考，所以我在此只提出兩點。

　　第一點，東南亞各國現在幾乎都在進行從上而下的近代化，或者說是以外資導入為中心的近代化，或者是嘗試著建設國家。在這種狀況下若要導入外資，問題就在於，到底要讓這些華僑或華人系住民適用外國資本規定還是國內資本規定？在外資導入法中，如果要制定非常精緻規定的話，在華僑資本或者華商資本的寫法上也有著許多問題。在大多數國家中，他們的資本是做為商人、商業資本所存在。如果是擁有能夠轉變為產業資本規模的資本，除了在台灣或香港進行新投資者以外，幾乎都是被允許歸化的華人。然而在他們居住國家的報紙上，甚至是我最近閱讀的印尼當局在九三〇事件前後所提出的文件上，仍然沒有被區別開來。我覺得那在政策發展上應當會出現問題。如果是所謂華人系資本，就應該要算是國內資本。原因在於，雖然它可能過去是華僑，但這些華僑仍然是在居住國蓄積了資本，並且在現住國經營企業，不論是製造業或是其他；然而在取得國籍之後，當然會出現的問題是：不像過去的華僑一樣可以不用管政治，無須負責任也沒有義務，沒有權利自然也無所謂；然而在取得公民權之後自然會產生權利與義務，所以如果只要求其履行義務而對其不當歧視，這些資本的移動狀態不得不變得複雜，會出現如此的問題。這些華人系資本總是流動性非常高的。因為在不安定的狀況之下，他們和過去在複合社會的形成初期、或者在殖民統治的階段的時候一樣，採取見縫就鑽，有機會的話就去賺些不義之財的行

動；這些商業資本或是商人資本不容易將資本轉化成產業資本。或許也可以說他們別無選擇。正因為事實上他們的居住國政府當局無法保障國內資本，尤其是使其做為產業的機能的條件與狀況，所以他們無法進行近代性的企業活動。因為如此，他們才會藉由加入歐美系的資本，或是像日本一樣有強大國力為靠山的資本，藉以保障自己的安全，如此一來，他們的資本就會像是外國資本的動作，問題也仍然沒有解決。

在此同時我必須提起，有一部分日本學者或者報社記者在書寫的時候，很容易將民族資本與原住系資本兩個概念同化，而華人系資本則幾乎不用華人系資本這個概念，所以往往被當作是惡質的外國商人資本。雖然是我個人的管見，但是我認為或許我們是第一個提出這種問題的。然而事實上我們的想法仍然沒有得到大家的認同。如此一來，因為華人系資本這個概念不清楚，於是華人系資本與華僑資本便被劃上等號。如果變成華僑資本，基於我前面所說的，不管是在地老百姓的感情上或就居住國政府當局而言，都認為無論是中國人資本還是外國資本，其實相差無幾。這樣的話，其問題就變得非常不明顯，同時使得本來應該是非買辦性的、非官僚性的民族資本，因為只有原住系資本對抗華僑資本這樣的概念，使得原住資本的性格無法被明確定義，只能用民族資本的粗略概念來囊括，變得非常不科學。所以華人系資本被歸到華僑資本的範疇，而和中國人資本劃上等號，當然中間會產生許多摩擦，造成許多問題。

因為如此，事實上我們之後要提出的問題在於：華僑資本的存在當然有可能，但恐怕其在東南亞諸國主要是以華人系資本的

型態存在著，那麼剩下的問題就在於，華人系資本究竟是買辦性質還是官僚性質？我以為這個問題事實上恰恰正是做為擬定政策前提所必須考慮的問題。

接著，第二個問題是，若要簡單說起有關日本企業進入東南亞，大家應該都還記得，田中總理從東南亞訪問回國後，3月7日在日本生產性本部召集了ASEAN五國的大使，進行了「對我國產業界之期待」的研討會。此時印尼的大使發言了──我並沒有讀過議事錄，但今後我想試著分析其中內容。在此我要唸的是1974年3月8日在《朝日新聞》的早報所刊載的。此時印尼大使拉姆里（Ramli）這麼說了：「日本企業因為有錢和經驗，似乎總是要跟華商資本攜手。但不要忘了他們是印尼獨立之前殖民地主義的殘渣。」這裡說的華商資本，在我的想像中，應該可以推測是「氣流」這個專欄的記者，在用語上沒有明確意識。我認為針對此，問題不在於華商資本，而是所謂華僑資本或者華人資本，如果不寫清楚問題就不成立，所以這樣的發言有意思不明確之憾。當然也有可能是印尼大使自己概念上混亂了。但我們無法確定是哪種狀況。

無論如何，我們非常清楚，做為日本企業進入的對象，日本資本為了讓進入企業能夠快速運轉，或是為了有效地行動，不得不和既有的所謂華人系資本攜手。但是印尼大使所提出的問題，正是他們在國家建設時的痛處，或者是其實驗本身的問題。當然，我們不能說華人系資本就是近代性的資本。但也有可能原住系資本就是新成立的官僚資本。他們不明白，就是這樣的狀況使得日本企業能選擇的條件相當有限，或者說當下的選項非常少。

現在在當地，特別是實施經濟政策的人，不管對於華僑資本或者華人系資本，如同我之前的報告所言，只能模模糊糊地，無法明確掌握，只好把它全部都當作外來的資本，所以不好。這樣永遠都沒成果。我們也知道他們希望日本企業盡量和民族資本攜手，但是這樣的民族資本到底在東南亞茁壯起來了嗎？我想除了華人、華僑資本，大概就以官僚資本占壓倒性多數。比如就印尼或者馬來西亞而言，讓這兩個國家當局非常頭疼的，就是馬來人或者印尼人，這些原住民的商業或者企業管理能力有很大的問題，連報紙上常常都會寫著必須要向華僑、華人學習。那代表什麼呢？結果很明顯的，就是其改編仍然不能順暢進展，甚至不能進展。這並不只是華僑、華人的流通組織很強大而已，問題更在於長年以來的殖民地統治，或者各個民族的歷史條件、發展階段的不同造成，現在還無法發揮其機能。所以雖然必須要在讓華人系資本的近代化和原住系資本的近代化同時發展，但實際上根本不可能讓日本的資本等那麼久，他們必須要早點使之運轉、早點償還、早點讓生產上軌道。所以這部分似乎依然要連資本的型態都明確下來，否則就無法解決問題。

5

接下來進入第四點。除了我們剛才講的問題以外，在國家建設時還會有什麼問題。特別是像我們這樣的第三者，或者像我這樣保持著中華民國國籍的在日華僑，雖然我個人不喜歡華僑這樣飄泊無根的立場，但姑且不論此，在這個狀況下，即國家建設的

過程中，讓居住國的政治家、學者或者知識分子都不能清楚理解華僑、華人問題，或者妨礙其理解問題的，從政治家長遠的理念或展望看來，我們當然可以想見是戰後他們所體驗、被迫負荷的殖民地遺制、極端的貧窮與各式各樣的問題。比如說宗教的問題、語言的問題，在印尼的話，還有西里伯斯（Celebes）、蘇門答臘、泰國、爪哇（Java）等各地地域主義的問題；菲律賓的問題雖然日本的報紙幾乎沒有刊登，但菲律賓南部的人顯然與印尼、馬來西亞的人同一種族，說同樣的語言、信奉一樣的宗教。因而在菲律賓南部引起了動亂；或者在泰國，由於馬來西亞的北部和泰國的南部本來在歷史上是同一個國家，在該地的分離運動也造成了問題。這些在日本的報紙上幾乎都看不到。

　　這樣的狀況下，現在東南亞各國的政治家必須要花上三、四年，試著解決現存的這些矛盾。而由於當下的問題是預防赤化，他們幾乎都以歐洲近代的概念，也就是一民族一國家（one nation one state）的概念做為範本。當然其中也包括了工業化的問題，但一般而言，特別是在日本，一般都已經先驗地（a priori）相信日本是由單一民族所構成的國家。然而仔細想想卻非如此：愛奴族人在日本雖然只有七、八萬，但最近正展開激烈的復權運動。而所謂的歐洲近代其實也是花了好長好長，將近一百年的時間相互征戰，終於變成了現在這樣的國家型態。即便如此，現在英國愛爾蘭裔的問題依然沒有解決，西班牙和法國國境附近也開始出現新運動。我們所抱有的「歐洲的近代或者近代國家是由一個民族組成一個國家」這種神話，因為這個神話，讓本來存在於國民中的少數民族問題幾乎完全被忘卻。並且創造出「標準語」，最

後還會把它變成「國語」。這樣的狀況的核心，事實上就是握有政治權力的優勢民族。大抵上是以都市為中心的語言逐漸一統全國的語言，像日本就是以東京腔為主。全國從上往下，就如同推動滾輪壓平，其國家建設的經過即是如此。在此我們所謂的優勢民族與人口數的多寡無關，意思指的是實際上握有政治權力的民族，我想如此限定。

於是，最近日本的電視上偶爾會出現方言，討好搞笑，事實上包含了松田道雄先生等人對日本近代所創造事物的反省，重新點出了方言所擁有的意義，或者關乎創造地方文化的議題。事實上這不僅只是日本而已。日本的狀況可以說是極端的單純化，非常隨便的狀況。但是這種狀況是否真的能讓今後的歷史有利發展仍頗有疑問。如各位所知的，在夏威夷、歐洲都有類似的問題發生，因此我事實上——不是我們團隊，而是我個人認為，文化創造或者歷史創造最基本的核心，應該還是民族，因此所謂民族語言不該從上強加破壞，或者說，世界史已經進展到無法將之破壞的階段了。因為在世界史的現階段，過去英、美等超大國憑藉著自我本位想要轉動世界的時代已經逐漸過去。任何一個國家，對於過去從首都或都市強迫末端地區接受其文化或語言的欺瞞性，以及人類愚昧無知的各種嘗試，不斷出現反省聲音。

這樣看來，事實上東南亞所面對的，雖然還不知道後述的動向是否會發生，但目前至少在其內部孕育了將國家建設為多民族複合國家的可能性。事實上，包含華僑、華人問題，蘇門答臘地域主義、菲律賓南部的諸問題，或者泰國關於馬來西亞和泰國國境間問題，即便不談共產主義運動問題，我想在此強調，問題全

回歸到那裡。也就是以民族為單位語言、為中心的復權，就是在於能夠接納少數者的民主社會，或者讓少數民族的語言本來所擁有的創造文化能量，在目前所到達的階段參與到共同歷史的創造過程；此外還包括政治參與等問題，我認為這些問題事實上都默默潛伏著。這樣一來，與這個新的理念相關聯，實際上也必須要思考華僑、華人問題。特別是比起華僑的問題，更重要的是華人住民的問題更需要解決。

　　這讓我們想起最近JETRO〔譯註：日本貿易振興機構〕在吉隆坡舉辦的日本商品展覽會。時間是四月上旬。然而4月3日，日本報紙記者打回來的外電（雖然說明非常不足夠）及吉隆坡的華文報紙都能看到——馬來西亞正如大家所知，從1969年5月13日開始便實行了戒嚴令或準戒嚴令，處於相當緊張狀態。稍後也會跟大家報告，據傳最近馬來亞共產黨南下到了吉隆坡附近七、八英哩的地方，以至於連怡保（Ipoh）附近都發布了戒嚴令。當然沒有把馬來亞共產黨的威脅照事實公開，但可以想像，會頒布戒嚴令目前除了馬來亞共產黨以外就想不出還有其他的問題了——展覽會受到華人系人士的抗議示威，大約進行了半小時。示威是被禁止的，而且華人的示威是五一三事件以來從沒發生過，可說非常反常。抗議示威的對象，實際上針對在吉隆坡舉辦商品展覽會的JETRO，根據當地華人系派新聞報導，以及由日本記者打回來的外電，我所做的整理指出，要求該展覽會使用華語、華文（那邊不使用「中國語」、「中國字」這種詞彙）。馬來西亞的華人系住民在盡義務的同時也強烈主張自己的權利，這點想必比新加坡人以外的各國華裔人士都要強烈，或者說，是其較有能力

主張。該展覽會的傳單中並沒有用華語寫出商品名字，而且或許是傳聞，聽說是一開始有華語的標識，後來卻被塗掉；或者是一開始就有禁止使用華文的情形，才會發生這種抗議示威。從示威發展到了杯葛運動，甚至連日本產品都遭到了杯葛抵制。當然為了應付這個情況，JETRO也慌張地試著調整，但這個問題恐怕內情也相當複雜。我並沒有向JETRO進行採訪，但非常值得注目的是，其中現在參加執政黨的MCA，也就是馬華公會中支持拉薩政權的華人系執政黨國會議員也參加了這次示威。問題就在於這究竟代表了什麼意義吧！

6

像這樣，事實上即便是馬來西亞，華人系人士也確實占有近四成的實力，所以他們在伴隨政治參與所必須付出的義務與責任之外，也追求並主張自己的公民權。也想藉由此，企圖三種民族合力而構築馬來西亞的文化。然而其中現在加入執政黨的這些屬於MCA的國會議員，並非從下往上主張華人系住民的權利，而是支持馬來人優先政策，再從中主張執政黨的人種之間親和穩健政策。我姑且將這些人參加抗議示威的意義和上述第五部分的問題聯結，並且想為最近發生的幾個事件做些評論。

首先，中美的接近或者中日邦交的恢復，我想談談目前新的情勢與東南亞華人系住民的動向。我們可以把中美接近、中日邦交的恢復看作是世界新秩序改編的一部分，而在這世界秩序改編之中，東南亞不可能毫無影響，同時居住在東南亞華人系住民的

生活也不可能毫無關係。這意味著當下產生許多問題。華人系住民、華僑究竟動向會如何呢？我稍後會為大家預測，但我先想要為大家介紹新中國華僑政策的嶄新動態。

正如諸位所知，新中國在文化大革命之前有華僑事務委員會，這承接著現在在台北的國民黨當局所設的僑務委員會，從辛亥革命之後就設立至今。雖然形式相同，其理念與政策則不同，用日本式的說法，就是相當於日本政府的一個「省」（部），也就是由一個大臣所管理的，相當於文部省層級的獨立機構。所以可見無論是新中國或者是國民黨當局，在過去的歷史或者是現在，要說華僑問題都占有非常重大的比重，是不會有錯的；但在文化大革命後——事實上新中國本來在萬隆體制以後，曾有過和印尼簽訂與雙重國籍相關的條約，明言不容許雙重國籍。成為華僑，或者是成為華人系住民歸化於居住國，參加居住國的國家建設，一直都為中國當局所鼓勵。但看看國內的狀況，這個華僑事務委員會卻仍然留存在部級的行政機構〔譯註：一級行政機構〕中，我想可以推測這對中國當局而言也有著猶豫吧。這當然也是為了應付東南亞各種情勢的問題。之所以據此推測，是因為萬隆會議時與中國擁有邦交關係的只有印尼，其他（東南亞）國家幾乎都還沒建立邦交。或許正是因為當時遠東地區與東南亞的情勢如此，華僑事務委員會才會以這樣的形式殘存著。

一般談到華僑政策，通常都只以在國外的華僑為對象，這畢竟是不夠周到的。因為事實上在革命後，大概有20萬人，包括學生、華僑的家族或者從居住國回國的人。此外華僑中，居住於國內的相關人士還有20萬人。這20萬人要如何進行社會主義改造也

成為問題。這就是所謂的國內華僑問題。過去有個稱為「歸國華僑聯合會」的機關在負責他們的問題。

　　姑且不論這個，具有對外性質的華僑事務委員會事實上是為應付文化大革命，更正確的說是最近中美的接近、中日恢復邦交等新的世界情勢而設的吧？新中國不將華僑事務委員會廢止，而是將之改組，編入外交體系，日本稱為「外務省」，中國則稱為「外交部」。變為外交部的一個部門，也就是「僑務組」，用日本的說法大概是介於「局」與「部」的中間吧，是個比「課」大一點的組織，就這樣移動到外務省的管轄之中。它過去是個獨立的政府機關，如今則成為外務省所管轄的一個部門。會變成這樣，是因為華僑怎麼說也是自己的公民，所以處理相關問題只要貫徹「做為外交問題處理就可以」的邏輯。這問題當然又關係到台灣的問題，也就是統一戰線的問題。這樣一來，事實上華僑問題的走向，就變成外交與統一戰線、外交政策與統一戰線政策的新走向了。其中最典型的就是與馬來西亞的邦交重新展開，或者不應該說重新展開，而是首次建交。因為過去沒有國交。這樣的話，貿易相關的使節團便從新加坡、馬來西亞、菲律賓等國來到中國，使節團中當然會有華人系的領袖。

　　從我們可以讀到的，這些人與周恩來先生、葉劍英先生的對話部分來看，中國當局仍然明言，認為華人系住民應該正式歸化該國成為該國公民，並做為該國公民來行動。為了破除華僑老舊的觀念，周恩來先生於1956年在仰光對華僑代表們所發表的演說中說了：「我不是來跟你們說馬克思（Karl Marx）、列寧（Vladimir Lenin）的道理。我所說的是孔孟的道理。要說孔孟的

道理是什麼？就是不取不義之財。大家在過去那樣的狀況下，或許曾經取過不義之財吧。但現在的緬甸與過去的緬甸不一樣了。他們獨立了。所以大家應該正當的經營商業，並且努力得到適當的利潤，盡量將商業資本轉為工業資本，和居住國的政府合作吧。」大概說了這些。事實上這是1956年萬隆會議之後的演說。這個理念我想應該是至今不移。當然孔孟的問題現在在國內批孔批林運動之下，已經說不得吧？但雖然現在不能說，但即便不以孔孟道理的形式提出，從本質上改變這些外出掙錢者，或者是華僑的老舊體質，盡量取得居住國國籍的主張，我想至今依然是有效的。過去馬來西亞的貿易，大抵也是過去的華僑資本，或者華人系資本，或者經由新加坡進入的，而現在也應該要改為直接向馬來西亞政府的國家，或者以公社經營的型態進行投資。只要是由馬來西亞當局掌握其方向，中國也會繼續協助。這就是最新的動態。還有很多我想要談的，但礙於時間即將結束，我在提問時再補充。

　　在中國方面有這樣動向的同時，我們也可以發現東南亞各國的政府也有新動向。就像我剛才報告的，華僑形成的過程可以說是一部受難的歷史，有不斷被排斥的歷史。這正是華人社會的形成史。在美洲大陸也是如此吧，也有一樣的狀況。然而我們可以看見，排華運動，也就是排斥華僑與華人的運動確實隨著中美接近、中日恢復邦交後逐漸在改變。比如說在泰國，大家都還記得，他儂政權在1971年11月17日，中國加入聯合國前夕進行了無血軍事政變。其理由之一就在於「在泰國的中國人可能會受到中國加入聯合國的激勵，讓泰國往共產主義傾斜」，把自己失敗的

責任轉嫁給「中國人」。就過去的通例而言，華僑和華人常常因為國家內部緊張、政治上的矛盾或者各種經濟上的矛盾，被當成嫁禍的對象，或者代罪羔羊。在這樣的狀況下，華人和華僑自然會被放在一起，當作「中國人」來利用。然而這次由學生組成、打倒他儂政權運動中，不管是軍方或者各種報導上看來，幾乎都看不到把責任推給「中國人」這種政治上的利用，至少在言論上看不到。可以說現在已經不能把所有問題都轉嫁給華僑、華人了。

泰國的狀況則不只如此，事實上在法政大學（Thammasat University）裡，恐怕是這20年來，也就是新中國建立以來，首次舉辦了中國展覽會，並且懸掛了毛澤東的肖像，這件事在日本報紙上也報導了。關於此事，我問了一個朋友，是泰國來的留學生，這是怎麼一回事呢，是華僑還是華人系泰國人做的呢？他說：「怎麼可能？這是我們的夥伴幹的。我們之所以會對毛澤東有興趣，是在於他的自力更生的理念，還有如果尋求真正的獨立自主之道，應該要追求什麼、有什麼選擇，我們就是想要知道才會辦這個中國展，和毛澤東是中國人一事無關。」我會問這個問題，簡單說就是想知道，這些華僑或者華人系的人們在背後到底做些什麼常被當作「常識」的事情。他看起來像是純泰國人，雖然是不是純泰國人我當然不知道也未確認，但他卻給了我前述的回答。

另一個則是菲律賓。如大家所知，菲律賓總理馬可仕（Ferdinand Marcos）在頒布戒嚴令時，我記得好像有將一個華僑中的大人物當作奸商槍殺了。之後戒嚴令實行的過程中，則不把

華僑當作表面上的問題，或者說不將之當作華人問題。同時如各
位所知，即便菲律賓的新人民軍一直有各種傳言說與中國共產黨
有關，但實際如何則無從得知；然而至少我們可以從報紙報導上
看到，過去菲律賓當局和東南亞各國一樣，往往將華僑、華人當
成政治不安的轉嫁對象，做為代罪羔羊，但菲律賓當局漸漸地不
再用這套方法，這點相當的重要。這不就是新的動向嗎？印尼也
是如此。如大家所知，在田中（首相）先生去印尼之前發生了萬
隆的排華運動。過去大概都是由印尼軍隊支援，或者印尼軍隊會
袖手旁觀，但這次印尼軍隊卻迅速地將其鎮壓。這樣的動向值得
我們注目。

　　從以上一連串的動向看來，東南亞各國也應該進入了新的階
段。一方面在國家建設的問題上，在這個階段，已經愈來愈不能
說華僑、華人妨礙他們近代化；另一方面在國際關係上而言，美
國開始接近新中國，日本與中國的邦交也重新開始，在這樣新的
情勢之下，自己也被迫遲早要和新中國建立邦交關係。國內外在
此種新狀況之下，過去慣用的對排華運動火上加油的手段已不可
行，反而不得不抑止排華運動。接著，大概從兩三年前開始傳出
風聲的馬來西亞與中國的邦交交涉，看來好像要有結果了卻又還
沒有。我不清楚其中的具體問題為何，但這中間發生了幾件事
情。包括我前面所說的馬來亞共產黨──一些新聞記者寫成馬來
西亞共產黨是不正確的，因為他們是為了把印度裔、泰米爾裔也
拉來與馬來人當作一夥，才使用馬來亞這樣的字眼。有傳言馬來
亞共產黨在五一三事件之後便急速的以馬來農村吸收馬來裔的人
們。昨天我們的研究所在舉辦亞洲視野的策劃準備會議時，有機

會與許久未見的南洋大學蕭博士在座談會上談到，據說有四百人左右的極右、右翼政黨的青年幹部加入了馬來亞共產黨，同時也確認了我剛剛所提及，怡保邊界的戒嚴令問題。我向他確認了報紙上所寫的內容，他回答我「正是如此」。還有一個情形是，有像共產黨員的一個馬來人與一個華人組成一對，提了槍開始在怡保附近出沒。過去碰到這種狀況，一般老百姓都不敢與其接觸，但據說最近開始，他們會與老百姓交談或者問話，警察要是碰到恐怕只有開溜的份。

　　另一方面，在馬來西亞政府成立的時候，正如各位所知，在婆羅洲上的砂勝越，嚴格說來，在馬來西亞建國運動的時候，確實算是受到印尼與菲律賓的反對。反對的理由在這裡來不及詳細向各位說明，但砂勝越，或者說北加里曼丹——大家都知道加里曼丹是印尼的領土——在北加里曼丹有以華人系為首的共產游擊隊在這十幾年來持續進行各種活動。在《朝日新聞》3月30日的早報上報導了：「砂勝越游擊隊戲劇性歸順」，約莫四百人吧，在活動12年以後終於投降於政府。

　　我在政治上用功不多，但從我讀到的各種資料看來，新加坡政府和馬來西亞政府應該可以說是東南亞各國中最有能力的政府，行政效率高，公民服務也比較周到。而且馬來西亞政府藉由出口錫、橡膠等等豐沛的自然資源，賺取外幣以及華人的經濟活動興盛，從那裡得到的稅收也巧妙的使用於以馬來人為中心的國家建設的嘗試。我們認為將其政策實行的重點對象放在農村上，並在農村滲透政策。這當然跟密林開發計畫等各種動向也有關係，在此我沒有時間為各位多做介紹。但我覺得，新加坡因為是

都市國家，而且是以華人系為中心，所以應該沒有什麼問題，但在ASEAN五國中除了新加坡以外，最能掌握農村的除了馬來西亞政府以外恐怕就沒有了。而且當局也很巧妙的利用人種政策來操縱馬來人的選民。因此在二次大戰中讓日軍吃盡苦頭，戰後也讓英軍相當困擾的馬來亞共產黨就被趕到泰國邊境了。而且政府方面也藉由政治上宣傳「以華人為中心的共產黨」，將其從人種上、民族上切斷。所以這次400個馬來系的右翼青年幹部加入（馬來亞共產黨）一事究竟有何意義，其動向值得我們關注。另一方面，剛剛也說到北加里曼丹共產游擊隊投降的新聞。在北加里曼丹本來所使用的原住民語，與馬來語、民族上也都和馬來人不同，而且華人所占的比率也高。密林應該也很驚人，所以本來應該是很適合共產游擊隊的活動。可偏偏在這樣的地區有400個人歸順，要怎麼思考這件事情也是個問題。

　　和這件事有關，讓人想到前面所說的對JETRO的抗議活動中，執政黨中的馬華工會在某個意義上是上層華人，亦即這些社會賢良代表來抗議示威本來就反映不了一般華人的不滿。仔細想想，當然可以想見與年底預定要舉行的選舉也有關係。另一方面，恐怕馬來西亞和中國建交也是不遠的事情了吧。這陣子虛虛實實的會談之中，微妙地，一方面北加里曼丹受到影響，該地因而叛亂歸順；相反的，在怡保卻實施了戒嚴令。事實上，馬來人從右翼政黨加入共產黨這件事，就像我剛才所說的，應該多少和排華運動產生的新變化有關係才是，或許也有越戰戰爭的影響吧。過去在他們的想法中，從上而下的近代化的過程中，只要有解決不了的諸多矛盾，可以用人種問題，也就是排華運動來做轉

移焦點的拖延。但他們認識到這種作法的局限，並且對其進行反省。這樣新的動向是從越南的經驗所汲取的教訓，就像泰國在法政大學舉辦的中國展，或者政府開始壓制排華運動，大概政府方面也發現他們沒辦法再這樣隨便地把責任轉嫁給華僑了吧。

　　以上就是包含現在的狀況，我個人對於所謂華僑問題或者華人問題的看法，在這裡我的報告就告一個段落。我想應該會有不少離題、說法不好或者不足的地方，這個部分我希望在我所知的範圍內回答各位的問題，請大家多多包涵。謝謝大家。

7

　　問：華僑叫作Overseas Chinese，那請問要怎麼用英文說「華人」呢？

　　戴：是Chinese Origin。最近，現在的澳大利亞駐北京大使，我想惠特蘭（E. G. Whitlam, 1916～）總理輸了選舉，他也應該要回大學教書了吧，這位大使我曾見過他一次，是費思棻（Steven Fitzgerald）博士，他使用了華人（HUA-JIN）這樣的說法，將華人這個概念用羅馬拼音表現。我覺得用Chinese Origin的形式來表達就好了吧，比如說華人系馬來西亞人就用Malaysian Chinese Origin，華人系印尼人則用Indonesian Chinese Origin來表現。但是這個概念或語詞應該被更新、讓其意義更豐沛，如果過於拘泥的話，恐怕就追不上歷史的潮流吧？所以我想目前我所謂華人的這個概念，在日本應該還聽不太習慣。

　　問：您剛才說馬來西亞把農村抓得很緊。馬來西亞的人口中

有45%到50%是馬來人，35%到40%是中國裔的人，剩下的才是其他的民族。像日本企業要去該地僱人的時候，據說必須要僱多少比例的馬來人，但仔細看看就知道，華裔人與馬來人的能力簡直完全不一樣。像這樣的話，不是製造很強烈的民族不平嗎？實際上又是怎麼一回事呢？

戴：正是如此。所以我才會說企業已經等不及想要進入了。然而盡量提高效率，希望盡快能使用教育水準較高的勞動力也是理所當然的。然而這個時候往往會有人說，因為是漢民族所以很優秀，因為是馬來人所以完全不行，我完全不能贊成這種說法。

問：正是如此啊，因為每個人都不一樣。

戴：但是即使這樣說，在現實問題上確實還存有落差。但是，現在的馬來西亞政權從東姑拉曼轉到拉薩的手上，從1969年5月13日以後，他正試圖以馬來人為優先的國家建設。所以才會希望讓馬來人能夠編入。其方法我事實上已經在平凡社所出版的，剛剛伊藤先生所介紹的《討論日本之中的亞洲》一書中介紹過了，並非從下往上建構經濟主體，而是只採取優遇措施，所以才會效果不彰。這個優遇措施就是對馬來人的僱用與薪資的保障。必須要僱用多少比例的馬來人，而且一定是齊一工資。然而他們剛從農村出來，宗教跟風俗習慣都有許多不同之處。所以近代化的企業在將他們使用於近代化的勞動組織中時，才會發生各種無法適應的問題。然而如果只保護他們的話，就會像溫室一樣，無法從問題的本質加以解決，所以才會有馬來人無法進入其中一起工作的問題。在馬來亞大學就可以看到這種典型的問題。如果直接考試的話，幾乎只有華人跟塔米爾裔人能夠進去。因為

這樣就對馬來人的成績放水、畢業也放水的話，反而會產生馬來人愈來愈不行的這種諷刺的反效果。但是現在的政權不思考從下往上改變，而是從上往下施行政策。在此同時，又明確規定了回教為國教，而且不讓國會討論這個問題，就連對馬來人的特權批判也絲毫不能議論的狀況，在五一三的憲法修正案決定了。印尼的狀況有點不同，印尼雖然是回教國家，將回教定為國教，在國會中雖然常常被提出，但是現在仍然無法被定為國教。所以剛才所說（馬來西亞）的形式事實上還是激化了矛盾，所以華人會對馬來西亞政府有所不滿。

　　問：這樣的不滿早晚不會爆發嗎？

　　戴：相當有可能。所以在這層意義上，就像我剛剛說的一樣，MCA的國會議員參加了示威，是因為他們擔心這樣的政策如果再以執政黨支持的話，下回的選舉就會不妙，而下回選舉如果狀況不好，擔心很有可能再次爆發曾經發生過的人種暴動。但是人種暴動不管對於執政黨或者對於政府都不是好事。所以在思考人種問題時，我甚至覺得拉薩先生就像馬戲團的團長一樣，操縱著人種問題這頭獅子進行政治這個巧妙的演出。即便透過其中的操作企圖各種政治上效果，但一旦獅子從柵欄裡跑出來，拉薩先生自己都會被吃掉，我覺得這隻獅子恐怕就是馬來亞共產黨吧。

本文原刊於《講演要旨》第7集，東京：アジア經濟研究所，1975年2月，頁1～34

「華僑」研究的若干問題

◎ 莫海君・彭春陽譯

一、尋求研究的新觀點

　　本人從1971年開始，一直在亞洲經濟研究所主持華僑研究的計畫。

　　今天我想要藉此機會向各位先生及先進們，介紹我是如何思考東南亞的「華僑」問題，還有如何設定切入點以接近這個問題。

　　還有，我今天的報告內容，或許還欠缺成熟度，同時也包含許多的假設性問題，請各位多多明察包涵，並且不吝給予批評和指教。

　　日本的華僑研究已有相當長的歷史。同時也有許多研究成果。尤其是歷史領域的研究成果，各位都知道，已經有多本精采的書籍和論文出現。不過遺憾的是，提到現狀分析，現在則僅停留在遊記、見聞錄，屬於調查報告領域的狀態，相信與會的各位來賓，應該會贊同我的看法。

　　如眾所周知，我們所共同擁有的國際關係史，或是異民族交

流史，其主流都只是以戰爭做為媒介。而且，到目前為止的外國研究主流也是以摩擦、緊張為背景，研究的主要目的在於擬定因應對策。換句話說，許多研究者，他們的立場或是被迫所持的立場，強烈受到當時的政治、經濟情勢所左右，一般只能在受管制之中完成研究。

不用由我來說，大家都很清楚，二次大戰結束的八一五之前，日本的華僑研究——特別是現狀分析——同樣無法跳脫我剛才所說「潮流」的左右。或許是我孤陋寡聞，沒有聽過有試圖挑戰「潮流」的研究者。

我們都知道八一五之前的情勢非常嚴峻，因此我認為今後的研究者在針對關於戰前、戰中華僑的調查研究進行批判的同時，更應該思索如何建構今後做為研究者的態度和觀點，並思考如何將其手段化。

今天因為時間的關係，無法對於八一五之前的調查研究進行史料批判，只好割愛。

二次大戰結束之後，日本信奉民主及和平憲法，推展與鄰國的親善外交，在這樣的現況下，許多的華僑研究不但無法跳脫之前的窠臼，仍然殘留著戰前、戰中的「尾巴」，甚至還創造出許多神話，我覺得這是頗為嚴重的問題。

二、華僑指的是哪些人

以上的問題先放一邊，相信各位已經發現，在我的「報告大綱」中所出現的華僑兩字加上引號。其實這是有用意的，主要的

理由是對語詞做出正確的定義。

語言不用說當然是意識的反映。

多數的媒體，因為日語的當用漢字中沒有「僑」字，所以就將華僑稱作華商，此外，在八一五之後，由於世界局勢劇變，使得在海外自稱或被稱為華僑的人產生本身的蛻變以因應時局的變化，但是多數的日本相關人士並未察覺或正視這個問題，導致對華僑一詞的濫用。

華僑的字義相當混亂，如果這只是作家在自己的密室中所進行的遊戲行為，還不至於招致太大的弊害，但若是出現在堂堂大報的報導，或是具有權威的大學教授論文中的話，那麼其影響就不只日本的一般讀者了。特別是在政局不穩定，仍是軍人執政的東南亞國家，對他們來說，華僑不只是被視為代罪羔羊，而有充分的利用價值之外，每次只要相關國及相關人員發生問題時，就將「華僑」問題端上檯面，利用這個話題做為拖延國內矛盾解決之方便手段並當作藉口。這些事實雖然與作者的主觀意圖無關，卻持續具有危險性。

當許多人展開「別有用心」的論述之時，會使其「論述」帶來權威而加以利用。

一旦當身為第三者、具有「權威」、同時又擁有很長華僑研究史的日本人發聲時，其發言被利用做為排斥「華僑」的論據，今後隨著日本與東南亞的交流日趨頻繁，將增強其可能性。希望能有所留意。

我認為八一五之前，所謂的華僑，指的是散布在東南亞的中國系住民，他們為了要因應居住國和自己祖國之間所發生的政

治、經濟、社會的巨大變化，於是開始進行自我蛻變。

　　如果將這個情況圖式化，那就是之前以「衣錦還鄉、落葉歸根」做為主要生活原理的華僑，當八一五之後，情勢改變，華僑被迫必須要讓自己變成居住國的一員，挺身參與建國運動，因此只得放棄之前的理念，改以「落地生根」做為生活原理。以長久眼光來看，雖然有種種的曲折，但是他們為了要追求新的生活原理，必須要重新檢視自己的存在，透過自己的雙手來重新建構自己的歷史，做為負責改寫居住國歷史的一分子而堅強追求生存。我就是以這樣的觀點來看待。

　　事實上，大多數的人取得居住國的國籍後，便以華人系住民的身分摸索一套自我的生存方式，即使說形成新的歷史潮流亦不為過。如果各位能夠接受我的這個觀點，那麼以前被稱為華僑的群體中，將有許多人不能再稱之為華僑。

　　不用我再多說，華僑的語意簡單的說就是指的海外中國人的總稱，用英文來說就是the Chinese Abroad或是Overseas Chinese。

　　剛才我所提到的轉變，目前正逐漸完成，其主體不用說當然是那些追求自我蛻變的人，他們迫於新的局面，不但不再稱自己為華僑，也不希望別人稱自己為華僑。他們稱自己為華人，或是以民族的總稱「漢族」來自稱。在英語中，他們把華人稱為Hua-jen，另外，則將華人系新加坡人稱為Singaporian Chinese Origin，華人系馬來西亞人則稱為Malaysian Chinese Origin。不過還是有人因為自己的意願，或是因為居住國法律的限制而無法取得該國國籍，因此依舊保有中國國籍。這些人當然就是所謂的華僑，應當被定位為居住在該國的外籍人士。

　　但是，應該要被定位為華人（由於這一詞在日語中尚未成熟，因此我會以華人系住民來稱之）的那些人，依舊被稱為華僑或是中國人，我認為這有必要更正。

三、如何定位「華僑」問題

　　我之前曾提過，華僑與華人應當明確的區別並予以定位。要是各位能認同這樣的想法，那麼現況中的「華僑」問題，應該從東南亞各國現在的政治、經濟、社會的整體演變過程中，華人系住民的定位為何而切入。

　　若將這樣的整體演變過程具體整理，就會發現最大的課題其實在於隨著克服殖民地遺制而衍生的建國問題。

　　而這最大的課題，可從以下三點來觀察。

（一）國家的獨立與華人、華僑問題

　　眾所周知，自從八一五之後，儘管還不夠成熟，但東南亞各國已取回政治的自主性，致力於建國大業。

　　建國分為二大路線，由上而下的近代化及由下而上的現代化。如果只限定ASEAN的五國來看，那麼可以說幾乎所有的國家目前所採行的都是前者。

　　當然，掌握這些國家政權的大部分人士，不是舊殖民地時代的菁英分子，就是出身於該國的上流社會。他們所嚮往的國家，往往是One Nation One State這種西洋近代國家的型態。在我們的

常識中，One Nation One State指的是一民族一國家，人們意識到保障國家獨立的最大課題是民族國家的形成。然而，如同許多史實所呈現的，不只是歐洲，全世界也幾乎不曾出現一民族一國家的前例。已有的只是優勢民族統治弱勢民族（這裡所謂的優劣係僅指能否掌控政治權利），箝制弱勢民族的發言，且漠視他們復權的要求，而對外宣稱是一民族一國家。

先不論歐洲近代國家的形成期，現階段世界各地紛紛出現少數民族復權的聲浪，其聲音和運動規模不但沒有減弱，反而有可能愈來愈壯大。以一民族一國家的「神話」來建立民族國家的可能性將逐漸降低。

因此，當東南亞各國戮力於建立民族國家時，也必須走上多民族國家之路。另外，值得留意的是，許多人誤以為只有東南亞的「華僑」問題才是當地唯一的少數民族問題。

從以上來看，東南亞各國的執政者，在獨立建國及形成民族國家的過程中，是否將華人系住民視為少數民族來看待，成了他們首先要面對的華人問題。換句話說，形成民族國家之際，或許也是個重新思考民族框架的時機。因此，做為建立新國家的一環，也必須考慮當然會出現語言政策──制訂共通語或國語──的問題。華人的母語保存與母語教育的利弊也在上述脈絡下開始被討論，始能走在人類應走的歷史前面。

華僑原本的定義，指的是當地的外國居民之一，因此既無法參加也不能參與居留國的政治。

（二）民族解放・民族主義・華人

那些曾受過長期殖民地統治的開發中國家在建立新國家時，隨著民族主義高漲所產生出的能量不但珍貴，且其正當性也為多數人所接受。不過，如果看得清楚的話，就可以發現目前ASEAN各國所奉行的民族主義，不可否認大部分都是由資產階級所主導的封閉式民族主義。

原來民族主義屬性之一，就是具有排他性。但是，如果民族主義是積極而開放的話，其排他性的矛頭則會指向從前的外來統治者，鮮少會剝奪排除國內弱勢民族（包含一般所謂的少數民族）的各項權利。不用說，只有讓處於最底層的弱勢民族獲得解放的民族解放運動，才經得起歷史的考驗。因此，無庸置疑，能夠納入華人系住民的民族主義才是最理想的。

但這畢竟只是一種理念，就現實政治而言，正如前述封閉式民族主義已經成為目前的主流，這些執政者高舉著民族主義的旗幟，將中下階層的華人當作代罪羔羊，利用低俗的國民情緒（充其量只是以優勢民族為中心的偏頗國民情緒），造成無意義流血事件一再上演，導致惡性循環。

可以理解，執政者往往為了要確保、維護自己的政權和優越性，而企圖賦予封閉性民族主義的一切正當性，做為自己的政治手段。然而，身為第三者且是社會科學研究者的我們，不斟酌、檢討民族主義的實質內容，而一味地全面承認其正當性，是大有問題的。

（三）國民經濟的形成與華人‧華僑經濟

　　大家都知道，幾個與華僑有關的國家，其原住民排華運動的最大藉口，就是華人、華僑掌控了居住國的經濟，尤其是流通過程，雖是外來者，平均所得卻不當地高於當地住民。

　　的確，當一個國家的某個經濟特定部門，被特定民族族群或外來者所掌控的話，並不是一件好事，甚至可說是異常的現象。

　　如前所述，華人、華僑之間應做出明確的區分、定位，尤其當這樣的區分尚未確立時，即使是由上而下的近代化路線所不可或缺的外資導入政策也沒有一個邏輯。令人感到意外的是，鮮少有人會注意到這一點。

　　姑且不論資金的蓄積過程，若要定義華僑資本與華人資本的話，前者是屬於外來資金，而後者當然就不屬於外來資金的範疇了，我認為兩者都必須經過商人資本、商業資本、產業資本、買辦資本，乃至於民族資本的驗證後，才能被列為經濟政策的明確對象。

　　另外，如果認為華人系住民集團掌控流通部門是不恰當的，那麼首先應該要解明歷史、社會、經濟的結構，去除或是掃除其支撐的機制或土壤，重整其結構，再去思考其根本的解決之道。

　　可是東南亞各國目前的執政者，為了確保本身的政權，根本無暇也沒有勇氣嘗試對既有的政治、經濟、社會結構進行變革。他們當中多數人只願意採取低成本，只要下達一個命令，就將華人、華僑一竿子全視為外國人，並以對外國人的職業限制敷衍了

事。華人、華僑在國民經濟中所居的偏頗地位，若居住國的政治、社會、經濟結構不變革，則無法獲得改善的，此一事實自1930年代以來，從泰國、越南、菲律賓、印尼等國的經驗中得到印證。

遺憾的是，從過去到現在，多數國家都不去分析、檢討這樣的實際狀態，只一味地將華僑視為「外人」，毫無理由地批判他們，這是非常不科學的。

我曾聽少數的日本研究者主張過，在道義上應該要降低華僑的不當高所得。如果這樣的主張是出自於道學家的口中，那也就算了，但做為一個社會科學研究者，這樣的議論實在顯得過度粗糙。

華人的平均國民所得之所以會高過當地住民，主要的原因是在於華人所占國民經濟的產業部門及其事業結構，不可以一味基於情緒論加諸道義上的批判就能夠改正的。

四、權利屬於誰

（一）關於所謂的華僑忠誠心

與華僑有關的各國執政者，透過新聞報導主張排華的正當性，其另一個理由就是華人系住民的忠誠心不足。奇怪的是，對別人的忠誠心議論紛紛的這些人，卻無法區分華人與華僑的不同。不去區分華人與華僑，而一律視為中國人，來批判其忠誠心，實在是一件無聊的事。

　　即使議論的對象只限定在已取得國籍的華人系住民，其實也是有陷阱的。

　　第一個陷阱，所謂的忠誠心，原本包含了權利與義務，但是多數批判者，為了顧慮國內不斷高漲的封閉民族主義，因此對待華人往往只要求付出義務，卻不問他們的權利。一個既無法享受權利，且無法受到同伴信賴的人，要如何能向「他人」宣示忠誠心呢？事實上，目前除了新加坡之外，ASEAN各國對於華人的公民權都有所限制。

　　當然，關於他們限制的表面理由（華人的高教育水準、旺盛的經濟活動力、根深柢固的經濟實力與經濟基礎），以及心理動機（對於原是外人的華僑轉換成華人而產生的不信任感，進而對其祖國也就是社會主義中國產生疑慮，關於後者，有很大的原因是因為前美國國務卿〔譯註：指杜勒斯〕的骨牌理論，導致反共情緒所造成的），身為第三者的我們大致上是可以理解的。然而，做為建設國家的一部分，華人系住民的所處地位應以何種形式編入，若從其長期展望之關聯來掌握，明顯地，以上述理由為根據的公民權的長期限制是絕對無效且無法維持的。

　　第二個陷阱是，那些批判者並未明確指出宣示忠誠的具體對象。

　　以政治層面來看，正因為政局不安，所以若是宣示忠誠的對象有所錯誤，往往容易被當作代罪羔羊，這些都是有例可循的。以印尼為例，1957年的蘇門答臘事件，支持右翼，接著在1965年的九三〇事件，支持左翼，這些華人的忠誠心在事後都受到批判並遭到迫害。

　　關於忠誠心問題，並不是用俗語的「入境隨俗」一語就解決了。理論上來說，既然成為華人，其公民權就應該與原住民同樣受到保護，而在該前提之下，在居住國參與政治和經濟活動，當然都不容許遭受差別待遇。不保障其權利，只是一味要求忠誠心，且可宣示忠誠的對象又不明確，可能徒增華人的困惑。

（二）華人所追求的認同範疇

　　我認為只要是人，不論是個人還是社會集團（特別是以民族為單位的情形尤其顯著），尋求擁有自我的認同，或是團體的認同，是極為當然，且近似自然的天理。

　　與忠誠心相反的，認同意識的存在也是不容否認。遭到白眼和疏離的華人，要求他們認同居住國的所有一切，這是接近天方夜譚之事。即使是不再那樣遭到白眼，但是個人的出身，尤其是文化、母語、生活習慣、風俗等，雖有程度上的差異，因此內發性的追求認同是人之常情。

　　即將邁入21世紀的今天，優勢民族仍然想要消滅、同化弱勢民族及少數民族，這樣的作法對於人類共同體的構築，到底有多大的意義，對此我抱持著懷疑的態度。

五、與中國華僑政策的關聯

　　大家都知道，中國的華僑政策被視為是外交政策的一環。中國不但不承認雙重國籍，且積極推動華僑的華人化。

　　我個人認為，中國不稱霸的主張，問題的印證是國內的少數
民族政策。如果這之間沒有連動、有機關係的話，最後只會淪為
口號，而不具有說服力。換句話說，上述的華僑政策與新中國的
執政當局，所勾勒出的理想國家型態（不去特別制訂語言政策及
國語，讓普通話，方言和少數民族語皆能通行）息息相關。

六、少數民族復權與華僑問題的關聯性

　　如前所述，東南亞各國的少數民族問題，並不只是華人問
題。而所謂的華僑問題，乃是世界資本主義在19至20世紀初所產
生的歷史遺物，因此本質上並非孤立的問題。無論是烏干達的英
國籍亞洲人問題，還是北半球的黑人問題，追究其歷史根源都是
同出一脈。因此，「華僑」問題最終還是會與克服殖民地遺制及
少數民族復權的問題產生交集。正因為如此，我才會用世界史的
觀點來掌握華人、華僑問題，並以全球視野為其定位並掌握。

　　或許各位認為我所說的有些誇大，但我還是認為必須做到最
低限度如前面所報告，要摸索且架構新的觀點，嘗試接近問題的
核心，否則能承受歷史試煉的研究——特別是現狀分析——我相
信是不會產生的。

　　謝謝各位長時間的聆聽！

　　（本文乃根據演講當天的臨場實況，重新構寫而成。詳細
內容請參考拙稿〈東南亞的華人系住民〉，拙著《日本人與亞
洲》，新人物往來社，1973年，以及〈東南亞華人研究的觀
點〉，戴國煇編《東南亞華人社會的研究上》，亞洲經濟研究

所，1974年。〔以上二文參見《全集》11〕）

1975年5月7日

本文原刊於《現代中国—— 現代中国学会第24回全国学術大会特集——》，第50號，東京：現代中国学会，1975年8月10日，頁10～19

華僑的法律地位與中國的華僑政策

◎ 劉靈均譯

一、前言

　　1975年6月9日晚上，從該月7日開始訪問中國的菲律賓總統馬可仕和中國總理周恩來之間，簽訂了相互承認與建立大使級的外交關係等為基軸的《中菲聯合公報》。

　　這個公報的第四項說，「中華人民共和國政府與菲律賓共和國政府確認已經取得對方國籍的自國公民全部自動喪失原國籍。」

　　不用說，這主要是為了明確化「華僑」的國籍，正是所謂的雙重國籍禁止條款。此外，有相同旨趣的雙重國籍禁止條款，在去年〔1974〕5月31日所簽訂生效的《中馬聯合公報》中也可得見。順帶一提，《中馬聯合公報》的該項目是這樣記載的：

　　中華人民共和國政府注意到馬來西亞是由馬來血統、中國血統和其他血統的人構成的多民族國家。中華人民共和國政府和馬來西亞政府聲明，雙方都不承認雙重國籍。根據這一原則，中

國政府認為，凡已自願加入或已取得馬來西亞國籍的中國血統的人，都自動失去了中國國籍。至於那些自願保留中國國籍的「僑民」（居留民），中國政府根據其一貫的政策，要求他們遵守馬來西亞政府的法律，尊重居留地人民的風俗習慣，與當地人民友好相處。他們的正當權利和權益將得到中國政府的保護，並將受到馬來西亞政府的尊重。（第五項）

《中菲聯合公報》和《中馬聯合公報》的該項目中明記內容的深淺我們稍後會探討，但應該可以看出，所謂雙重國籍禁止條款的要點與旨趣在這兩個公報中可說大致相同。

姑且不論這個，中國當局公開表明禁止雙重國籍的原則，並非是這兩個公報開始的。中國早在1955年4月22日和印尼簽訂的與雙重國籍相關條約中，就已經將不認同雙重國籍這件事情以外交文書的形式公諸於世（關於《中華人民共和國和印尼共和國關於雙重國籍問題的條約》，詳參田中宏的論文。）

中華人民共和國雖然已經正式與印度尼西亞共和國締結了禁止雙重國籍的條約，但只是在形式上的達成協議，交換批准書事實上也是在條約簽訂後五年，也就是1960年1月才舉行。

即便交換了批准書，印尼方面幾乎完全不履行條約，不管是華僑亦即中國人，或者是雙重國籍人士，甚至是已經正式歸化印尼國籍的人，印尼政府仍然將他們都當作「中國人」，並且持續差別待遇。

姑且不論這個，由於中國、印尼兩國間的外交關係在當下被凍結，含有前述禁止雙重國籍條款的條約事實上也和外交關係一

起被凍結著。

此外，在建立邦交關係已逾一年的馬來西亞，也未見到前述雙重國籍禁止條款實施細則的公布。還有，菲律賓以後將要如何實施《中菲聯合公報》中的雙重國籍禁止條款，在內政面上要如何使之具體化也還是未知數。

總之，眾所皆知，與華僑、華人相關的國籍問題，對於包括中國在內的相關各國而言非常重要則毋庸贅言。因為這很重要，所以在建立邦交之際，才必須要在聯合公報中加入雙重國籍禁止條款吧。

因此，與華僑、華人相關的國籍問題對於東南亞諸國而言，是在國家建設必須整頓克服的「殖民地遺制」中，必須處理的對象之一；對於中國而言，做為華僑、華人的祖國，雖然和東南亞諸國的意思有些不同，但做為歷史遺產，整頓並克服殖民地遺制可以說是外交上的一個課題。

站在中國這邊的立場看來，處理華僑、華人的國籍問題，並且將這個問題明確化，是與東南亞各國的外交關係發展上最重要的課題。

如果執行這個課題的前提不能確立，做為外交政策一部分的華僑政策便無法展開。這是因為，如果不能確立政策的對策，只會招惹更多的混亂，就不是殖民地遺制的克服而已了。

此外，若要將新中國的華僑政策做為研究課題，首先就必須要確定做為政策對象的華僑的範疇才對。依我的淺見，我不知道中國當局有明確的華僑相關法律範疇之規定。下列所述是筆者透過相關資料所設想的範疇：

　　1. 國外華僑：本來所謂華僑指的是「華僑是指從中國領土移住到外國領土且保有中國籍的中國人及其子孫住在外國領土的人，但是由中國當局或者是其他公、私機關派駐外國或是居留的外交官、駐地人員、研修生、留學生及其家屬等，則不包括在內」[1]。但隨著中共政權的成立，中共政權成立前以留學或技術研修為目的而出國的人們，被所在的國家禁止回國，而華僑化的例子也不在少數。那麼，前述的華僑以及留學生等人數，究竟有多少呢？

　　根據新中國迄今所發表的唯一統計[2]，「國外華僑及留學生等」在1953年6月30日中午12點當時，有11,743,320人。此數字並非直接調查所得，而是將華僑事務委員會等機關的資料彙整統計而得。

　　2. 國內華僑：本來華僑指的是「華僑是指從中國領土移住到外國領土且保有中國籍的中國人及其子孫住在外國領土的人，但是由中國當局或者是其他公、私機關派駐外國或是居留的外交官、駐地人員、研修生、留學生及其家屬等，則不包括在內」，所以「國內華僑」這個語詞或許會讓一般讀者覺得奇怪吧。但就如後述，新中國為了要讓自己的華僑政策實施得更現實性且有彈性，必須要有這樣的分類。那麼，國內華僑究竟含有哪些範疇的人呢？以下將接著說明。

---

1 拙著《日本人與亞洲》（新人物往來社，1973年），頁179。

2 唯一的統計是1954年11月1日發表的〈關於全國人口監控結果的國家統計局公報〉。詳見《中華人民共和國法規彙編》（1954年9月〜1955年6月），頁553〜556。

　　（1）「僑眷」，也就是指華僑住在國內的家人。本來華僑大多是去國外掙錢之後，就定居在國外的人。所以在很多案例中，華僑會把家人留在國內。這邊所指的家人，當然在有的案例中指的是小家庭單位的家人，但大多數的狀況指的是複合家族，或者連親戚都包括進去，範圍相當廣泛的血緣關係者。因為據我所知中國當局並沒有明確定義「僑眷」，暫時我們也只能這樣推定。此外根據中國當局的公布，這樣的人約有一千多萬[3]。

　　（2）「歸國華僑」，指的是1949年10月1日新中國成立之後歸國的華僑。其人數據稱有二十餘萬[4]。

　　（3）「歸國華僑學生」，指的是新中國成立之後，留學回國的學生。其人數約在四至五萬。

二、中國與華僑的關係

　　新中國的華僑政策，當然大致上可以分為對國外華僑政策與對國內華僑政策兩大部分。我們必須特別留意的是，雖然施政對象範疇不一樣，但是兩個政策間存有無法分割的密切關係。在開始分析具體的華僑政策之前，要將中國與華僑的關係從中華民國成立之後開始整理。

3　〈關於國內僑務工作的若干政策〉（全國歸國華僑聯合會籌備委員會編印，《國內僑務政策文件彙編》收，1956年9月），頁1。

4　同前註。

（一）新中國的共同綱領、憲法中與華僑相關的規定

1. 這裡所謂「共同綱領」，指的是中國人民政治協商會議共同綱領。該綱領第七章〔譯註：應為第六章〕「外交政策」中的第58條規定：「中華人民共和國中央人民政府應盡力保護國外華僑的正當權益。」

在國共內戰當中逐漸取得勝利的中國共產黨，在1948年5月1日，呼籲應該召集各民主黨派與各界代表人士，舉辦新的政治協商會議（相對於1946年1月10至31日在重慶由國民黨與中國共產黨呼籲舉辦的政治協商會議），並在同年11月25日將各黨派、各團體代表召集於中國東北，舉行準備會。繼這次準備會，1949年9月21至30日在北京召開了該會議的第一期全體會議。這個會議的正式名稱就是「中國人民政治協商會議」。此會議就如眾所知，是中國共產黨為了成立中華人民共和國，在自己的倡議下舉行的會議，參加該會議的代表，是由勞動階級、農民階級、小資產階級、民族資產階級、愛國民主分子、人民解放軍、勞工工會、學術團體、青年婦人團體、少數民族、華僑、宗教界的代表所組成。

而該會議同時兼有暫時代替之後正式選出並成立的人民代表大會（1954年9月15日）做為最高權力機關的機能，以及人民民主統一戰線的組織。順帶一提，雖然在人民代表大會成立以後，中國人民政治協商會議將做為國家權力最高機關的職能讓與了人民代表大會，但是仍然是人民民主統一戰線的組織機構，為了實現中國共產黨與民主各黨派的「長期共存，相互監督」的機能，

所以留存這個會議。因此，該會議決行、公布（1949年9月29日）的《中國人民政治協商會議共同綱領》，可說相當於新中國的臨時憲法。

2.《中華人民共和國憲法》中，與華僑相關的規定，可以從該憲法第三章「公民的基本權利和義務」中第98條看得到。該條宣稱：「中華人民共和國保護國外華僑的正當的權利和利益。」《中華人民共和國憲法》，即前面提到的「共同綱領」為基礎所制定公布的（1954年9月20日）。

我們可以認為「共同綱領」與「憲法」中，關於華僑的規定在內容上沒有差別。相對於前者在外交政策的項目中規定華僑，後者則在公民基礎權利及義務的項目中規定。畢竟共同綱領雖算是臨時性的憲法，其本質只是建國初期國家建設的綱領而已，與本來的憲法在法律的形式上就有差異。我們要加以關注的，反倒是進行前述共同綱領與憲法的審議、採納的中國人民政治協商會議與全國人民代表大會兩者的構成人員中，都有華僑的代表參加。

由中國共產黨的倡議所舉辦的這兩個會議，可以說是新中國國家權力的最高會議的構成人員中被允許海外華僑的參加，有其相應的理由。以下就讓我們沿著歷史的脈絡去追溯其理由。

（二）近代中國與華僑的關係

1. 參與策劃革命

「華僑乃革命之母」（孫文語）象徵了華僑與中國的近代革命（包含辛亥革命的近代中國革命運動）有著無法分割的密切關係。華僑對中國的近代革命非常關注，之所以會投注不少的資金與人力，理由無他，正是可從他們所處的情況以及之所以成為華僑的經過找出理由。這些華僑的祖先大多不是照著自己的意願和喜好而離開故鄉。就如史實告訴我們的，現在我們當成研究問題對象的「華僑」或他們的祖先，絕大多數都是因為清朝統治的政治腐敗與經濟上的疲弊，列強的侵略帶來的母國的混亂，被迫出走的大群流亡農民，只是被稱作豬仔的一群苦力[5]。接納這些苦力的當時的殖民地統治權力（有的案例是以非人道的方式強制帶走苦力至殖民地）當然不會對這些苦力施以慈善之舉，而是讓他們成為開發殖民地、提升殖民地利潤的勞力而導入。

因為有這樣的原委，他們已經是母國政府的棄民，在1860年《北京條約》簽訂以前的海禁（海外移住禁止令）之下，他們不只是棄民，更被當成是冒犯海禁的犯罪者。

此外，因為苦力是居住國奴隸勞動的替代品，所以時常會遭到殖民地權力的懷柔利用或排斥虐待。他們通常做為殖民地權力的殖民統治的幫傭或者附屬者，所以也常會遭到原住民方面的冷

---

5 關於華僑的形成請參照拙稿〈東南亞的華人系住民〉（收錄於《日本人與亞洲》，新人物往來社，1973年）〔參見《全集》11〕。

眼相對。

　　從前述華僑形成的過程、華僑的境遇看來，很容易想像他們對「滿清」政府萌生的不滿。這叛逆的枝芽廣泛被培育，清末以後積極支援民族民主革命，許多子弟也親自加入革命。

　　此外，由於在居留國遭到冷眼相對、疏離甚至是排斥虐待，我們可以認為，他們也期待一個富裕且強大的近代中國出現，藉以改善自己境遇的後盾，所以才會參與規劃鄉里的建國活動。

　　眾所皆知，他們以1895年廣州之役為嚆矢，不斷貢獻支持革命，終於導致辛亥革命的成功，在此不再贅述。然而在民國成立之後，他們也參加了民國初期的建設投資活動。

2.經濟上、特別是歸國投資的嘗試

　　大家都清楚華僑與中國近代革命的深厚關係，前面也已簡述其概略。接下來我將更具體的將華僑與近代中國的關係，從其經濟面上嘗試一瞥。許多人都指出，民國成立以後，住在東南亞的華僑匯回國內的資金，在幾個方面給中國經濟帶來很大的影響。

　　我們可以將華僑匯款分為以下幾類：(1)商業交易（貿易）上的匯款；(2)結算個人或團體間債務之匯款；(3)為了歸國投資的匯款；(4)匯給本國股東的企業利潤；(5)善款（捐款）；(6)個人或團體費的匯款（包括家庭生活費的匯款）等。

　　個別的華僑匯款絕大部分是很細碎的數額，但考慮到一些個別的案例，以及從龐大華僑人口數等方面綜合看來，其金額絕不可輕忽。當然這些匯款的來源包括苦力勞動薪資的一部分到華商的商業利潤，或者是企業利潤等，範圍非常廣泛，但其對於在經

濟疲弊帶來的外幣不足、資本欠缺、購買力低落的中國經濟而言，的確起了極大功效。

　　華僑匯款對於當時的中國經濟究竟起了怎樣的影響與功效，詳細留待他稿，但在此我想特別記下以華僑為中心，投資中國的主要企業。

　　根據1927年的調查，當時中國人自己投資經營的主要工廠、公司、商號、銀行等大約超過250間，總投資金額約是3億兩，也就是4億3,000萬元。而華僑投資額占其中一成，也就是4,000至5,000萬之譜，這些企業包括中南銀行、永安紡紗公司、南洋兄弟煙草公司、先施、新新、永安、大新等大百貨公司或者大旅館、餐廳等。

　　華僑的歸國投資除了前述的公司以外，還有不少的人將資金投向自己的家鄉，也就是對鄉土建設進行投資。比如說在廣東省的潮汕鐵路有限公司（資本額330萬元，在1904年鋪設的潮州至汕頭之間的鐵路，投資者係荷屬印度華僑張榕軒、張耀軒兄弟）與寧陽鐵路有限公司（資本額330萬元，廣東省台山至北街之間的鐵路，由美國、南洋的華僑出資建造）等。

　　此外在福建省，著名的還有福建鐵路公司（1905年鋪設，後來在1915年回歸交通部經營，成為漳廈鐵路局）與程溪輕便鐵路公司（漳州至程溪之間）。順帶一提，漳廈鐵路是著眼於可在龍巖開採碳礦、在漳州生產的水果而鋪設，開設當時的資本額是2,426,551元，之後增資到3,300,414元。

　　不只是鐵路交通，據說廣東、福建兩省的陸上、海上交通事業幾乎都是華僑發起或者投資經營的。

　　華僑資本家不只投資交通事業，也有投資礦山開採事業。以下列出較為著名的幾項：

　　1. 以新加坡華僑林文慶為中心的集團：集資了2,000萬元，投資於福建實業銀行與福建省全省的鐵路礦業。

　　2. 怡保的華僑黃怡益等人所組織的福琯路礦公司：資本額200萬元，開發了從福州到琯江一帶的鐵路、礦山。

　　3. 仰光的華僑楊奠安組織了龍巖路礦公司，以800萬的資本開發經營了從龍巖至漳州一帶的鐵路與礦山。

　　4. 李雲程等人組織了義記公司，採掘邵武的兩個煤礦。

　　5. 林資鏗在龍巖水、龍潭潼平、雞心記的煤礦經營

　　6. 林長民等人組織的永德安煤鐵公司在安溪湖上的大磜山、五團山等試圖採掘煤礦。

　　7. 其他還有福建北部延平葫蘆山的銅山開發[6]。

　　除以上的投資外，華僑還在近代糖業、自來水、電燈、電話等企業進行投資。

　　雖然華僑積極嘗試投資，而且國民政府也多方面予以勸誘，但這些投資大多還是以失敗或受挫告終。

　　順帶一提，當年國民政府為了獎勵華僑投資，設置特種工業獎勵法、華僑回國興辦實業獎勵法、華僑投資國內礦冶業獎勵條例案，試圖讓他們能特別方便行事。做了這麼多，華僑投資仍不能開花結果的原因，首歸政局不安，列強資本與浙江財閥系官僚資本的跋扈、官吏的腐敗與經濟關係諸法的未整備，總而言之就

---

6 關於華僑的歸國投資請參考鄭林寬著、滿鐵東亞經濟調查局譯《福建華僑の送金》（1943年）與福田省三著《華僑経済論》（1942年）的該章節。

是投資環境的惡劣所致。

　　雖然如此，華僑把在外國的企業經營經驗和在國外蓄積的資本帶回國內，對民國時期不成熟的資本主義經濟帶來很大的刺激，此點自不待言。

　　8. 創設新式製糖工廠：除了殖民地統治下的台灣之外，被認為是中國最初創業的新式製糖工廠也是由華僑所投資。

　　福建省華僑郭禎祥於1909年在福建南部開設了華祥公司，投入45萬元資金，在水頭和潯頭設立了製糖工廠。在他開設製糖工廠以前，從爪哇、菲律賓等地買進了250萬株的甘蔗苗，在龍溪的王四爺洲與田邊、同安縣的水頭等地設立甘蔗栽培場，確保了做為原料的甘蔗，經營得非常周到[7]。

　　9. 在廈門經營銀行

　　剛才稍微有提到，華僑也是中國近代銀行業的開拓者。光是廈門一個都市，純華僑資本經營的銀行就有下列四家：

　　（1）中南銀行：資本750萬元，廈門分行開設於1921年。

　　（2）華僑銀行：總公司登記在英國領地，資本有1,000萬叻幣〔譯註：straits dollar，馬來西亞、新加坡與汶萊在英國殖民期間所使用的貨幣，發行單位是海峽殖民地政府。〕，廈門分行在1932年開設。

　　（3）中興銀行：總公司設於美國，資本額為570萬披索，廈門分行開設於1927年。

　　（4）廈門商業銀行：1930年於廈門開業，1935年停業。

---

7 請參照方顯庭，《中國工業資本問題》，頁49。

3. 教育事業的振興

　　華僑們在自己的鄉土投資小學、中學、職業學校，甚至大學，藉以振興教育，成為一段佳話。陳嘉庚成立集美學校、經營廈門大學，以及胡文虎對國內各大學的捐款至今依然是可以引起話題的軼聞。他們藉由振興學校教育，不只讓民智顯著提升，更在「國語」的普及、將新觀點導入國內，甚至是社會教育上，都對中國帶來了極大的影響與刺激。

4. 其他

　　華僑的中、上層還在居住地嘗試各種因應現實需要的慈善事業，當然這些嶄新的嘗試也被帶回他們的故鄉。代表性的有南部福建的百金會、恤老會等的基金。

　　我們不該忘記，他們藉由在現居地與歐美人接觸帶來了基督教或者新的價值體系，也將新的事物的看法帶進國內，許多衝擊就這樣主要藉由故鄉對故國帶來影響。此外做為在居住地企業發展的一部分，他們也在祖國開設分店，代表的有胡文虎的永安堂（萬金油）、陳嘉庚的橡膠工廠、黃奕住的酒精製造工廠等。

（三）華僑對於新中國

　　中、下層華僑在居住地親自組織共產黨，或者加入既有的共產黨組織已經是眾所周知。然而中、上層華僑與中共的關係還沒有這麼早，一般認為，華僑與共產黨的關係是在祖國中國抗日運

動有具體展開之後，關係才日漸加深。特別是在中國的抗日統一
戰線結成之後，以及因為日軍侵略南洋，開始迫害華僑之後，成
為其交往關係深化的具體契機。當中動向最為激烈、鮮明地支持
中共的，是馬來亞的華僑。以下將介紹其間經緯。

　　若要考察馬來亞華僑和支持中共的關係，我們不能忽視已故
的陳嘉庚在期間扮演的角色。陳嘉庚出生於福建省集美，雖然生
在中國，但他做為華僑活躍的舞台早就由他的父親準備好了。

　　他在1890年年方17歲的時候來到了新加坡。當時因為蘇伊士
運河開通，陳嘉庚的父親一方面要讓東南亞產品大量進入歐洲市
場，另一方面歐洲市場也需要大量東南亞的產品，傳統的香辛料
自不待言，砂糖、錫、橡膠的後起產品的需求也日漸擴大，因此
對印尼、婆羅洲、馬來半島的殖民地開發也急遽發展起來。理所
當然，為了這些開發所引進當地的華工（這些苦力後來形成了華
僑社會）其數量也日益龐大起來。

　　隨著華工人口的增加所形成的新市場，與華僑的活路相關的
其他行業的開拓相互連結，其中之一就是華人的主食——米市場
的形成。陳嘉庚的父親正是米市場形成過程中重要的一位商人，
藉此建立了自己的商業網絡與基礎。他所經營的米批發店從緬
甸、泰國、越南等地買進稻穀，加工之後批發給零售商，進行了
國際化的（雖然只在東南亞之內）的交易。

　　陳嘉庚前往新加坡，和其叔叔一起協助其父的事業，讓他父
親的事業更擴展到了鳳梨栽培、鳳梨罐裝加工，還有仲介業（以
橡膠為中心）、石灰店、鐵店等方面，發揮了他的商業才能。

　　這段期間，他曾在1901年回到故鄉，碰巧故鄉的對岸廈門

（將華僑送出海外，並在華僑衣錦歸國時得以發展的港鎮）發生了一場大火，他在災後復興上注入的投資也讓他一展商業長才。投資災後復興除了展現其對鄉土的愛心，也讓他藉由為祖國導入近代的不動產業發揮了商業才能。

終於在1906年空前的盛況到來，他順此潮流著手投資橡膠栽培積累巨富，也在華僑界建立了無法撼搖的基礎。

他的成功當然不只歸功於他的商業才能，包括他的人格、熱情與誠實，以及他對顧客的體貼，都讓他的聲望如日中天。

特別是1906年，在橡膠栽培的遠景尚未明確的階段，陳嘉庚基於他的創業者精神下了明智的決斷，把自己鳳梨園的一部分改栽培橡膠，並將其成果再投入於橡膠園的擴張，這就可一窺他日後將成為大企業家的面目之具體呈現，已然毫無保留地在社會上大放光彩。

恰巧當時為了辛亥革命奔走的孫文走訪新加坡，開始積極組織華僑，所以陳嘉庚也積極參與了當時成立的中國同盟會新加坡分部。他以加入同盟會為契機，參加了中國革命的規劃，與他的事業發展同步深化。

他在參與辛亥革命規劃的同時，深切感到新式教育的必要，所以在1913年，他在故鄉集美村獨力設立小學。從創設小學開始，他在1918年趁著第一次世界大戰好景氣，又在集美設置了師範部和中學部，做為綜合性教育設施的一環，隨著開設了植物園、音樂堂、體育館、游泳池，甚至還設置了醫院和郵局，開發了在中國規模與設備俱稱第一的「新村莊」。雖然從國中生徵收餐費，但他也試著導入了免除學費、寄宿宿舍費的新方式。他對

師範部除了全額給付學費以外，還發給零用金，確保了優秀的教員。

其目的不只是為了振興家鄉教育而已，還希望能將這些畢業生送到南洋進行華僑教育，在長期展望上也希望他們能成為活躍於華僑社會為其近代化貢獻的人才。

眾所周知，這些學校培育出許多後來在華僑界文化活動的中堅分子；來自台灣的留學生也和福建出身者受同樣待遇，畢業生中有不少成為抗日運動家，這也是歷史事實。這些學生不只從他的故鄉、台灣，連南洋等地的學生也集聚而來。

他不只是將近代教育帶進家鄉，1910年，他在新加坡也呼籲同樣來自福建的人創辦了道南學校，又在1918年設立了南洋華僑中學。這個南洋華僑中學，是東南亞第一個華僑中學；我們可以說點燃讓日後東南亞華文教育興旺的火苗的，即是陳嘉庚。

時序進入1920年，他的教育事業進展更加廣泛，他又在集美創辦了女子師範、保母學校、商業學校、水產航海學校，1923年又創設了農林學校，為全中國做職業教育的示範。

第一次世界大戰後，隨著世界上逐漸高漲的民族解放運動，他的民族意識也越加高漲，因此更高舉了教育救國的口號，在1919年發表了設立廈門大學的構想。在1921年開校時，甚至連正在訪問上海的美國著名教育學者杜威（Dewey）都出席了。

他之所以在五四運動時，老血又再度騷動也是當然的吧。他以1927年濟南事變的發生為契機，領導南洋華僑進行抗日運動，不難想像正是來自於前述歷史的背景。人們意識到，濟南事變是國民政府統一運動將因為日本侵略大陸而遭受挫折的前兆，所以

在新加坡由華僑代表舉辦了對日抗議大會。這次大會以救濟罹難者遺族為目的，組成了山東慘禍籌賑會，陳嘉庚被選為該會主席。這個運動最後擴展到整個馬來亞，也讓本國的抵制日貨運動得以展開。同時他所經營的《南洋商報》也連日載滿宣傳南洋華僑抵制日貨、對日經濟斷交的論調，也讓華僑的民族意識從辛亥革命階段昇華到新的階段；而1931年發生的九一八事變，以及盧溝橋事變之後的長達八年的抗日戰爭，讓華僑的抗日運動更加延燒。

1937年在盧溝橋發生的日華事變〔譯註：戰前日本稱呼中日戰爭為支那事變或日華事變〕更展現了陳嘉庚做為抗日運動家角色的重要性。他首先推動新加坡中華總商會的理事們，讓他們在8月15日舉辦了華僑全體大會，為了救援祖國成立新加坡籌賑會，並籌劃了募款的大計畫。他甚至把籌賑會從馬來亞推廣到全東南亞，並負責籌賑會的中央機關與本國的聯絡。翌年的10月10日雙十節時在新加坡舉辦了東南亞華僑的代表大會，設置了南洋各屬華僑籌賑祖國難民總會（簡稱南僑總會）做為其統一組織，他則被推選為該會的主席並且就任。陳嘉庚主要的抗日事蹟如下：

1.為了募集救國捐款，他招聘並援助武漢合唱團在馬來亞各地公演，不只支援其募款活動，更讓華僑的抗日愛國意識更加深化。

2.徹底抵制日貨運動。

3.從東南亞各地募集開車的司機及修理工人二百餘人，由中緬公路送進中國。

4.設立製藥工廠，製造軍需藥品送進中國。

5.加強募款，從創立總會以來一年總共募集了約7,000萬元，平均一個月募到了600萬，接手展開本國政府的救國公債運動，提供抗日資金。

透過這樣的運動、支援中國抗日的這段過程中，他對國府的腐敗、抗日的方法有著大大的不滿；而胡愈之等人的組織策動也奏效，他因而在1940年訪問延安，逐漸轉向支持中共。他支持中共也造成國民政府對其施壓，他也就逐漸離開國民政府，最後終於走向了批判國府的立場。

我們可以說，因為有這樣的原委，毛澤東才會在聯合政府論中大力稱讚海外華僑，日後制定共同綱領與憲法時，才會規定華僑在新中國的地位[8]。

（四）新中國的華僑政策

從陳嘉庚的事蹟中可以看到，東南亞，特別是馬來亞華僑與中國共產黨之關聯，所以在新中國成立之後北京政府當局將陳嘉庚召回國，讓他擔負華僑政策開展中，非常重要的角色。

1. 做為統一戰線的華僑政策

成功奪取政權的中共，一方面必須要將華僑拉到自己政權這

---

8 陳嘉庚的事蹟，請參照鄭良編著《陳嘉庚》（香港，新潮出版社，1952年）、陳嘉庚先生紀念冊編輯委員會編《陳嘉庚先生紀念冊》（北京，1961年）、陳嘉庚著《南僑回憶錄（上、下）》（新加坡，1950年）。

一邊，使台灣被孤立於一方；另一方面為了確立新政府在東南亞的聲望，以華僑做為其宣傳媒介，強烈宣傳愛國華僑的團結與支持社會主義的祖國。

2. 對國內華僑的政策展開

雖然中華人民共和國和印度、緬甸的邦交建立得相當早，但是與海外華僑密集的國家，特別是東南亞各國建交都很晚，以現在ASEAN五國而言，除了印尼以外，包括最近才建立邦交的馬來西亞在內，與其說是在萬隆會議開始前就有友好關係，還不如說是存在著警戒與敵視的關係，所以政策展開在實質上不可能。即便是印尼也只是在萬隆會議的時候才締結有關雙重國籍的協定，可說是因為印尼的政情不安常常妨礙華僑政策的展開吧。

在這樣的情況下，我們可以說，北京政府當局只能透過國內華僑參加社會主義建設與社會主義改造讓政策得以開展。當然這個向國內華僑的政策開展本身並無法直接推行海外華僑政策，但實質上可以間接影響海外華僑，自不待言。

（1）對華僑匯款之政策

華僑匯款雖然和國民政府時代相同，大多是匯給國內家族親戚，但對於建國初期的北京當局而言，這仍然是一個重要的外幣供給來源。

華僑的匯款做為重要的外匯流入管道，對於政府當局而言，問題除了怎樣利用這些資金進行社會主義建設以外，要怎樣控制國內華僑，使其能將這些外幣轉為國內貨幣，並如何使其在社會主義經濟建設之下使用，並且控制不要讓這些資金的使用背離社

會主義建設的理念，也都是重要的課題。

但是管理的強化或者是過度基於社會主義理念進行管理，如果做不好會堵住外幣流入的管道也不是什麼奇怪的事情。因此北京當局試圖建立各種處理辦法、對華僑匯款的保護政策結構的措施和政策。以下介紹依照這些目的所立案的辦法與法令。

①福建省僑匯暫行處理辦法（1950年3月30日載於《香港大公報》）〔參見附錄1〕

②福建省管理僑匯業暫行辦法（1950年3月30日載於香港《大公報》）〔參見附錄2〕

（2）與社會主義改造相關（特別以土地改革為中心）

在社會主義改造之際，理所當然的，國內華僑所擁有的土地，或者經營的商店、企業都成為其改造對象。但是基幹勞動力在海外的華僑家族，參加農業集團化時發生了特殊的狀況。要如何斟酌這種特殊狀況以推進農業集團化，這個問題特別是在與華僑有關係的人較多的廣東、福建二省造成了問題。此外，海外華僑所有的財產要如何處理（社會主義化）當然也帶來了另一個問題。

由於在公私合營政策的推行上，遇上華僑關係企業、商店時也理所當然必須要和一般國內居住者採取不同措施，所以不管是在國外華僑政策今後的發展上，還是做為統一戰線一環展現的海外華僑政策的影響問題，也必須特別考慮進去。

①中央人民政府政務院關於土地改革中對華僑土地財產的處理辦法（1950年11月6日公布）〔參見附錄3〕

②廣東省土地改革中華僑土地處理辦法（1950年11月2日廣

東省人民政府第41次行政會議通過）〔參見附錄4〕

（3）關於華僑學生的歸國留學

　　在華僑子弟歸國留學上，新中國採取的政策與國府時代不同亦不難想像。

　　特別是曾經在資本主義國或者殖民地生活、受過教育的的華僑子弟，不管是在意識面、生活習慣、對新中國的看法上而言，都不能把他們和本國學生同等對待。

　　因此針對他們設置特別的教育機關、策訂教育方針等等，都必須要有特別的考量，除了也可以看出是藉以對應國府對海外華僑的施力之外，然而和過去相同，以鼓舞傳統中華意識、發揚傳統文化為主軸的國府時代之教育方針當然有重編的必要。

　　於是乎，做為社會主義教育的一環，中共針對歸國華僑子弟進行的教育從下列辦法可看到的精神做為考量而被實施。

　　① 優待僑生回國就學暫行辦法（廣東省人民政府公布，1950年6月9日，載於《香港大公報》）

　　　　　　　　　本文係未刊稿，並為未完稿，約寫於1975～1976年

【附錄1】
福建省僑匯暫行處理辦法

第一條　凡旅外僑胞匯入本省款項，均依本辦法處理之。

第二條　依照華東區外匯管理暫行辦法之規定，由中國銀行管理收解僑匯與辦理代收代付僑匯機構之洽訂及管理事宜。

第三條　指定銀行所經收之僑匯，於接得其國外代理行之收款通知後，應即將該項外匯移存中國銀行上海分行，其所需支付僑匯之人民幣頭寸，由其解款行向當地中國銀行洽領，如指定銀行在解款地並無機構設立，可託由中國銀行解付。

第四條　僑匯由指定銀行自行收解者，由中國銀行貼給手續費千分之十；其非自行解付者，於外匯移存中國銀行時，由中國銀行貼給手續費千分之二點五，辦理解款之銀行或僑匯業得千分之七點五；其經由上海各指定銀行託中國銀行轉匯者同。以上手續費，均以人民幣支付之。

第五條　凡專營或兼營僑匯之僑匯業，經核准經營僑匯者，得辦理收解僑匯業務。唯所收外匯應照本辦法第二、三條之規定，經由指定銀行移存中國銀行：（一）國內無分聯號者，應將所收僑匯逐日匯交指定銀行轉知中國銀行解付。（二）國內有分聯號者，應將所收外匯，逐日匯交指定銀行移存中國銀行，並憑國外分聯號委解清單，向中國銀行洽取人民幣分別解付（在委解清單未到前，先撥轉該號外匯存款戶）。僑匯業解付僑匯應得手續費，除按第四條辦法辦理外，其因送達遠途匯款費用較鉅時，得

按照實際情形，經公會協議後，呈請當地中國銀行酌予貼補之。

第六條　福建省內暫規定福州、廈門、泉州三地中國銀行逐日牌告外匯價格。

第七條　為保護僑胞利益，便利僑匯，不受國內外牌價變動影響起見，僑胞得以原幣匯入，按牌價折人民幣，或轉作原幣存款，以收款人名義向中國銀行開立存戶，領取存摺，支用時按當日牌價以人民幣支付之。

第八條　為便利僑眷，本省中國銀行得以「僑匯原幣存單」解付僑匯，持有人可隨時向本省該行或其代理機構按當日牌價兌取人民幣。

第九條　僑胞匯款回國從事生產投資建設事業者，得申請中國銀行轉呈中國人民銀行商洽有關主管機關特別優待辦理。

第十條　僑胞以自備外匯方式領取進口許可證輸入貨物者，得申請主管機關協助予以便利，並於貨物到埠後申請當地貿易局協助銷售。

第十一條　各辦理僑匯機構對僑匯有勒索費用、擅減牌價或故意稽延情事，匯款人及收款人得隨時向中國銀行或中國人民銀行申請追究。

第十二條　本辦法自公布之日〔1950年1月15日〕生效，修改時隨時公布之。

【附錄2】
福建省管理僑匯業暫行辦法

第一條　為便利僑匯，保證僑匯業合法之經營，及僑眷利益起見，特依照華東區外匯管理暫行辦法規定本辦法。

第二條　凡專營或兼營福建僑匯之僑匯業，需在本辦法公布日起之一個月內，依照規定表格填具申請書向中國銀行辦理登記手續，由中國銀行轉呈中國人民銀行核准後方得營業。

第三條　僑匯業聲請登記事項，應包括：名稱、資本、地址、組織性質（獨資、合夥，或股份有限公司）、股東姓名、負責人姓名履歷、分號聯號地點及負責人、開設日期、歷年變遷情形、近三年營業狀況、兼營業務等十一項。

第四條　僑匯業兼營其他業務者，應另向有關主管機關登記。

第五條　僑匯業經營福建僑匯業務，應遵照「福建省僑匯暫行處理辦法」之各項規定辦理

第六條　僑匯業解款匯率應依中國銀行牌價計算，不得任意抬高或壓低。

第七條　僑匯業不得延壓僑匯之支付，應按期將逐日經收及經解僑匯，分別幣名、數目、地區及解付情況，列表報告中國銀行備查。

第八條　中國銀行在必要時，得隨時派員檢查僑匯業情況及有關帳冊，並得指定編造有關報表。

第九條　僑匯業如有違犯本辦法規定之行為，主管機關得按情節輕重予以懲處。

第十條　本辦法自公布日起生效，修改時隨時公布之。

【附錄3】

中央人民政府政務院關於土地改革中對華僑土地財產的處理辦法

第一條　根據中華人民共和國土地改革法（以下簡稱土地改革法）第二十四條制定本辦法。

第二條　土地改革中對於華僑土地財產之處理事項，本辦法已有規定者，遵照本辦法規定處理之；本辦法未有規定者，遵照土地改革法及大行政區和省人民政府關於土地改革的法令規定處理之。

第三條　凡中國人民連續在國外僑居從事各種職業滿一年以上者，本人及其家屬（直系親屬）在國內的土地財產稱之為華僑土地財產，在土地改革中得適用本辦法處理之。但有下列情形之一者，本人及其家屬的土地財產不適用本辦法：

甲、土地改革實施前已歸國滿三年以上者。

乙、香港澳門的中國居民。

丙、出國留學生。

丁、出國旅行、遊歷、考察的人員。

戊、政府派往國外的公務人員。

己、逃亡海外的戰犯、惡霸地主和反革命分子。

第四條　華僑及其家屬在農村中占有並出租大量土地（包括其交親屬託管的土地在內），構成兼地主成份者，其土地房屋及其他財產依下列辦法處理之：

甲、本人出國前，家庭原係地主者，其在農村中的土地及其他財

產按土地改革法第二條的規定處理。但除原由農民居住的房屋外，其他房屋不動。

乙、本人原係勞動人民，出國後上升為兼地主者，除其在農村中的土地按土地改革法第二條的規定處理，房屋按本甲項處理外，其他財產一律保留不動。

第五條　華僑工商業家屬在農村的土地財產，按土地改革法第四條的規定處理。

第六條　華僑及其家屬在農村中出租小量土地者，均按土地改革法第五條的規定處理。如本人出國前原係勞動人民，其出租土地雖超過當地每人平均土地數200％，其超過部分的出租土地，亦得酌情照顧，不予徵收。

第七條　華僑及其家屬在農村中占有大量土地，部分出租，部分自耕和僱人耕種，構成半地主式富農成份者，按土地改革法第六條關於半地主式富農的規定徵收其出租土地。如只占有小量土地，部分自耕或僱人耕種，部分出租者，其出租部分雖超過自耕僱人耕種部分仍應照本辦法第六條的規定處理，不應認為半地主式富農。

第八條　居住國內農村中的華僑家屬、無地少地及缺乏其他生產資料者，一般應分給與農民同樣的一份土地及其他生產資料。如有經常的僑匯收入，且因缺乏勞動力而不能也不願從事農業生產者，可按具體情況少分或不分。

第九條　經證明確華僑革命烈士，其家屬居住農村者，應同樣享受土地改革法對烈士家屬所規定的優惠待遇。

第十條　華僑及其在國內農村中居住的家屬之階級成分，統一按中央人民政府政務院關於劃分農村階級成分的決定劃分之。

第十一條　本辦法經中央人民政府政務院制定，由有關大行政區人民政府（軍政委員會）公布施行。華僑較多地區的省人民政府得根據本辦法擬訂補充實施辦法，經大行政區人民政府批准施行。

【附錄4】
廣東省土地改革中華僑土地處理辦法

1950年11月2日廣東省人民政府第41次行政會議通過

第一條　根據中華人民共和國土地改革法第二十四條「華僑所有的土地和房屋，應本照顧僑胞利益的原則，由大行政區人民政府（軍政委員會）或者人民政府依照本法的一般原則，另定適當辦法處理之。」特製定本辦法。

第二條　本辦法適用於華僑土地和房屋之處理。凡土地改革法及廣東土地改革實施辦法已有規定者，依照規定執行之。土地改革法及廣東省土地改革實施辦法未有明確規定者，依照本辦法規定處理之。

第三條　保護華僑勞動人民（工人、職員、小商販、自由職業者）的小量出租土地，其每人平均土地數量不超過當地每人平均土地數百分之二百者（例如當地每人平均土地為二畝，本戶每人平均土地不超過四畝者）均保留不動。超過此標準者，亦得酌情予以照顧。

第四條　華僑家庭之屬於地主成分，如其土地確係由國外從事勞動或工商業經營所得購置者，其房屋、家具、耕畜、農具、糧食等，均予保留不動。在沒收其土地時，可留給其每人（包括國外內人口）相等於當地農民所得的土地數。在土地較多的地區可留相當於全鄉平均水平的土地。

第五條　華僑家庭之屬於富農成分者，如當地確定徵收富農小量

出租土地時，得視其國內外人口多少，酌情照顧（例如其出租土地不超過其自耕自營土地百分之二十至三十者，可不徵收）。

第六條　本省個別地區曾進行調劑耕地，其有影響華僑家庭生活者，應在土改時予以適當補償。

第七條　無地少地及缺乏其他生產資料，沒有固定僑匯足以維持生活的貧苦華僑家屬有勞動力，並願意從事農業生產者，應分給與農民同樣的一份土地及其他生產資料。但有其他職業定以維持生活之全部或一部分者，可不分或少分。

土地改革期間，因失業或受迫害歸國之華僑，不再出國者，適用本條規定。

第八條　華僑捐款舉辦的公益事業，其中財產，應一律保護不動。其土地徵收分配後，應另籌妥善辦法，彌補其虧損。

第九條　計算保留與分給土地時，國外人口，應與國內家庭人口併入計算。但視其生活來源與當地土地情況，得少分或不分。

第十條　應否取得華僑待遇須依下列規定：

一、凡現在國外謀生二年以上者稱為華僑，其家屬稱為華僑家屬。

二、華僑歸國從事其他職業或有其他剝削收入，為其主要生活來源已滿三年者，應取得其新成分，土改時按新成分待遇。如屬應沒收、徵收土地者，其房屋及其他財產如非由後來封建剝削而來的，仍照華僑身分，予以照顧。未滿三年者，仍按華僑待遇。

三、華僑出國前，其家庭為地主、工商業家或其他剝削階級，現仍保持此等地位者，其家庭仍按原屬階級待遇。

四、戰犯、惡霸、反革命分子逃亡海外者，或華僑在國外參加重要反革命活動及叛國行為有據者，土改時均不得享受華僑待遇，

並按其原來成分及具體情節，依法處理之。其家屬未參加其罪行者，按其階級成分待遇。

第十一條　本辦法之修改權解釋權屬於廣東省人民政府。

本文原收錄於《廣東土地改革法令彙編》，廣州：新華書店，1950年11月，頁16～17

究竟血是濃於水嗎？

◎ 李毓昭譯

新加坡的總理李光耀目前正在中國進行為期兩週的訪問。

李總理首次訪問中國對亞洲情勢有何影響，今後應會逐漸明朗。可是新加坡這個國家是華人占優勢（75％），對於華人出身的總理首次訪中，大家有過度看重「血緣」的傾向。

如眾所皆知的，李先生自新加坡獨立以來，即排除新加坡＝第三中國、新加坡＝華僑國家的論調，對內培養新加坡人意識，對外則強調華人出身的新加坡人雖然是華裔（Chinese origin），但並不是華僑，因此當然也不是中國人，並將中國話稱為「華語」，已歸化的前華僑則稱為「華人」。

另一方面，華人系新加坡人的祖國——新中國推行的是以下面三點為基準的華僑政策：第一，華僑基於自願取得居留國的國籍，希望他們能效忠居留國；第二，華僑取得居留國之國籍時，就不能重複擁有中國國籍，可是與他們在種族和文化上的紐帶仍持續存在；第三，繼續持有中國國籍的華僑必須遵守居留國的法律，不參加居留國的政治活動。但這些華僑的正當權益仍應獲得尊重，不得有差別待遇。

　　中國的華僑政策說起來就是在促進華僑歸化居留國，與在該當國創造華人系住民有關。而不允許已歸化的前華僑擁有雙重國籍，即意味著在法律上禁止華人系住民繼續是華僑或中國人。

　　就以上的觀點來看，華人系住民既非華僑也非中國人的李總理見解，與中國的政策是一致的。

　　儘管如此，有美國務卿杜勒斯的亡靈（骨牌理論）、人種主義者的偏見、新國家主義者的政治意圖等複雜牽扯，操作輿論，新加坡＝第三中國論、華僑國家＝新加坡的怪論、謬論層出不窮。

　　甚至有大報刊出外電報導說：「東南亞出生的中國人李總理」、「對目前散居於東南亞各地，具潛在經濟力的1,600萬旅外中國人來說，新加坡不愧是『活動據點』，此次李總理訪中備受矚目」。

　　李先生和中國領導階層現今已經超越於「血濃於水」的觀點或態度，竟然在意外的地方和意外的人記憶中還繼續存在，真是令人驚訝。

　　　　　　　　本文原刊處未明，係投給「共同通信社」之稿，1976年5月14日

「華僑」爲什麼要建國
——以新加坡為例來思考東南亞問題

◎ 莫海君・彭春陽譯

前言

　　直到1976年3月底，我都在亞洲經濟研究所服務。所主持的計畫案「東南亞華人社會的研究」已經出版了上下二冊的報告書，預計最近就會提出該研究後段的報告。儘管到目前為止，我提出過不少「華僑論」，不過第一次的公開發表是在經濟發展協會。有了這層機緣，我今天又再次來到貴會。

　　我是台灣出身的中國人，雖然住在東京，但無論是語言或是人際關係上，還是與台灣的學者或新聞記者有許多接觸的機會，可以經常與他們一起暢談討論。我來東京已經二十多年了，因此與從印尼來東京大學的留學生、馬來西亞的馬來系留學生，或是泰國的留學生——當然也包括二分之一，或四分之一的混血兒——都多有接觸，藉著不時與這些留學生交換意見，我得以在某程度不失真的，讓我的發言有所憑據，不至淪為空談。

　　我今天所要講的題目——「華僑」為什麼要建國，則是鎖定新加坡。事實上，前幾天我才剛去採訪過新加坡大使黃望青先

生。所談的內容主要是新加坡的建國綱領，以及新加坡人的未來
方向。

　　雖然我已經拜讀過大使的著作，不過為了證實自己的想法，
所以還是花了將近三個半鐘頭與他做了一番討論。也由於這個緣
故，所以今天我會將當時的談話內容放進演講中，希望能使今天
的內容附加些許東西，則是我望外之幸。

從華僑到華人

　　如所周知，自從以越南為首的中南半島三國發生變化之後，
直到今天東南亞都還處於動盪不安的局面。這段期間，ASEAN五
國的領袖，於1976年2月首度在峇里島舉行了高峰會議。由各種
報導去想像，我們知道當時的新加坡總理李光耀先生已大致愉快
地被接受了。雖然東京方面並不是那麼的關心，但實際上，如何
思考新加坡這個國家的存在，經常是一個潛在的問題。

　　有一些人，例如澳洲的中國研究家——費子智（C. P.
Fitzgerald）在他所寫的*The third China*（《第三中國論》）一書
中，就將新加坡視為第三中國。

　　接著，值得一提的是，澳洲駐北京大使費思棻也寫了一本
China and Oversea's China。鹿島平和研究所出版翻譯本〔譯註：
即《中国と華僑》，1974年〕。不過，可惜的是出現了不少誤
譯。而且，日本的東南亞關係的新聞媒體工作者，也往往將費思
棻與費子智誤認為同一人，實在相當不妥。北京大使費思棻出版
這本書之前，也就是在擬稿階段，曾拜訪過我。據我所知，起初

他是以外交官研究生的身分到香港留學，在香灣的友聯研究所進
行各種資料調查後回到大學，並以那本書做為他的博士論文。工
黨取得政權後受到惠特蘭（Whitlam）總理的拔擢而成為北京大
使至今。

　　不過，他所持的論點與費子智的第三中國論有所不同，而是
試圖以「華人」（huajen）來詮釋華僑問題。換句話說，相對於
那些認為華僑從未改變的論點，他反而認為「華僑」已經在某種
活力之中而逐漸轉變，並試著藉此來探討中國政策，這實在是
極為有特色的觀點。（補記：費思棻已於1976年11月底，與查爾
斯・伍德【Charles Woodard】新大使交接返國。預定回到坎培拉
的國立大學任職）而在日本則是多數抱持著「新加坡・華僑國家
論」的看法。

　　讓我來為大家說個小故事。有位在日本擁有相當社會地位的
人士前往新加坡，與李光耀總理進行一場晤談。當時，當他提到
日本相當重視華僑研究時，李光耀總理只是淡然一笑表示：「華
僑在哪裡？連我們自己都弄不清楚的事，你們會清楚嗎？你們日
本人到底想做什麼樣的研究呀？」被這麼一說，這位日本人士感
到相當尷尬。這些是事後那位日本人告訴我的。後來，李光耀總
理又問他，那你知道客家嗎？讓他倍感困惑。這件事究竟意味著
什麼？簡單來說，就是一般的日本人都認為華僑還是和從前一
樣，並未改變。諷刺的是他們將新加坡視為華僑國家，但李光耀
總理卻給了一記當頭棒喝。

李光耀總理訪問中國

　　1976年的5月，恐怕是李光耀總理出生以來第一次踏上中國的土地。他是第三代華僑。在他出發前，湧入了許多外電，大家紛紛揣測新加坡將於8到10月這段期間，與中華人民共和國建立邦交。當時好幾家報社也詢問了我的看法。我告訴他們雖然我手上沒有任何的情資，但就理論上來推論，我認為似乎沒有可能性，並提出了不可能建交的看法。記得我還反問大家，為什麼大家那麼著重於形式上的締結邦交？重要的是，在實質面是否真的考慮到Singaporean・Chinese，或是Singaporean・Chinese・Origin自身存在的根本問題。而政治正是在這樣的條件中生存，為什麼不優先考量新加坡所處的國際環境，而只在外交關係或國家關係上頭打轉。

　　當我拋出這些問題後，大家卻反過頭來問我，既然如此那他去幹嘛！我回答說，原因只有一個，要去見毛主席。如果見不到毛主席的話，那麼李光耀總理肯定是不會去的。大家都知道，他確實見到了毛主席，可是不但沒有發表聯合聲明，就連相關的報導也很少。在我的記憶中，他在公開場合的演說就只有那麼一次，就是在華國鋒總理所設的宴席上。在那次的談話中，李光耀總理暗示自己新加坡人和中國民族是不相同的，不過他同時也強調，儘管因民族利益、意識形態之故而看法不同，但這些不會成為彼此在文化、貿易，或是其他關係改善上的障礙。從這段談話延伸，我們可以知道，兩國在政治以及其他利害關係上是截然不同的，不過在血緣、文化的歷史背景之下，儘管新加坡的華人系

住民和中國人擁有共有的部分，但就國家或是一個新民族的概念來說，新加坡華人確實是不同於中國人。

　　多位日本記者詢問我的意見時，我的回答是，若不是因為事前就知道能會見毛主席的話，李光耀總理是不可能會去的。我認為，他一定是想以政治家的身分，無論如何都要和毛主席見一面。可是，中國方面又是為了什麼要與他見面呢？這之間一定有某種程度的利益交換（give and take）關係成立。基於這個理由，我想中國方面一定有就蘇聯對亞洲的企圖、中國與東南亞今後的關係展望等議題，與李光耀總理交換意見。結果的確如我所想像，不過實際上他們到底談了些什麼，我不得而知。但是肯定有談到這些議題。

　　我之所以會在這裡提出這些問題，蓋因新加坡目前所處的狀況，或許正如日本的各位企業家及銀行家所看到的，在政情動盪不安的東南亞裡頭，它可說是東南亞第一名的優等生，大家都說它是廉能政府，相當省錢的政府，不但擁有高效率的官僚組織，而且還具有亞洲美元（Asian Dollar）等各種資本主義功能運作機制的珍奇存在，因此相當受到矚目。然而，環繞在這名優等生周圍的環境卻絕對一點都不單純。

華僑‧隱形的中國

　　有一本很好的書為這樣的狀況做了詳細的解析，給了我不少啟發，最近譯本已經問世了。那就是蘇格蘭裔的英國記者賈斯‧亞歷山大（Garth Alexander）撰寫的《華僑‧隱形的中國》

〔《華僑・見えざる中国》〕（サイマル出版會）一書。我認為
這本書是日本出版的所有論述八一五之後的「華僑」問題最好的
一本。

　　作者的足跡遍及各地，所採訪的對象從左翼分子到政府要
人，範圍可說相當廣泛，該書寫的就是他的訪談內容。他不受受
訪者的影響，而是以冷靜客觀的態度正視問題核心，並以世界性
的寬廣視野來捕捉問題，讓我從中學到不少，獲益良多。作者明
確指出因為混合了人種問題與意識形態問題，使得問題變得複
雜化的現況，以及指出日本人或是我們亞洲人所難以啟齒的事
情──也就是原住民在華人、華僑的面前會感到自卑的事實，這
些都直指問題的核心。他明白指出，追根究柢都是因為原住民害
怕自己會競爭不過他們，而心生恐懼在作祟。不過，對於他並未
針對由來已久的歷史背景及造成這種心理因素的遠因做更進一步
的探討，我倒是有些小小的不滿足。此外，作者亞歷山大也提出
警告，他認為要是處理不當的話，東南亞極有可能爆發由「華
僑」問題所引發的人權戰爭。我認為這個忠告確實非常珍貴。

　　日本人（我認為中國人也一樣）對人種或是民族問題似乎比
較遲鈍。因此，他們在看待新加坡糾葛不清的人種問題或是意識
形態的問題時，總不覺得其中有什麼問題。所以在一般人印象當
中，新加坡就是一個安定的國家，而且對它的發展抱持樂觀的態
度。當然，這也是大家所樂見的。不過我認為我們必須先認清一
件事，做為一個在東南亞被異民族、異教徒所包圍的都市國家
（但並不像以色列那般只具有宗教方面的意義），而且還得無奈
地背負被誤解為「華僑」國家、「第三中國」的歷史背景與形成

過程，我們首先要正視新加坡絕對是一個極特殊且不可或缺的存在。就人種主義、民族主義的負面來說，人類目前繼續就像是被囚禁在裡面的犯人，因此在此前提之下，我們必須要有所有體認。事實上在新加坡，或是像馬來西亞等擁有眾多「華僑」、華人系住民的東南亞諸國，有著因人種戰爭發生喋血的可能性，我們最好要做為一個問題思考。

因此，在ASEAN五國高峰會議上，當李光耀總理在理論面或政策面都充分展現其獨到見解，透過外電報導，著實大大有安定人心的效果。從另一個角度來看，李光耀總理之所以會先發制人，或許在某種程度上也可解釋成是因為受到其他諸國領導者的認可。不過，他向來堅持的反共立場，以及新加坡順遂的經濟發展畢竟才是被認可的最主要關鍵。也可說是極度扭曲的認知。

亞歷山大所提過的yellow peril（黃禍論），在李光耀總理訪問中國時，已經悄悄和中國的red power（紅色威脅）重疊在一起，讓問題變得複雜化，因此當他深刻體認到東南亞普遍充斥著既簡單又武斷的思考模式時，為了打破現狀而有所行動其實並不教人意外。大家都知道，為了保有自己的政權，以及達成他所期望的新加坡國家目標的現實要求，也難怪他會如此積極地行動與主張了。自新加坡建國以來，這是他們的總理第一次訪問中國，堪稱東南亞近來的一件大事，實在有必要好好記錄下來。

泰國、印尼‧搖擺不定的華人觀

最近泰國發生政變，在一連串的動作中，又傳出關閉華語學

校，以及對餘留中國人開始產生懷疑，甚至想將他們驅逐出境的
外電報導，這給了我們一些啟示。這正是亞歷山大所指出的，人
種問題與意識形態問題的混淆，而那些人可說又開始在利用這點
大做文章了。

　　所謂「餘留中國人」，恐怕是指那些在新中國成立之後回到
中國，或1940年代後期到1950年代初期，因為在泰國受到加諸在
「華僑」身上嚴重的壓迫而被迫離開的人，之後藉著泰國與中國
恢復建交的契機，以訪問親人的名義再回到泰國的那些人。然
而，不幸的是竟然發生了政變。我想就是在指這些人。因為根據
外電報導，他們不但被視為間諜，而且認為應該驅逐出境。除此
之外，外電沒有再進一步說明。在這裡，又再度印證了亞歷山大
所說的──也是我從很久以前就一直秉持的主張，問題走到最後
終究還是要有代罪羔羊，再度將「華僑」、華人送上祭壇，以圖
維持政局的安定。至少現在已經出現了這樣的徵兆。我有強烈的
預感，又要闖入惡性循環之迷路中，令人憂心。

　　至於最近的印尼，據 *News Week* 的報導有關，蘇哈托總統夫
人的報導是個很大的問題。瀆職或腐敗的問題，是非社會主義體
制下的第三世界共通的煩惱，雖然這不是印尼特有的問題，但值
得注意的是，知名的右派領袖納蘇蒂安將軍接受《每日新聞》派
駐雅加達的特派員木戶的訪問時，所提到的那段話（1976年10月
22日《每日新聞》的報導〈渾沌的印尼政情〉〔〈混迷のインド
ネシア政情〉〕）。在這則新聞中，可以很清楚地知道，不論是
眼前的事態或是將軍對問題的認知，都與從前一模一樣，沒有任
何改變。將軍這麼說：「現在的經濟開發，是由中國人等的外國

事業家與部分知名軍人的結合所主導，其實這違反了有明文規定的民族主義的45年憲法。」他最後還強調說：「從中國革命開始，到奠邊府、西貢、金邊的淪陷，以及戰後30年來的赤化骨牌理論，都在現實生活中實際發生了，而且正威脅著東南亞非共產主義的其他國家。泰國的軍事政變，由於手法過於殘暴而失去了國民的信任，或許也造就了共產勢力的坐大。中南半島諸國儘管表面上看來相當震怒，但其實或許對這次的政變暗暗竊喜。至於馬來西亞，也因當地的中國人中有許多共產主義的支持者而無法樂觀看待。共產主義之所以會擴大，其原因不在於一般所謂的貧富差距，而是因為社會性的不公正所導致。合理的貧富差距，相信每個人都能接受，但沒有理由的不公正，就令人無法忍受了。」

在這段談話當中，從將軍的立場提出了不少妥當的看法，但我個人認為可以將這些解釋成「新骨牌理論」吧。

而另一個擊中要害的，就是由於泰國這次的政變過於殘暴，反倒幫了共產主義者一個大忙的那段話，這讓我大感興趣。根據外電報導，除了那些原來就是屬於左派的人士之外，現在連政治立場傾向社會民主主義或是穩健改革主義的中間偏左人士、青年、學生們，都因為受到極大的鎮壓而不得不逃往叢林，這便是泰國目前的現狀。

李光耀總理訪問中國之後，馬來西亞《海峽時報》〔*The Straits Times*〕的總編輯——在我的記憶中他是個馬來人，以及MCA（簡稱馬華公會）的事務局長陳氏——我曾與他見過面——聽說最近都被逮捕了。陳氏不久前曾受通產省之邀來到日本，記

得在亞洲經濟研究所，我還和他有過討論。還有，聽說也是馬來人的副大臣也被逮捕了。雖然他們都是以共產主義支持者的理由受到逮捕，不過根據聽來的消息，這當中的內情頗為複雜，隱隱透露出派閥鬥爭的味道。

總之，在此之前只要一提到左派，總讓人聯想到中國人，但這次值得注意的是開始有了變化。當然，這也可能是受到中南半島三國新情勢的波及所致。不過，至少左派等同於中國人、中國人等同於中共第五縱隊的刻板印象已被打破，不再適用了。

所謂華僑即中共第五縱隊的說法，大家都知道是以華僑不變論為前提，同時這也是前美國國務卿杜勒斯提出的骨牌理論的一環，自1950年代後期以來被大肆宣揚。然而，在歷經中南半島的改變面貌、美中關係改善，乃至於ASEAN當中的三國與中國建交後，如此輕率的說法已不再適用，而且也欠缺說服力。

中國的華僑政策

包括凍結邦交的印尼在內，中國與ASEAN諸國相互簽訂了否認雙重國籍的外交誓約。同時，中國亦主張，原華僑們若取得了居留國公民權或國籍，便是該居留國的公民，不再具有華僑的身分。而成為居留國公民的人們，無論從事什麼樣的政治運動，皆與中國無關，就法律層面而言，中國的這項主張是十分適切的。不過，無法取得國籍或無意取得的人，則仍然是華僑的身分，並保有中國的國籍。中國當局同時也力勸並要求這些華僑不要在居留國從事政治活動。文化大革命時，隸屬於中央政府的華僑事務

委員會——以日文來說，便是相當於設有大臣的省——降格為外交部（外務省）底下的一個單位。這表示舉凡與華僑有關的事務，都被歸為外交事務的一部分。我認為這是正確的思考方向。不過，東南亞各國儘管在聯合公報上有誓約，但仍如同前述的納蘇蒂安將軍一樣，無論歸化與否，都還是將「華僑」視為是中國人，並且主張新骨牌理論。雖然，那只是一個例子，但問題並沒那麼單純運作著。實在是相當不幸。至於印尼，不只是簽署聯合公報誓約而已，甚至有政府間簽訂協定，允諾禁止雙重國籍。

東南亞各國的建國問題 ── 原住民與華人系

像這樣一連串的事件，以及東南亞動盪不安的政情，今後可能會以各種形式出現吧！但其本質上的問題，還是在於如何脫離貧困，以及如何療癒並克服過去接受將近三百年的帝國主義‧殖民地主義統治所蒙受的身心兩方面的創傷，還有就是如果有能夠繼承的「遺產」的話，如何積極利用這些東西，來做為手段建設新國家而已。而現在，正處於這段具體過程當中。這當中當然有著種種矛盾，而且也有嚴峻的問題。其中，華人、華僑問題不但在歷史上是帝國主義統治下的一環，也是殖民地舊制的一部分，有著極為特殊的地位。正如同大家常說的，在經濟面與原住各民族相較，他們確實享有比較高的國民所得，而且常被認為執流通過程之牛耳。至少原住民的認知是如此。從這裡引發出許多人種及民族的情結，包含各種心理因素糾葛的許多矛盾，並可能引爆出更大的問題。站在華僑形成史的角度來看，簡單說來，那就是

一部悲慘的迫害史。但是現在，東南亞政局不安之中來看，原住民根本無暇去理會那段華僑的辛酸史。原住民目前所處的狀況如果比華僑、華人更為悲慘時，也難怪華僑、華人會被視為「蠻橫」的外來人騎在他們頭上。我記得納蘇蒂安將軍在新幾內亞從荷蘭人手中奪回之後曾經說過，走了荷蘭人，華僑卻取而代之。雖然我不清楚當時納蘇蒂安將軍說這段話的背景，但是他向來想要克服殖民地遺制，一心渴望建立民族國家和形成民族經濟的立場，因此他的看法是相應正確的。不過，真正的問題應該是在建國的過程當中，如何將殖民地時代所遺留下來的「華僑」擺放在適當的位置，以及應該如何接納已經歸化了的華人系公民。遺憾的是，不只是納蘇蒂安將軍，其他大部分的東南亞原住民領導者，並未認知到問題的本質，也未曾建構理論來擬定政策和法案。

數百萬的「華僑」當中，有半數以上都是在僑居地出生，既然無法將他們全數歸零，那麼就應該設法去接納這些人才對。不單如此，我認為領導者也應該以更寬廣的民族主義來擬定政策才行。大部分的領導者，至今還過度執著於「血」，這裡指的是抽象概念的血緣。我衷心希望喋血的悲劇千萬別再度發生。

不僅如此，在看待新加坡時，也如同前述亞歷山大所言，有些人心中總存在著無論再如何努力都無法超越華僑、華人的想法，亦即強烈的自卑心態盤踞深層心理，因此往往容易戴上有色的眼鏡來看待新加坡的「成功」。我所熟識的原住民的年輕朋友當中，確實不少人有這樣的想法。他們總說，中國人很優秀，頭腦很好。我雖然再三強調並非如此，民族的優劣非天生註定，但

還是無法消弭他們根深柢固的觀念。或許自從受到白人統治之後，人種優劣論就已經以各種型態滲透到人們之中，然後沉澱造就出這樣的思維。換句話說，他們並未從人種主義中獲得自由。大家都知道新加坡是由極為嚴格的「人民行動黨」（PAP）一黨獨裁，並藉由推展社會民主主義的社會經濟政策獲得成效。他們的成果，當然受到華僑、華人上層階級的歡迎，得到絕對的支持。如此一來，不但導致亞洲貨幣的聚集，而且周邊地區華人、華僑的資本、資金也都匯集過來。這樣的結果，更加使得其他國家的政策決定者或是領導者產生了不安的情緒。

　　還有，根據外電報導，自從中南半島三國發生變革之後，華僑、華人上層階級也和納蘇蒂安將軍相同，害怕骨牌理論的新發展，紛紛著手進行資本、資金的避險規劃。我們都知道其中有一部分的錢就這樣流向了新加坡。另一方面，也有如納蘇蒂安將軍所說的，「華僑」上層人士與當地國權力結合在一起。其實原本應該被視為政・軍與財界・產業界結合的現象，卻被納蘇蒂安將軍解讀為與中國實業家的結合。

　　接著，來看看反體制或青年、學生的動向。正如大家所看到的泰國，年輕人不但連穩健的改革運動都不被允許，甚至還受到彈壓，最後只好被迫進入叢林，這樣的情形勢必將成為今後的主要動向。華僑等於中共第五縱隊，會將赤色思想滲透到居住國的神話的圖式，非常明顯地，今後將會隨著現實發展而逐漸崩潰。而納蘇蒂安將軍所提到「馬來西亞的中國人也有許多共產主義支持者」的見解，不久也即將成為神話。

　　我一再申明，將「華僑」視為中國人是不正確的。只要冷靜

地思考，就會發現並不是身為中國人便會走向共產主義，社會有
太多的不公平且處於貧窮，才是左傾化的主要原因。

關於馬來西亞

我們幾乎可以說，馬來共產黨係以華人為中心的政黨。從另
一個角度來看，這也反映出在馬來西亞的「華僑」社會，有許多
的勞工或農民。並不是「華僑」就一定非得是共產主義者不可，
這是顯而易見的道理，若有人無法明白這層道理，甚至還大肆渲
染，企圖以此達到自我的政治目的，就是一種敷衍。

自1969年發生五一三事件之後，馬來西亞便強行實施馬來人
優先政策。然而，他們卻不先由改變社會經濟結構著手，只是一
味迎合馬來人的庶民情感，不花成本的法令只要用一張紙片，推
動廉價的馬來人優先政策，好像其餘就可以什麼事都不用做了。
實際上的現狀卻是，這種作法不但無法讓人民脫離貧窮，就連應
該是議會民主主義安定勢力的中產階級的華人系公民，也與政府
漸行漸遠，因而使得經濟發展無法見到實效。施行馬來人優先政
策，結果卻造成一部分上層的華人資本、華僑資本與官僚結合，
導致腐敗。但是，這種官商勾結的結構，除了無法提升為產業資
本之外，更有可能誘發買辦資本的形成。甚至還可能引發本身政
權內部的腐蝕作用，不，應該說是已經引發了腐蝕作用，不知該
如何善後。結果導致下層社會結構的解體，以及人民的不滿不斷
地累積。如此一來，一方面導致馬來人逐漸右傾，另一方面，
1976年初發生在北馬來西亞，由於對橡膠價格不滿而由馬來人學

生所發起的示威活動，則被視為是馬來人青年學生左傾的起點。

　　至於新加坡，他們早認為自己的身分已由華僑轉變成了華人，認定自己就是Singaporean，也就是已經形成了國民意識，嘗試建立自己的國家。而馬來西亞方面，據說該國與中國恢復邦交時，只有20萬人沒有或無法取得馬來西亞國籍，其他的人則幾乎都已經歸化馬來西亞籍了。一般說來，如欲參與政治活動，必須先取得國籍。然而現實的狀況卻是，在五一三事件發生之後，政府變得更加大力推行馬來人優先政策，使得非常事態一再上演。例如，即使大學畢業也無法成為公務員，而且獎學金的部分也有差別待遇。不但如此，在大學入學考試時，一樣也會受到不公平的對待。如此一來，便形成極上層的華人，拚命將子女送往牛津或劍橋等名校就讀，藉著從前與英國之間的舊宗主國關係，設法取得國籍，或是移民到加拿大、美國等地。然而，這種金字塔頂端的華人，所占比率並非很高。因此，剩下的人所能選擇的道路便顯而易見了。那就是，必須忍受人種歧視待遇，換句話說，即便取得了國籍，也無法享有公民權。這些人回不了中國。如果他們也不想回台灣的話就只好逃到叢林裡，否則便無路可走。

　　因此，我個人認為，在泰國和馬來西亞的狀況，上述矛盾勢必日益擴大，導致局勢的改變，且似乎已逐漸出現了。也正因為有這些情況，所以有一連串的更嚴峻的鎮壓。但高壓政策並不能解決事情，反而容易造成分裂，甚至可能引發政變，而步向越南後塵，這並非誇大之詞。

思考「華僑」問題的本質

　　在這一連串政局的變動當中，我們究竟該如何來重新面對「華僑」問題呢？這裡所謂的華僑，指的是加上了引號的「華僑」。對日本人來說尤其難以理解吧。華僑已不再是以前的華僑。不過，還是有很多的日本人非常執著於華僑一詞，所以我才會想出使用加上引號的方式。為什麼要加上引號呢？綜觀整個華僑歷史，我認為最開始應該可以用華裔來稱呼。別說是從前的中國人，就連現在的中國人，尤其是台灣，特別重視血緣的關係。當然，日本也不例外。例如，上次Hayakawa（早川）當選加州的參議員時，就受到日本媒體的大幅報導。即便Hayakawa已經是百分之百的美國人。另外，當田中角榮前首相訪問巴西時，也曾經拍著胸脯對著日裔巴西人演講說，本家的我們都這麼努力了，身為分家的你們也要好好加油才行。這令我突然想到，若是華國鋒或是周恩來，當他們在曼谷或吉隆坡，面對華人系公民時，要是也像田中角榮那樣說出「本家的我們都這麼努力了，身為分家的你們也要好好加油才行」的話，真不知會出現什麼樣的結果。

　　同樣的情況也在蒙特利的魁北克發生過。魁北克有八成的居民是法裔，若我沒記錯的話，應該是在1960年代初期，當戴高樂（Charles de Gaulle）總統前往訪問時，就曾經公然暢談大法國的光榮歷史。此外，非洲也正在進行一場如何將政權和平轉移給羅得西亞黑人的會議。

　　只要將這些問題串連起來，用宏觀的角度來看的話，便可發現以上的狀況本質上與「華僑」問題非常相似。舉個最近的

例子，1972年烏干達總統阿敏（Idi Amin）曾將英國屬地的亞洲人，也就是英國籍的亞洲人驅逐出境。歐洲列強在16世紀以後，為了在世界上拓展自己的殖民地，開始展開黑奴貿易，但在1820至1860年之間，與教會相關的歐洲人因受到良心的譴責，基於道德理由，開始推動廢止運動，英國籍亞洲人便是從這時開始的。當然，這或許與非洲各強權展開新殖民地統治也有密切的關係。

　　還有，他們也已經認清殖民地的統治，若是持續採取施加鎖鍊壓榨勞力，或是以使用皮鞭強迫勞動，其實是沒有效率的，因此才會有以上的反省動作。奴隸買賣在列強之間逐漸被廢止。取而代之的是英國所從事的印度苦力的買賣。我們都以為苦力（coolie, cooly）是從中文變成英文的，但其語源事實上是印度語、泰米爾語的kuli。在南非地區，印度人就被稱為culi。這個字就是英文的coolie。印度人苦力，用中國話來說就是印僑，這些人大致上都是在英屬非洲、斯里蘭卡或緬甸等地，形成類似東南亞華僑的模式。這也是一項歷史的事實。與大英帝國將印度完全殖民地化絕對脫不了關係。因此，他們的國籍法才會將印僑也納入其中。給予英國屬民的身分。這些人正是所謂的英國籍亞洲人。

　　至於中國人，又是如何呢？中國只有半殖民地化的程度。由於半殖民地化的緣故，所以不論是英屬、法屬，還是美屬等地區，只要有需求就會有人願意前往。有些中國的「愛國」學者，甚至還以此現象為傲。他們認為全世界都有中國人的足跡。殊不知，這一點也不值得驕傲，正因為是半殖民地的緣故，那些人才不得不成為悲慘苦力前往世界各地。

　　在對殖民地進行統治、開發，尤其是要大量開墾甘蔗農場及淘金潮時，光靠黑人、印度人，甚至是原住民的話，是緩不濟急。因此在1842年所締結的《南京條約》，撼動了清朝，讓海禁政策（鎖國政策）形同虛設，最後形成了苦力買賣，用中國話來說就是豬仔買賣，直到1970年代，都有大量的中國勞工被帶往列強的各個殖民地。像在祕魯有許多的中國苦力喪生、美國唐人街的形成、中國苦力對美國橫貫鐵路的貢獻等等，其實這些都是苦力買賣的結果，卻鮮為人知。

　　由此可知，我們絕不能小看華僑問題。至少，必須從世界史形成的角度，或是用全球的視野來看待此一問題。遺憾的是，至今大部分的學者仍將向來被拿來利用的華僑經濟，視為東南亞各國的民族國家形成過程的阻礙，不但如此，還以負面的角度來看待。進入核子戰爭的時代後，人們終於懂得用人類生命共同體或全球性的規模來思考事物。透過全球性的視野來從新檢視「華僑」問題，我認為不僅能讓「華僑」得到「救贖」，也能讓東南亞本身得到救贖。亞洲各領導者若能夠認真面對問題的本質，就會明白將「華僑」當作代罪羔羊送上祭壇，其實是無法解決問題的。東南亞的原住民，就如同其他地區的原住民一般，有著強烈的原住民意識。想要確保既得利益，也是人之常情。但是，在主張原住民意識的背後，卻有華僑、華人子弟的主張──或許我們稱不上是原住民，但我們都是在當地出生的，我們的祖先，以苦力的身分被帶來這裡，流血流汗才有今天的東南亞。

　　針對這樣的說法，當地的原住民卻反駁說，華僑、華人之所以會有那麼高的所得，都是因為他們取代了舊殖民地主義者，壓

榨我們而來的。

只要冷靜觀察，就能發現民族就業結構的特殊化，是造成國民所得之民族性差異的近因；而遠因則是對殖民地施行分割統治的結果。但遺憾的是，直到現在這兩種相對立的意識還未建立溝通的平台。這樣的對立反而被拿來利用，做為延續政權的手段，這正是採取由上而下近代化路線，許多國家領導者的共同樣貌。

當然，這並不代表華僑、華人的後裔就沒有種族歧視。當他們在參與政治時，往往遭到冷落，導致精神面的扭曲。但是他們又不能訴諸暴力。一旦選擇訴諸暴力，就只能進入叢林。《日本日記》〔*Japan Diary*〕的作者馬克・蓋恩曾經在1969年6月25、26日投稿至《每日新聞》，他認為1969年5月13日的吉隆坡人種暴動是人類共同的悲劇之一。我深深感到日本人還是不能以世界宏觀的角度來看待少數民族的現況。實在非常遺憾。

美國的日裔 —— 做為思考「華僑」問題的參考

不過，現在倒是有個動向能夠讓日本人了解到上述那個讓人難以理解的問題。那就是在美國的日裔第三代的新動向。在東京，我曾經和好幾位的日裔第三代聊過天。話說日裔第一代幾乎是和中國苦力同時前往美國的。只不過日本因為明治維新的成功，使得國力得以伸張，因此他們能夠受到國家政策某種程度的保護。即使如此，他們仍然受到歧視，無法取得美國國籍。最慘的狀況是，當珍珠港遭到偷襲後，他們一度被集體送往強制收容所。為了證明自己的立場，井上參議員等人甚至對星條旗宣示忠

誠，並且在「姑且一試，聽天由命」的口號下，前往義大利戰場或法國戰場參戰。想必這些第二代部隊連思考美國的意義為何的時間都沒有，就匆匆上戰場了。做為保護自我生活和存在的唯一選擇，他們也只好去做了。但是，第三代開始有了變化。第二代竭盡忠誠，一直試圖同化。而這裡所謂的同化價值，指的就是WASP體制──白人盎格魯撒克遜新教徒的優越體制。然而，他們卻打不進那樣的體制之中。第三代稱第二代為「香蕉」。外黃內白。而第三代則是雞蛋。外表已沒有那麼黃，裡面也是白的，但正中央的蛋黃則永遠都是黃色的，這正是他們的核心。第三代所主張的是多元主義。這說的是，其實最原始的美國人，也就是土生土長的美國人，應該就只有印地安人。雖然他們的自我主張最近也開始慢慢抬頭，但始終無法成為氣候。

　　印地安人除外的美國人，是由不同的人種及民族背景所組成，他們到達美國的時間雖然有先後之分，共同的經驗卻都是從不同的國家移民到美洲大陸。因此，若非要說誰才有權利的話，那就是任何人都有權利。所以美國日裔第三代們，他們認為自己在文化層面上是屬於日本民族。他們是日本人。因此必須重新檢視日本文化。但是在政治認同上，他們則是不折不扣的美國人。當然，這裡所謂的美國，指的是新一代的美國，也就是在歷經1960年代的黑人運動及越南反戰運動之後，不希望美國再繼續擔任世界警察的職務。在這一連串的改變當中，日裔第三代的動向自然也產生若干影響。但日裔畢竟是少數派，力量薄弱。因此才會高舉黃種人的旗幟，試著與華裔、菲律賓裔採取一致的步調。試圖創造黃色力量。

　　日裔第三代的運動和主張，有兩點值得做為理解「華僑」問題的參考。其一是指出了同化的局限，另一個則是站在現代史的觀點，來思考原住民意識及原住民自我權利主張所具備的含意。

　　談到後者，伴隨而來的一定是「權利屬於誰？」的問題。若說權利只屬於原住民的話，那麼除了原始美國人之外，包括白、黑、黃的所有美國人都得從美國大陸上消失才對，不僅如此，北海道的和人也好，以及我們這些台灣的漢族系台灣人也好，不全都得從居住地上消失？而且就算參與政治遭到拒絕，也不能發出不平之鳴。

　　接著來談談同化的問題，承認某些特定集團存在同化價值的優越性，不但不該是邁向21世紀的人類的共同展望，而且可以預期在不久的將來，這樣的情況一定會被徹底顛覆。山本七平和加藤秀俊，將一律平等看待各個人種及各個民族文化背景的現象稱為美式馬賽克文化，這樣的「模樣」出現在東南亞應該也可以。然而對政治的歸屬感及認同，採取該居住國最大公約數即可。換句話說，我覺得可以採用雙重認同。例如日裔第三代的立場，應該是要超越日裔第二代的盲目忠誠，去思索美國未來該走的路，也就是塑造出值得自己效忠的美國，並且實際做出貢獻，我覺得這樣才是對的。這與新加坡的建國綱領幾乎重疊。當然，與日裔第三代運動之間是沒有任何關係的，卻是大時代的需求使然。建國綱領對於種族（人種、民族）、文化、宗教等多元共存所採取的積極包容，其實就與日裔第三代所主張的多元主義有異曲同工之妙。過去我們想要以全人類的視野來探討未來，其實並非易事，大部分的人也都不具備有那樣的觀點，不過我覺得現在能夠

寄語21世紀的時機終於來臨。看看非洲，白人最後不也同意將統治權和平移轉給屬於多數的黑人，因而季辛吉才積極出面參與調停的工作。

　　我認為，華僑、華人的問題不但是如何克服殖民地遺制的問題，同時也是在東南亞新興國家當中先住者和後住者的國民統一的問題。以這個觀點來看，我希望新加坡能夠做為一個新的典範。或許有人會反駁我，認為一個人口區區只有200萬人的都市國家怎麼可能成為模範國度。

結語・日本對新加坡的評價（回答問題）

　　從日本企業的立場來看，新加坡位居東南亞樞紐，其重要性日益增加。許多的日本商社都將其中一個本部設在該地。然而現實狀況卻是，與其說是人種問題，倒不如說新加坡政府的施政方向，一直都是由一部分的菁英所主導，反而忽略了一般國民的生活和感情。因此，許多日本的企業人士十分憂心這樣的政府體制無法持久。關於這一點，我有以下看法。

　　的確，李光耀總理是劍橋出身的傑出人士。他確實具有強烈的菁英意識。但是相對於此，他又同時具有愚民論這種傳統的中國思想。因此他積極貫徹由上至下的統治方式。新加坡到現在仍存在著鞭刑。不過，另一方面他並沒有忽略民眾的感情。他想要改變自古以來就有的同鄉會「幫」的組織。嘗試著要將「幫」意識提升為近代化新加坡人意識，也就是國民意識。都市重建政策與住宅政策就是其中的方法之一。另外，政府還規定企業的股

票，至少要有10％以上由政府持有，藉此來限制私有權，以實現非共產主義的社會主義做為口號。要之，新加坡的領導群認為，除了對抗馬來亞共產黨之外，還必須跟多國企業協調來推展政策，才能為新加坡打開一條生路。

不過，由於PAP的一黨獨裁，導致反政府的年輕族群、以及深受馬來亞共產黨影響的勢力產生。長遠看來，新加坡仍然會繼續存在經濟問題，以及做為都市國家的城市問題，而年輕族群知識很高，政府要想組織他們的欲望並不容易。不過，目前他們在僱用層面已經接近完全僱用的狀態，所以現狀應該還可以繼續維持下去才對。與東南亞周邊國家相比，新加坡其實是處在相對滿足的現狀，這是一個容易被大家所忽略，而又是重要的條件。但也有人認為，光是從沒有排華運動這一點看來，新加坡就已經好過其他國家太多了。

做為一個國家，新加坡應該能夠成為重要的模範。至於政權的型態如何，則因每個人的政治立場而有不同的看法。

（本稿根據1976年11月18日舉辦的研討會，戴國煇演講內容整理而成。已由戴先生校閱過，最終文責則由本協會負責。）

本文原刊於《海外投資事情》第67號，東京：社団法人経済発展協会・国際資本移動調查会，1977年1月31日，頁2～24

「華僑」的起源與現狀

◎ **莫海君・彭春陽譯**

　　站在歷史的角度，我們究竟該如何看待「華僑」呢？請就其起源與現狀的部分，做一說明。

　　華僑的華，是中華的華，也是華夏的華，而僑則是僑民的僑。中華與華夏，都是自古以來中國人（以漢族為主流）對自己國家的略稱，即便現在亦然。僑居，意思是暫時性的居留或是寄居，因此僑民指的就是那些暫住者，以及出外掙錢的人。不過華僑一詞裡頭出外掙錢的含意，則僅局限於中國領土以外的區域。

　　原本華僑是指那些暫時、短期滯留國外掙錢的人們。

　　不過，有的是在國外一待就待了好幾代，也有的是取得了居留國的國籍，華僑的情況因此有了很顯著的改變。接著中國迅速走向社會主義，他們一方面獎勵華僑居住國化（＝現地化），同時又禁止華僑持有雙重國籍。而居住在東南亞的華僑，又因為東南亞諸國紛紛展開獨立運動以及提倡民族主義，因此在不得已之下只好歸化為該國國民。這些都是導致變化的重要原因。到了現在，隨著歐美與日本等先進諸國對外國人的居留問題開始採取較

為寬鬆的政策，於是僑民們漸漸的從暫居變成定居，取得居留國國籍＝取得公民權的人也就愈來愈多了。

　　嚴格說來，華僑應該只是指那些仍保有中國國籍，因為私人目的（非背負執行中國公務的目的）去到海外，而且是長期（不包括暫時性的旅行、停留，例如公司的駐外人員或留學生、研修生）住在外國的中國人。至於已經歸化居住國國籍者則被稱作華人，以和華僑有所區隔，不過，不管是哪一種分法都不算很完善，因此我認為，只要是住在海外且擁有中國血統的人，都應該被廣為納入「華僑」的範疇之中。

　　然而，在東南亞諸國被視為是「形成社會問題的少數民族」、「流通經濟的霸者」甚至「國民統一的異己分子」的華僑，其實絕大部分的人，都是西歐列強將自創的「近代」擴張至全世界時，被留在當地的中國苦力（勞工）的後裔。再者就是在中國受到西方衝擊而解體的過程中，被排擠到海外的流亡農民的後代。因此華僑問題並不是被孤立的個案。被前烏干達總統阿敏驅逐出境的英國籍亞洲人（印度亞大陸＊出身的苦力或是其後裔）就是最好的例子。因此，在探討「華僑」問題時，一定要先正視其歷史的背景與脈絡才行。針對這些問題，先進國家的解決之道通常是，先克服人種主義與民族差別的難題，並藉著與異文化接觸，追求創造出新文化的可能性，有了這幾個前提之後，有待容認與促進轉型成多民族社會國家。

＊ 指印度、巴基斯坦、孟加拉、錫蘭等喜馬拉雅山脈以南的陸地，以及其周邊淺海底的地理學之總稱。

　　而開發中國家則做為建設國家的一環，在改革殖民地遺制的內部結構的關聯中將之定位，從本質上支撐華僑問題的該國前近代與殖民地時代的政治、社會、經濟結構的改造去著手。

　　總之，若最終仍無法確立以及保障國際與國內的民族平等，那麼問題就不算真正獲得解決。

　　　　本文原刊於《歷史と地理》第287號，東京：山川出版社，1979年6月，頁48

由華僑所描繪的華僑社會

◎ 馮雅晴譯

　　華僑的活動區域遍及世界各地，生活的樣貌也相當多元，但在團結共同熬過苦難，頑強地適應生活這點上卻是共通的。然而，身處「他國」的華僑，有著無法訴說的煩惱與不安。1955年，戴國煇先生（立教大學教授）從台灣來到日本，此後並擔任東京的客家大會幹事。以下便是由戴先生所闡述的「從內側所看見的華僑」世界。

　　日本崇正總會（由居住於日本的「客家」籍「華僑」所組成的寬鬆聯合組織）於1980年10月3、4、7日，分別在東京都與寶塚市，舉行為期三天的第五屆世界客家懇親會。

　　擔任日本崇正總會理事之一的我，也兼任了大會執行委員會涉外暨紀念事業組長，參與了大會的準備工作與會議。此外，我更堅持以另一個「立場」來觀察這個大會。

　　也就是利用我做為華僑，以及客家史研究者的雙重身分，來探討「華僑」問題。

　　也許周遭的人會質疑「你真的能夠冷靜地扮演好當事人以及觀察者的角色嗎」。針對這樣的問題，我的回答會是「我有決心

要客觀地區分兩者，為此不得不冷靜分析，我也正朝這個目標努力」。

我從華僑史的研究開始算起，「華僑」問題的研究已經邁入十年。藉由這十年的研究經驗，我將「華僑」社會所經歷的各種苦難，整理如下。

世界各地的華僑社會，可以說是在鴉片戰爭（1840～1842年）前後，才以比較明確的姿態浮上世界史的舞台。如果由華僑形成史的悲劇面來看，華僑一直處在居住國以及祖國的政治侵蝕擺弄的境遇下。華僑所經歷的苦境，可由彼此奉行的生活信念，「莫談國事」（不觸碰國家大事），「莫談政治」（不對政治發表意見）瞥見端倪。

1975年4月，中南半島「變色」，逃出的「華僑」難民們的悲慘際遇，喚起人們的淚水與同情。但是有部分的人以「這顯現了共產主義的殘酷」為說詞，藉此大肆宣傳，打壓共產黨。我並不是要為共產主義辯駁，但是迫害華僑，以及難民的形成，同時也出現在印尼、泰國、馬來西亞、菲律賓等非共產主義政權的國家。就連美國也發生過。

擁戴皇帝的清末以降，中國的政治經濟腐敗，亂相叢生，「華僑」社會的形成，本身就是這個背景下所衍生的產物。眾所周知，遭受腐敗祖國遺棄的「華僑」，後來因為成為「革命之母」（孫文所言）而受到尊重（如果要刁難的話，這個說法也可能被視為某種政治利用的口實）。

殖民地時代，華僑在居住地冀望著漢民族的復權，以及祖國的強大，同時為求溫飽出走打拚，一直以來他們被強置於中間

者（夾在殖民者與被殖民者中間）的角色，承擔剩下的骯髒工作，在辱罵聲中如螞蟻般辛勞。遭受殖民地在地居民的白眼，憎恨的「火苗」也逐漸植入他們心裡。第二次世界大戰戰後，東南亞地區紛紛揚起獨立的烽火，助長了原生民族主義（Native Nationalism）意識旺盛。白人殖民者退出舞台後，剩下的便是留在當地為數不多的中間者，也就是具有「有錢」以及「他者」兩種性質的「華僑」了。

「華僑」成了代罪羔羊。1949年10月，中國的赤化也讓事態變得更加複雜。在一連串反共宣傳，反中國的政治活動聲浪中，華僑＝黃禍論、赤禍論等，這類帶有種族歧視的偏見也被醞釀出來。在居住國及「母國」的政治漩渦中，「華僑」不論是有意識或無意識，都被人當把玩的棋子，任人宰割。反正「中間者」永遠當不了主人。他們發現只要還是維持華僑這個身分，他們就無法依照自己的意願，將自己的「命運」從內外的「政治」場域擺脫出來。

「祖國是讓人遙想的地方，不是讓人居住的地方」，華僑的後裔在幾經咀嚼詩人蘇東坡的詩句「此心安處即為家」後，開始爭取居住國的國籍。由華僑（持有中國國籍）變成華人（取得居住國國籍），他們步上了充滿矛盾與苦悶的「道路」。新加坡的原華僑就是典型的例子。新加坡的總理李光耀主張，他本身已經不再是華僑，而是新加坡人（Singaporean），有中國人的祖先，只是華人系的新加坡人，新加坡和中國、台灣不一樣，他們有選擇的權利，也應該要選擇走出一條自己的「道路」。

理所當然，包含台灣在內的中國，已經不再是華人系新加坡

人政治上的祖國了。雖然或許勉強能稱得上是血緣上、文化上的「母國」。

　　客家大會設定了三項非政治原則：第一，不與政治有關聯，第二，不干涉會員的思想、主義；第三，無國籍限制。這可以說是記取「華僑」（帶引號是包含華僑與華人之意）悲劇性的歷史教訓的，生活智慧的抽象化。以客家意識（客家人性＝希望以ethnicity的概念來說明＝的一部分）為樞紐，成員由世界各地匯集而來。「美不美，鄉中酒；親不親，故鄉人」（不論好喝與否，故鄉酒就是故鄉酒；不論親疏與否，同鄉人就是同鄉人），也許大家都帶著這樣的想法，被「血緣」與文化的「認同」這樣的強烈共鳴所召喚，所以願意拋下世俗政治的枷鎖，以完全不同次元的「民族和解」為口號，並對血緣上以及文化上的「母國」寄予無限的關心，默默傾吐各自的悲願。客家大會的成員們一方面意識到要完全切斷政治與文化的聯繫是多麼困難，另一方面也意識到，為了自己的存活，為了要過像人的生活，確認了這三項非政治原則絕對是值得堅持的「珍寶」。不論有多困難，除了堅持這三項原則外，主體性的生活方式是沒有「出口」的。

　　　　本文原刊於《日経産業新聞》，1980年11月8日，第12頁。係同系列的「第三部：根源」。原題「華僑——悲劇の歴史が産んだ社会、政治不関与を貫く、人間らしく生きる知恵」

以民族統一為祈願
——華僑「客家」世界大會的召開

◎ 章澤儀譯

　　華僑的「客家」（Hakka，漢族的一支）世界懇親大會在10月3至7日於東京（Pacific Hotel）及大阪（寶塚市的Grand Hotel）舉辦，有來自世界各地逾千名代表參加；其中香港代表約百名、台灣600名、泰國60名、馬來西亞50名，以及夏威夷在內的美國代表60多名，此外巴拿馬、馬達加斯加、印尼和加拿大等43個地區皆派有代表出席，參加者中亦有2名為中國大陸籍人士。這是華僑界頭一次在日本舉辦如此國際性的集會。

　　世界大會的會場正中央書有「世界客屬第5屆懇親大會」（THE 5TH CONVENTION OF WORLD HAKKA），其下懸掛同屬客家的前輩、被尊為「國父」且致力於國共合作的孫中山（孫文）巨幅肖像，講台兩側各有12面，合計24面綠色的「客家旗」，並於左側懸掛「中日亞美友誼永存」及「克服陋習趕上潮流」、右側懸掛「發揚中原崇正精神」、「團結全球客家同胞」等四幅標語。在大會開幕前的10月3日傍晚，大會主席邱添壽（日本崇正總會會長）暨執行委員長邱進福（東京崇正會會長）等人於會場舉行記者會，談到在日本舉辦世界大會的意義如下：

　　一、海外華僑約有2,300萬人，其中700萬人屬客家鄉親，占了三分之一，為了懇親，世界大會每二年召開一次。客家在世界各地設有「崇正會」，常舉辦各種活動且互有交流。崇正會揭櫫三大原則：第一，不涉與政治；第二，不干涉個人的主義及思想；第三，不問國籍——已歸化僑居國的人士亦可參加；本次大會也秉持同樣原則。

　　二、在過去，日本曾經侵略中國與東南亞各國，今天的日本雖已是和平大國，東南亞的人們卻忘不了那段過去。藉由本次大會，盼與會人士能效法日本在二次大戰後奇蹟般的經濟與文化發展，做為日本與各國修好所用。

　　三、對全球的客家或對祖國而言，1980年是一個開啟不凡新時代的轉捩點。客家眾鄉親一向念祖，愛民族與國家，關懷人群，從這個觀點出發，客家同胞更祈求華僑全體的團結，促使中國大陸與台灣共同著眼於民族大義，藉溝通與對談來達成統一。

　　在大會的第二天，也就是〔10月〕4日，本會議發生了一椿小插曲：大會執行單位雖宣示「不涉與政治」的立場，當日上午及下午的會議中，卻出現濃厚的政治色彩——部分「客家旗」被換成了與會代表們的僑居地國旗，其中一面是台灣的「青天白日旗」；到了當晚，在有日本賓客參與的大宴會時，大會又將各國國旗換回了客家旗。大會執行單位人士表示：「在台灣代表占壓倒性多數的情況下，大會的營運難免有所妥協，但民族的統一是我們的共同願望，請大家能把眼光放遠。」

　　主辦單位代表謝坤蘭亦為大會執行副委員長，他在會中強調「以客家的團結、民族的團結與僑居國的諧和為宗旨，以期共同

邁向繁榮之道」。

　　在5日及6日的自由活動行程中，與會者代表們視察日本現況，繼於7日晚間假大阪寶塚市的Grand Hotel舉行閉幕儀式，決定：第一，為海外客家子弟赴日留學創設獎助金財團；第二，設立徐福（有日本華僑始祖之喻，傳說其於西元前3世紀渡海赴日）之墓修復促進會。

　　此外，大會也一致同意致力於「克服舊有陋習，跟進世界潮流」及「促進中國、日本、亞洲及美國的友好關係」，堅守大會營運：第一，不涉與政治；第二，不干涉個人的主義及思想；第三，不問國籍共三大原則。

　　本文原刊於《日中経済協会会報》第89號，東京：日中経済協会，1980年12月，頁65

客家系「華僑」的故事
——世界客屬第五屆懇親大會

◎ 莫海君‧彭春陽譯

「華僑」社會

日語中的「華僑」二字，既是俗稱也是概稱，現在就讓我將它再分得更嚴密一些。

第一，具原來意義的「華僑」。換句話說，也就是單指那些仍保有中國國籍，因私人目的而長期居住海外的中國人。不包括公務員、短期留學生、研修員，以及公司的外派人員。

第二，華人。僅限於上述華僑取得居住國國籍，而成為該國公民的那些人。以美籍華人的身分取得諾貝爾獎的楊振寧博士就是其中一例。不過，到底有誰？又有多少人持的是中國國籍，卻又歸化為居住國國民？事實上處於這樣一種模糊地帶的例子並不算少。「華僑」這個用語其實同時涵蓋了華僑與華人兩部分，因此我試著使用加了引號的「華僑」這樣的標記方式，來做為與前兩項的區隔。

先撇開這些不談，今年的10月3日、4日、7日三天，屬於我們旅日客家系「華僑」的寬鬆聯合組織——日本崇正總會，分別

在東京都以及寶塚市舉辦了世界客屬第五屆聯誼大會（詳細內容請參考同月11日《朝日新聞》與座談會相關的報導）。

如大家所知，即使到了現在，「華僑」社會仍是一個較為封閉的團體。多數時候，他們被視為少數派（minority）遭受排擠，而社會遷徙亦受到阻礙（獨立後的新加坡是唯一的例外）。

因此，傳統上為了達到自我防衛與相互扶持的目的，遂有了同鄉會組織＝地緣性組織，或者是同姓團體＝血緣性組織的形成以至今日。

除了上述的團體之外，「華僑」社會還有另一種組織──同業公會組織＝行會。不過，跟歐洲的同業公會比起來，他們具有較為強烈的同鄉特質，因此至今仍然還是屬於同鄉同行組織的性質。

「華僑」的同鄉組織用華語（也就是中國話。為了避開中國話當中「國」這個字的政治意義而採用的替代說法）來表示，便是──鄉幫。

在東南亞，有福建幫、潮州幫、廣肇（廣州府與肇慶府）幫、客家幫、海南幫、三江（江南〔現今的江蘇與安徽〕、浙江、江西）幫等六大幫。請各位留意，在這六大幫當中，除了客家以外的各幫都冠有籍貫。一般來說，所謂的鄉幫，指的就是說同樣方言的地緣團體。

客家幫也跟其他的鄉幫一樣，是說客家話的漢民族的一分支。客家系起源黃河流域，後因戰亂與社會變遷四散於中國內外，最後形成現今的分布。也因為這段特殊歷史背景的緣故，因此用一村、一縣、一府或是一省這種地域性的分法，是不能將所

有客家人都涵蓋在內的，所以才會出現「客家幫」這樣的統稱。

　　這是與其他「華僑」顯著不同的地方。事實上，從廣東、福建、江西、廣西、四川、台灣、到海南島都有客家村落以及所居住的縣，差別只在於人數的多寡。至於海外的分布，除了大家已經知道的東南亞外，客家人的足跡甚至還遍及歐美、非洲等各大陸。這也是為什麼之前我在探討客家幫的議題時，總會跳脫「地緣」的框架，而習慣從「語緣」的角度來做說明的緣故。

超越語緣的層次

　　我深深感覺，由於所有與會者一致的努力，這一次的世界大會，已經更進一步超越了國籍，換句話說也就是國境的藩籬。

　　來自世界各地的鄉親（對同鄉的稱呼）當中，不會說客家話的人並不在少數。承蒙日本媒體發布訊息，我甚至還接了好多通「隱形」客家人：「我是客家人，但是不會說客家話。請問我可以參加嗎？」的詢問電話。當時的激動心情，我至今都還清楚記得。因此我現在可以說，客家人的組織就要超過「語緣」的層次了。

　　客家系「華僑」除了在地緣上已經超越了縣境、省境甚至於國籍所屬的國境，跟形同「娘家」的中國大陸與台灣之間也存在著密不可分的連帶感。這是其他「華僑」團體所沒有的特點，由此可見超越地緣關係的重要性。遺憾的是，客家人超越語緣的方法並不瀟灑，一般來說這並非出自主體營為的結果。大部分都因為受挫於居住環境的有形或是無形壓力。像是在香港是廣東

話，北美大陸幾乎所有中國城的客家話也同樣被廣東話吞噬，而在台灣、新加坡，則除了閩南語之外，甚至也被北京話（中國話的標準話，也叫作普通話）給吞併了。除此之外，還有被居住國同化的現象，像被英語、泰語、日語吸收掉的情形就很常見。

無論如何，不會說客家話的鄉親們不但來到了大會，而且還跟大家相見歡。我們客家人，已經超越了國籍、地緣，甚至於語緣，大夥在客家精神＝客家意識的感召下，齊聚一堂。

正因為如此，我們才沒用「世界客家大會」做為大會名稱，而是以更為廣義的「世界客屬大會」來命名，並且為大家所接受。儘管沒辦法說出客家精神＝客家意識的具體內容，但俗話說的好，「美不美，故鄉中酒；親不親，故鄉人」、「親不親，客家人」，在場的每一個人仍開心唱和相互舉杯。

客家鄉親們，超越世俗中政治、國家的藩籬，淡化了「血緣」中那層世俗的政治意味，在確立了文化的「認同」後，更要進一步追求「相約之地」上的民族和解與世界和平──大會於寶塚GRAND HOTEL順利落幕。

本文原刊於《国際協力》第308號，東京：国際協力事業団，1980年12月，頁22～23

來自內部的「華僑」論
──以東南亞為主

◎ 李毓昭譯

　　瀧田（亞洲社研理事長）：我們會討論華僑問題，是因為從以前在亞洲開發或發展經濟，尤其是日本以合資企業的方式進入時，如果不與華僑有某種形式的合作，就無法在當地進行經濟活動。在接納國常有人提到「民族資本」，但我們看ASEAN（東南亞國協）各國，究竟有多少民族資本呢？就算從資本力來說，民族資本也很薄弱，在流通方面，各國的能力也很貧乏，就算有日本資本進入，或採取企業經營的形式，在今天要避開華僑不談也是不可能的。

　　今天要討論的話題是以ASEAN為主。不只是ASEAN，對於華僑在整個亞洲的活動情況，我們似乎知道，卻又好像不太了解。尤其近來有些事情多少會讓人在意，例如印尼發生的問題，熟悉印尼國內情況的人告訴我，蘇哈托體制相當危險，這種危險或許也牽涉到軍隊，但掌權者和華僑、日本資本結合，逐漸形成一種猶如貪污的結構，掠奪大眾或粗暴地獨占資本的蠻橫，讓國民相當反感。華僑或進入的日本資本會不會成為攻擊對象？會不會因為該國的政治、社會本身有問題，人民因為心懷不滿而以其他形式對日本發洩呢？在這方面，有些事情實在很難確定。

　　我們今天很榮幸邀請到戴先生，聽他談談民族資本、華僑，以及

反日運動等問題。（1980年11月25日）

一、前言

　　我打算在最後才向大家報告瀧田先生剛才提出來的問題。在先生們的講習會上，我想不需要把每個問題做有系統地講解，所以會挑幾個最熱門的問題，說明我對華僑問題的看法，然後以瀧田先生提到的問題收尾。

　　首先要談的是剛才提到的印尼爪哇島內的梭羅（Solo）發生的暴動，到現在還未完全平息。我要在這裡說出我的看法。其次要談的是前陣子中國舉行的第五屆全國人民代表大會。中國終於通過了國籍法，日本的報紙幾乎都沒有報導這件事。關於這部國籍法的意義，我會在後面說明，因為其與華僑問題有密切關係。華僑問題與中國對東南亞的政策有關，所以我帶來了10月7日刊在《北京週報》中的日文暫譯文影本，供大家在後面討論時參考。

　　還有一件事，要感謝以《朝日新聞》為首的日本媒體，10月3日、4日和7日我們客家人在日本舉行世界大會，承蒙《朝日新聞》精力旺盛的追蹤報導。後來《共同通信》、《讀賣新聞》、《日本經濟新聞》等媒體也有報導。話說回來，客家在所有華僑裡面的意義是什麼？在這之前，日本媒體對華僑內部的動向並不太關心，為什麼對這次的客家世界大會會有這種形式的報導呢？各位想必有這樣的疑問，所以我也想在這裡談談這一點。

　　在「華僑」裡面，客籍「華僑」大概有700萬人。全世界的

華僑大約有2,000萬人（推估），其中有700萬名客籍「華僑」是
一般的推測。這些人為什麼要舉辦世界大會呢？我是客家人出
身，也擔任此次舉辦單位的理事。本來他們要我當事務局長，但
因為我在大學教書很忙，又有很多私人工作要做，所以只接下對
外聯繫和紀念性業務。由於我也研究華僑，積極參與大會事務對
學習有幫助。

　　先撇開這些話題，我要介紹發給大家的資料。有一份是《朝
日新聞》的報導影本，另一份是《客家之聲》。《客家之聲》是
我編輯的小報，不定期出刊，預定一年出刊四次，但做得不太順
利，本年可能僅止於半年刊。我把各家媒體對客家大會的相關
報導編在《客家之聲》裡，希望有這個榮幸請大家順便瀏覽。
另一份影本是我為《日經產業新聞》寫的與客家人大會有關的
文章（1980年11月8日刊載〔參見本冊〈由華僑所敘述的華僑社
會〉〕）。

　　《日經產業新聞》正針對全世界的華僑問題刊登連載文章。

　　以上就是我今天帶來的資料。

　　還有，上星期我透過研文出版社第一次出版與華僑有關的
書，也就是這裡有人拿著的《華僑──從「落葉歸根」到「落地
生根」的苦悶與矛盾》〔參見《全集》11〕。但願大家能給我批
評指教。

二、反「華僑」暴動事件與媒體

東南亞反「華僑」暴動的相同根源

　　首先要針對印尼梭羅的反「華僑」暴動（1980年11月20日發生）提出我的看法。我第一次去東南亞是在1969年深秋，那是為了亞洲經濟研究所的華僑研究計畫而去做預備調查。總共待了50天，當時就有非常可怕的預感。東南亞對「華僑」向來潛在著奧斯威辛集中營似的危險性。我是在1969年12月前往，該年5月13日就曾在吉隆坡發生激烈的種族暴動事件。

　　1965年9月蘇卡諾政權底下發生政變，也就是九三〇事件。這件事在現代史上也是一個謎。先打個岔，我對這次政變與印尼共產黨（PKI）的關係，以及PKI與中國共產黨當時的領導階層到底有什麼關係，此關係又與日後的文革是否有關等問題很有興趣，但目前這些問題應該是找不到答案的。言歸正傳，從1965年到1969年，短短不到3年，就發生了這兩個事件，同樣有大量「華僑」遇害，讓人痛心，也很值得關注。我們無法從這種暴力性的排華運動中看到解決的出路，只能說那是悲劇性的惡性循環。這次的梭羅反華暴動根源和今年〔1980〕4月在印尼小城烏戎潘當（Ujung Pandang）發生的一樣。剛才瀧田先生提出一個問題：日本進入的企業究竟是和華僑經濟，還是與居住國政治結構相乘而形成腐敗結構，我想兩方面都有。這是悲劇性的歷史結果，亦即「華僑」是歐美將亞洲變成殖民地過程所產生的副產品，我們不能忽視這件事在歷史上的相互關聯。

媒體混亂的「華僑」報導

我想稍稍整理這兩三天與梭羅暴動有關的新聞。《朝日新聞》的特派員是山口，《每日新聞》是高木。山口的寫法與日本投資的企業有關聯，認為必須小心警戒。《每日新聞》的高木則是探討瀧田先生所擔心的蘇哈托政權和今後的政局，尤其是與大選關聯暴動的動向。

這些報導的用詞有的是華僑，有的是華商，或是中國人、中國裔住民，要說混亂也不過分。我平常就在想，新聞協會怎麼不好好協調一下。我曾在一橋大學講了四年的華僑論，有學生說，聽了老師的課再看報紙就很容易了解，但是在聽課之前，完全看不懂日本報紙針對「華僑」問題寫的東西。

李光耀總理象徵性的發言

這裡要提出一個與新聞記者的「華僑」問題有關的趣事。韓國的朴總統被暗殺前不久，最後接見的外國賓客是李光耀總理。李總理離開後就直接來到東京。要讓現在的學生了解，不，不只是學生，要讓各位日本人了解東南亞也是一樣，把發生的事件當成資料來說明是最容易理解的。學生大致上都不看書，只會受到《朝日》等大報或NHK等電視台的影響。優秀的新聞記者念大學時似乎都是不上課的人種（笑），這些人靠著「自學」越過媒體的考試門檻，以後就我行我素，以和大學扯不上關係的方式從事記者工作。我不知道編輯是如何修改這種記者傳過來的外電，但

如果滿不在乎地把有時是華商，有時是華僑、中國人或中國裔住民的不清不楚內容做結束、滿不在乎地賣給讀者，刊出連自己也看不懂的報導，真讓人傷腦筋了。話題再回到之前要說的趣事，在李總理的記者會上，代表發問的日本記者問道：「李總理身為華僑，如何看待中國的四個現代化？又新加坡是華僑國家，會考慮給予什麼幫助？」李總理以嚴肅的表情回他：「我們已經不是華僑，而是新加坡人了……」這件事是在場的一個朋友告訴我的。李總理的話讓外國記者哈哈大笑。我想到現在還是有很多日本記者不了解李總理這句話。我覺得將國民（國籍）和民族混為一談是日本人的習性，報紙上會出現華僑、華商、中國人、中國裔住民等混亂的措詞，就是這種習性的延伸。

話說回來，以前的華僑，亦即指出國掙錢、暫居他地的人，在第二次大戰以後，尤其是在居住國獨立後，就取得居住國的國籍，成為「華人」（huajen）。在這之前，自稱和他稱都是「華僑」的人逐漸老邁，大多數華僑，亦即繼承中國人血統的人如今與父祖的祖國中國已經沒有直接關係，因為幾乎都是在居住國出生的，甚至很多人連父祖的語言（他們如今改稱「華語」，而不是「中國話」）都不會說。不去了解他們的環境，忽視他們本身的意識變化，老是把他們當成華僑，甚至以政治概念裡面的中國人看待，完全是有違事實。

然而，讓有心人士無比難過的中南半島難民問題，以及接下來的印尼反「華僑」暴動，與「華僑」有關的悲劇性狀況，我想今後還會繼續發生，真是遺憾。

只要東南亞的「華僑」（這裡的「華僑」兼有華僑【持有中

國國籍者】和華人【取得居住國國籍者】的意思）繼續在國內和
國際上被當成政治抗爭的棋子，利用「人種主義」來取得或維持
政權的不人道政客繼續存在，悲劇性的狀況就不會改變。

對日本媒體的要求

　　就這方面來說，我要特別拜託日本媒體，不要再寫出好像在
鼓勵「人種主義」的報導，或好像在為人種主義的「惡業」提
供「遮羞布」。當然要做到這一點很困難。歐洲不論是左翼或
右翼，都把中南半島的難民問題視為「海上的奧斯威辛」，沙
特（Jean-Paul Sartre）等人積極出面救援的事情也還讓人印象深
刻。但是依我有限的見識，當時並沒有任何日本媒體從「海上的
奧斯威辛」觀點去提出問題，反而有很多人隨俗高唱「那是華僑
不對」、「華僑無法接受社會主義化」的論調。我並不是因為是
中國人才這麼說，正因為奧斯威辛死了那麼多猶太人，歐洲白人
才會到現在依然抱持原罪意識。這樣的歷史，我們絕對不能重蹈
覆轍。

　　我們看看11月24日《朝日報聞》的報導：

在印尼，與中國裔居民聯手的城市大商店幾乎都是中國裔在經
營。一般印尼人覺得被中國人剝削，對他們始終抱持反感。一
名住在梭羅的日本人告訴我，暴動開始時，他家的傭人還高興
得拍手。

　　我想納粹的反猶太運動如火如荼時，德國也有相當多的人民和該日本人家的印尼傭人一樣高興得拍手。我今天早上在學校給上研討性授課會（seminar）的學生看這篇文章，問他們的意見，他們的反應是對老師不好意思，不過那邊的人既然高興得拍手，相當可惡吧！連聽我上課的學生都有這種印象，更不用說一般讀者。這篇報導給人的感覺，用一句話來說，就是非常可怕。戰後的德國有心人士一直在追究「我內在的希特勒」這個問題，認為現今仍在追討納粹餘黨是「當為」之事。維持這種社會狀況的根源意義，是我們要引用為「鑑」。無論如何，梭羅反「華僑」暴動的根源是「華僑」被當成政治抗爭的棋子，煽起人民的排他情緒，而在政治上加以利用的情況，可說在印尼依然存在的一個顯現。掌握流通經濟之類的通俗說法其實是枝微末節。我們必須去探索印尼人貧困的真正原因，從歷史觀點去分析、了解把「華僑」當成代罪羔羊，以及使印尼持續這麼做的政治、經濟與社會結構。

三、中國的國籍法與華僑問題

脫離反「華僑」暴動的三個出口

　　我們接著來談另一個話題。大家都知道，中國建國30周年後，終於在前陣子召開第五屆全國人民代表大會第三次會議，通過《中華人民共和國國籍法》，公布且即日實施。我大約在十年前就注意到，如果不好好定位華僑的國籍問題，就不知道誰是華

僑，也無法理解中國與東南亞的關係和華僑問題。我做過調查，印尼在蘇卡諾政權下，亦即1955年的萬隆會議時，周恩來與印尼共和國政府的全權代表施納喬締結了《中華人民共和國和印度尼西亞共和國政府關於雙重國籍問題的條約》。事實上這份協定幾近無效，雖然中國這邊批准了，蘇卡諾政權卻因為種種因素而一直拖延，直到上述的九三〇事件發生。現在中國與印尼的外交關係凍結中，協定可以說已經沒有實效。有一個事實很明顯，就是中國幾乎沒有印尼人，印尼卻有許多「華僑」。

　　一旦發生暴動，印尼人是見中國人就砍，不論是已歸化的華人還是維持華僑身分，都一律「平等」地成為排擠對象、祭壇上的犧牲品。我認為解決的辦法只有以下三個：第一個是「華僑」的祖國中國與居住國（例如梭羅事件中的印尼）維持友好，而且必須加強這樣的關係。第二個是要克服居住國的貧窮問題。當然「華僑」應該要從旁協助，不要囿於短視的「賺錢主義」而誤了大局。根據史實，納粹的反猶太運動有一個要素在支撐，就是德國內部存在著貧困與矛盾。納粹巧妙地煽起民眾的排外情緒和人種主義的深層心理，進行輿論操作，而且與反共牽扯在一起，德國人才會跌落深淵。第三個辦法與第二個有關，就是不論是在國內外，有識之士都要自我防衛，不容許人種主義、極端國家主義肆虐，至少也要小心避免被政客利用。

美國承認少數民族的權利

　　說是這麼說，大家都知道人種主義、極端國家主義、沙文主

義是很難克服的。這一點可以從蘇聯的猶太人問題、越南的「華僑」問題上看出。雖然遺憾，但目前圓熟的議會民主主義體制倒是在克服人種主義、極端民族主義並提供條件這才是現狀。舉例來說，美國自從在越南戰敗之後，就接受了一股歷史潮流，承認少數民族的權利，加拿大等國也透過體制大幅承認亞裔加拿大人的人權，這些就是一種徵兆。日本也可以說逐漸走向國際化，變得比較寬大。不過很可惜，一般日本人到現在仍抱著日本這個國家是單一民族國家的神話，對國家走向真正的國際化造成阻礙。

美國在中南半島戰敗，又受到黑人解放運動、red power（印第安人的自覺運動）等衝擊，WASP（盎格魯撒克遜清教徒）體制開始鬆動。第三世界的抬頭實際上也令美國不得不自行退離世界警察的角色，美國的有心之士深化自省，開始採取新的觀點。譬如，輿論和體制都承認日裔美國人和華裔美國人曾對美國建國做出貢獻的史實，也願意接受。美國開始舉辦活動，記念中國苦力有功於橫越美國鐵路的建設。美國總統還公開對大戰期間強制收容日裔人士的作為道歉，這也是值得矚目的事。各位應該記得，卡特（Jimmy Carter）總統去年制定了亞裔美國市民的紀念日。這些事情在在顯示出美國的新動向。

越南的華僑政策讓人期待落空

本來受到寄望的越南，卻跌破眾人眼鏡，不僅沒有用新方式解決華僑問題，反而做出將「華僑」趕進海裡的舉動，甚至出兵柬埔寨，很令人吃驚。我從以前就在期待由下而上的革命引發社

會改革，而在中南半島解放後，在東南亞第一個社會主義政權、社會主義體制下，由越南提出解決「華僑」問題的新模式。新的模式將會對印尼、泰國或馬來西亞等國產生良好的影響，進而在種族與民族問題方面，向全世界提示最新的解決辦法。結果這根本是我自己的「一廂情願」。更糟糕的是，目前蘇聯與中國交惡。我從香港的部分評論中甚至看到一種說法：蘇聯因為在國內有過處理猶太人問題的經驗，因此向越南當局獻策說，華僑和猶太人一樣不可信賴，最好盡快把華僑趕出去，才會發生「華僑」大批返國或變成船民的事件。話說回來，中越有關「華僑」大批返國的洽談中，其實就包含以後會提出來的國籍問題，亦即越南有無華僑的問題。這裡面的癥結就是國籍法與華僑問題的關係。

四、中國的國籍法

中國國籍法的源流

我目前尚未取得中國起草國籍法的過程，以及完成草案之前的討論等資料。但無論如何，中國的國籍法最早是在清末出現。當時荷蘭統治印尼，意圖界定當地出生華人的法律地位，清朝為了反制，就制定了以血統法為中心的國籍法。這是中國史上最早的國籍法，牽涉到當地出生的華僑子弟有何種法律地位的問題。荷蘭雖然人口不多，但當然沒有讓華僑子弟直接成為荷蘭人的想法。可是與其讓他們繼續當中國國民，不如把殖民地出生的人變成可憑著自己的國家意志加以統治的對象，亦即有意把他們定位

為「殖民地居民」。荷蘭實際上沒有把日益衰弱的清朝看在眼裡就這麼做了。這麼做當然與清朝血統法性質的國籍法牴觸，成為雙重國籍問題的起因。要解決問題，就必須締結上述中國與印尼的協定。另一方面，如各位所知，清末的革命運動原型是以孫文一夥人為主與華僑採取由外往內，將「反滿倒清」運動打進去的策略。這一點很有意思。他們逃到上海等租界，把租界當成藏身所。就算運氣不好被抓，也可以主張說他們不是一般中國人，而是華僑子弟，是沒有中國籍的外國人，所以不能用中國的法律制裁他們。革命黨員就是這樣把「外國籍」當成緊急避難的工具。也因為這個原因，清朝才會制定血統法性質的國籍法，這對維持自己的政權和體制也有幫助。這部國籍法到了後來的中華民國時代，經過或多或少的修正，成為中華民國的國籍法，到現在台灣的國民黨政府仍在沿用。

我們難免會感到疑惑，中華人民共和國之前並沒有國籍法，要如何和印尼就雙重國籍締結協定？又與因為美中親睦、中日恢復邦交而見風轉舵，要求建交的馬來西亞（1974年5月31日）、菲律賓（1975年6月9日）、泰國（1975年7月1日）建交之際發表的共同聲明中，如何加上禁止雙重國籍條文的外交誓約呢？明明沒有國籍法，卻可以做出協議或在外交上相互立約，這是怎麼一回事？北京既然是革命政權，公開否定清朝與中華民國的舊國籍法也是理所當然。不過這樣的態度並不妨礙他們參考舊國籍法，運用在政策上。依我的想像是可以解釋為在公布此次的國籍法之前，北京當局應該也參考了舊國籍法，用來政策性地處理華僑的國籍問題。

　　如果是這樣，就令人擔心了，因為政策本來就很容易改變。但知道終於有國籍法出現時，我覺得那是往前邁進了一步，值得肯定。

結合血統主義與出生地主義的新國籍法

　　全人代常務委員會法制委員會副主任武新宇在〔1980年〕9月2日第五屆全國人民代表大會第三次會議上，針對這部《中華人民共和國國籍法》草案大致說明提案理由如下：

　　「國籍法是國內法，也是牽涉到國家關係和外交關係的重要法律。關於這部草案的主要內容，首先是我國結合血統主義與出生地主義，依此原則確定國籍。」

　　聽了我之前的說明，各位應該可以了解。過去都是採取血統主義，清朝或中華民國也是。血統主義是父母或父親只要是中國人，不論是在哪個國家出生，就永遠都是中國人，保有中國國籍。日本也是採血統主義。這次國會討論了修正案，認為除了父系原理之外，也應該採納母系原理。大家都知道，日本的國籍法是以血統主義為原則，而且是父系優先主義，亦即給予日本男性和外國女性生下的小孩日本國籍，但反過來是日本女性與外國男性生下的小孩就無法獲得日本國籍。這就是修正論者所指摘出的矛盾。

東南亞「華僑」為雙重國籍問題頭痛

　　再回來談中國國籍法與華僑問題。中國的新國籍法修訂舊有血統主義也採出生地主義原則，承認海外華僑，其後代子孫在當地出生時，該國採出生地主義，予以承認，我想這可以解釋成他們試圖以積極的態度處理華僑的法律地位。日本是血統主義，因此日本與中國沒有傳統國籍法上的衝突。

　　舉例來說，我是拿台灣護照，國籍法是採行血統主義，所以我的小孩也是中華民國國民，持台灣護照。日本同樣是採用血統主義，所以沒有問題。但如果日本採取生地主義，我的小孩是在日本出生，就會成為潛在的日本國民。當然有許多情況是可以在成年後選擇，但只要中國堅持血統主義的原則，不考慮個人的選擇，難免會有雙重國籍的情況。這種雙重國籍的問題一直讓東南亞「華僑」傷透腦筋。因此，武新宇要先說明構成國籍法的原則。中國不只是血統主義，也採行出生地主義，用兩個原則來制定國籍法。認定這裡面有這樣的變化是沒有錯的。

新國籍法不承認雙重國籍

　　武先生接著說明：「中國公民不得有雙重國籍。在外國定居的中國公民依自己的意思加入或取得居住國的國籍時，就自動喪失中國籍。」這是之前沒有的內容。日本在中日恢復邦交的前後，我想是基於日本法務省或自民黨的顧慮，對於來自台灣的人，亦即以台灣為故鄉的旅日華僑，放寬了許多歸化日本的規

定。據說在那段時期申請歸化的人有八千多名。

　　武先生的第二點說明中提到一些問題，例如對於在新加坡、馬來西亞、印尼、菲律賓等國（當然這些國家的國籍法各不相同）已加入國籍或依自己的意願加入的原華僑，不承認他們的雙重國籍。國籍法明確規定，這些原華僑在政治和法律上已經不是中國公民。不過他也在說明中提到「一部分原華僑」，指的是還沒有歸化，或是已經歸化但不是當地出生的人，也就是所謂的第一代。他提出來的第三點說明是：「這些人裡面，有些已經取得外國國籍，但希望保留中國國籍。這種感情是可以理解的（這非常重要），但是為了外國華僑的長期利益與工作、生活和念書的方便，也為了維持我國與相關國家的友好關係，最好不要承認雙重國籍。」這是針對華僑的居住國所做的說明，而非針對華僑的期望。

　　武先生的說明巧妙地點出中國國籍法是多麼重要，因為它除了原本要確定的國內有誰是國民之外，說穿了也是在界定東南亞的國家關係，以及外交關係中的華僑問題、華僑的國籍和法律地位。以上所言，不知各位是否了解？

擔心會造成東南亞各國的誤解

　　第四點說明是針對華僑。草案中也包含加入或恢復中國國籍的具體規定，因此將來如果有意返國回鄉居住，或是子女想要恢復或取得中國國籍，並不會受到阻礙。任何國籍法都免不了有獲得和喪失國籍的規定，這個部分就是第十三條：「曾有過中國國

籍的外國人，具有正當理由，可以申請恢復中國國籍；被批准恢復中國國籍者，不得再保留外國國籍。」東南亞各國目前仍受中國的「影子」驚嚇，要得到這些國家相關人士的了解和寬容，大概需要相當長的時間和努力。以東南亞目前的政局來說，不論妥不妥當，都還有可能被拿去當成誤解和質疑的資料，實在很遺憾。

五、猶太人問題與華僑問題

湯恩比的談話富含啓發

　　國籍法就說到這裡，我們繼續談下一個主題。我要在這裡先強調一點，就是談到華僑問題，就一定會牽涉到國籍法問題。而在思考國籍問題時，必須拿猶太人問題來做比較，才能更加了解。這也是我在新書《華僑》的「代序」中提出來的想法。該文是將我在1979年11月26日經團連第143屆會員午餐會上的演講稿整理而成的。如果不把猶太人問題和華僑問題放在一起，分別去思考兩者的政治、法律身分，以及社會和文化上，亦即包含靈魂問題的心理認同，就不容易找到出口。這也就是在主張不能以傳統的思考方式處理，同時提出我自己的新概念。

　　我也在為《日本經濟新聞》寫的文章〈華僑的歸化與同化〉（刊登於1979年6月5日，收入《華僑》）〔參見《全集》11〕中提到，湯恩比（A. J. Toynbee）的談話富含啟發。時為1956年9月中旬，湯恩比在東南亞旅行時，正好南越惡名昭彰的吳廷琰政權

為了對抗北越的攻勢而提出強制華僑歸化的法案。湯恩比明確地
預見到吳政權強逼歸化政策的破綻：

> 他們（吳政權）剛剛通過了反中國人的法律，讓人想起西哥德
> 時代和中世紀的西班牙反猶太人的法律。（中略）其中禁止居
> 留（南）越的中國人從事11種特定職業，而所有在（南）越出
> 生的中國人，全部都被編入（南）越南籍。可是越南這種武斷
> 的立法措施終究會得到與西班牙無異的結果吧？（摘自《歷史紀
> 行》）

如眾所知，與西班牙無異的結果就是失敗，指出一段史實：
逼迫猶太人接受洗禮，只會使猶太人隱藏身分。湯恩比用逼迫猶
太人接受洗禮來比擬逼迫華僑歸化這一點，令我深感佩服。硬要
利用政治或法律，從表面去解決靈魂層次的問題，當然不會成
功。這方面真的需要再好好檢討。

與舊南北越有關的華僑問題

目前河內政權和北京政權正在討論那時強制歸化有關的事
情。當然吳廷琰政權想要把所有在南越出生的華人都歸為越南
籍。原因有兩個，第一，當時的西貢政權希望在經濟方面全面動
員，卻因為和國民黨政府政權有友好關係，無法輕易動員中國國
籍的人。國籍就是華僑的「逃生口」。如何直接掌握華僑資產是
該政權的第一個課題。第二個原因是華僑子弟，尤其是南越有許

多當地出生的華僑子女，包括混血兒在內。早在法國統治時代，南越就有稱為「明鄉」的混血兒問題，亦即有非常多越南女性和中國男性生下的小孩，這也是有特殊的歷史背景。明鄉就是以「明」為故鄉，從明末到清初時，明朝的漢族軍隊在清兵追趕下跑到越南中部，一邊接受越南阮朝的保護，一邊以開墾為由，侵吞原本屬於蘇美爾人的南越，最後使該區成為越南領土。當時的安南女性樂於和這群軍人結婚，他們的子女就被稱為「明鄉」，不論是否適當，這些人的地位被定位於土著居民的上位，被當成中國人看待。當時的吳廷琰政權為了確保兵源，就先逼迫明鄉加入越南籍，接著又要越南出生的華僑子女加入越南國籍。如果不這麼做，當兵人數會少很多。

然而，當時在河內的胡志明政權極力反對。當時是中越的蜜月期，而且為了使吳廷琰政權變弱，也絕無法贊同這種強制歸化的政策。事實上，強制歸化違反人道與世界人權宣言的精神，「自由主義」陣營的有心之士也群起反對這個政策。然而，令人吃驚的是，對於此次的中越紛爭，尤其是「華僑」大量歸國的問題，越南政府卻直截了當地說，南越已經沒有華僑，有的只是「華裔越南人」。河內政權和北京當局交涉的事項中，實際上也包含了國籍問題。不了解這些事情，就無法弄清楚河內和北京在交涉什麼。詳情請看我在《世界》和《中央公論》中的論文。這兩篇也收錄在剛出版的《華僑》裡面〔參見《全集11‧華僑之未來》〕。

六、華僑是什麼

區分華僑與華人

如上所述，國籍法，以及關於華僑的國籍問題，在東南亞特別重要，因此為了請各位先生多留意，我才會拉雜講了一大堆。

至於華僑的區分方式，我想先從政治和法律上的概念來談。我的提議是把華僑嚴格定位為仍持有中國國籍，而且性質為「私」的長期住在外國的人。「私」是指不包含國家公務員在內。長期的意思就是不應該把留學生、研習生或商社的駐外人員列為華僑。至於已經歸化，取得居住國國籍的人，就不稱為華僑，而是「華人」。如此明確區分，應該就可以減少誤解。就像日本話中的「日系美國人」，我主張採用「華人系美國人」，英語是Chinese-American，中國話就是「美籍華人」。

話說回來，第二次世界大戰之後，許多華僑居住的國家紛紛獨立。東南亞各國開始奪回自己的政治主權。在如此巨大的政治、社會變遷中，華僑從某方面來說就是殖民地體制的遺制。要如何處理呢？我認為有意建國的人必須把這件事當成重要課題。為了保護自己的生活，幾乎所有華僑都不得不取得居住國的國籍，也實際上這麼做了。老是把這樣的人當成華僑是不對的。他們在政治上、法律上已經不是華僑。他們是華人。他們是各居住國的市民。他們應該依據持有的國籍去決定政治上效忠的對象，就像日裔美國人會對星條旗效忠，而不是去服從日本的太陽旗、天皇制或日本國憲法。我的邏輯就是這樣。

人都具有多元的身分認同

　　當然華人還是會保留種族性。我認為種族性或許會逐漸改變，但本質的部分會長久保存，也應該保存。你認為日裔美國人會完全喪失自己的「日本人特質」，亦即種族性嗎？喪失之後，成為one of them，對美國社會的文化創造和人類史會比較有利嗎？人應該同時具有多元的身分認同，我建議大家正視這一點。我們到目前為止過度沉溺在一民族一國家的神話中，過度看重政治與法律，而在處理人的靈魂問題時也過於粗率。政治、法律上的認同和社會文化上的認同並不是二律背反〔譯註：康德的哲學概念，意指同一個對象或問題產生的兩種理論或學說雖然各自成立卻相互矛盾〕，我認為兩者並存是很自然的。我也曾在前面提到的經團連演講中提出paradoxical dynamic identity（自相矛盾的動態自我認同）的概念。

　　很多日本人在生活意識上，似乎很難了解國籍問題，也無法明白區分華僑與華人的邏輯。正因為這樣，日本的大報社記者才會對李光耀總理提出愚昧的問題。我並不是說歐美人就特別開明，我只是想說，他們似乎比日本人有多一點的了解。

　　在paradoxical dynamic identity之前，我採取的用語是double identity。因為這個英文用語不太討好，我才會更改。雙重的忠誠等於腳踏兩條船，語感不太好，就像小孩玩遊戲，說某人跟蝙蝠一樣這邊那邊飛來飛去。可是仔細想一想，真的是這種情況。政治、法律上的認同也就是國籍，顯然就是個人在政治法律上對國家的關係。英國國籍就反映出朕即國家的時代，儼然是British subject（英國臣民），國籍是依對女王有無效忠義務來決定。可是國籍原本就只是意味著現代國家與個人之間的政治紐帶……

　　近代國家的國家意志是以政治為優先，縱使不是中國的文革也是一樣。由於有民族為核心一致抵抗外國，競相獨立的歷史過程，才會滿不在乎地施行政治優先的策略，試圖用國家意志來支配人民的靈魂。一旦遇到如猶太人這種不願意出賣靈魂的族群，就無法容忍。只把他們當成「形跡可疑」的存在。可是每一個人都有自己的靈魂，也有自己的宗教。歐洲在成立近代國家的同時，逐漸意識到個人主義、合理主義，而加以接納，再者，市民的權利，或者自我逐漸確立之後，個人與國家的關係重新受到審視，日本離那個情況還很遠，還在市民權意識才剛形成的階段。

　　至於東南亞，不論是個人主義、合理主義還是市民權，目前都還在萌芽期。不知是幸或不幸，「華僑」的祖國是「大國」，而且是毛澤東的國家，類似「執流通經濟之牛耳」的說法與對「紅色」的恐懼混在一起，使得「華僑」成為憎惡的對象，反共、反中國和反「華僑」就這樣被擺在同一條線上，「華僑」在宣傳中也就成了無比可疑的族群。華僑一旦成了祭品，就被政客當成活用的棋子，就可說是悲劇了。

改變國籍的意義

　　話說回來，改變國籍的意義終究只是個人依自我意志所選擇的在政治與法律上與居住國的關係。舉例來說，夏威夷州長喬治‧有吉先生選擇了美國國籍，所以在政治上是對星條旗效忠，

依美國法律行使權利和義務，而當選州長，就任該職。可是有吉先生也讓女兒來日本念上智大學，讓她以日裔美國人的身分了解日本文化，確認自己的民族特性，也就是日本人特質，而在更加確定後，在美國社會以美國公民的身分去伸張這種民族性。依我的想法，從個人的層次來說，目的是在確認自己的「根」，進而在包容多元民族、宗教、文化的美國完成自我實現。以上是我從報紙上看到她在上智大學念書時的感想。

現在的東南亞應該不會容許類似有吉小姐的作法。如果有「華僑」子女做出有吉小姐的舉動，恐怕就會遭人議論說，「華僑」根本無法信任，對居住國缺乏忠誠。東南亞的人像這樣「誤解」、「曲解」的心理是可以理解的。但是很遺憾，有些日本評論者也被這人種主義的觀念所圍。日本人畢竟是站在第三者的立場，如果採用這種邏輯，當成評論「華僑」的依據，很可能剛好被東南亞政客、人種主義者、極端國家主義分子拿來做為反「華僑」的「理由」。

田中角榮以首相身分訪問印尼時，正好發生反日暴動。我記得當時有些日本人還私底下散布謠言說，那是「華僑」策動的。凡事都有很多種解釋方式，此次的梭羅反「華僑」暴動也有很多流言，各種說法都有也是無可奈何的。但是有一點必定要留意，就是千萬不要搬弄會鼓勵人種主義觀點的話語。

華僑問題並不是孤立的問題

雖然時間不夠，但我還是要再指出一點，就是「華僑」問題

並不是單一的特殊問題。那惡名遠播的非洲阿敏總統以前也曾經將「英籍亞洲人」趕出國境。英籍亞洲人是指印亞大陸裔的人。他們和華僑一樣，以前因為英國統治印亞大陸而被迫遷居非洲大陸。這群人又因為英國法律而具有英國國籍（內容、種類相當複雜），沒有回到印度，全部逃向倫敦，因此成了大新聞。印亞大陸人是去非洲當苦力。這群來自非洲的人和東南亞華僑一樣，在不知不覺中成為中間商，最後成了流通經濟的中堅分子。阿敏為了推行經濟國有化而排斥他們，就這樣產生英籍亞洲人問題。所以從這方面來說，華僑和英籍亞洲人一樣，在世界史中都算是「近代」的一個問題，有共通點。我認為必須將此問題視為所有人類的普遍問題，重新思考。

　　印亞大陸人問題不只是在非洲，在以前的緬甸、現在的馬來西亞也都有「印僑」問題。大家要留意現在仍是潛在的問題根源。我向來會把華僑與華人的概念分開，但現在覺得終究要有議會制民主主義，才能妥善處理這個問題。畢竟發生暴動時，並不會有人會問：「你有沒有入國籍？」民眾在暴動中發狂時，不論對方有沒有歸化都會動手攻擊。本來要「暴徒」冷靜就是不可能的事。因此一般認為，國籍變更在印尼很難有進展。第一個原因是政局不穩，經常有可能遇襲，不論有沒有入籍，結果都一樣。另一個原因是政治腐敗，貪污橫行。據說歸化手續的費用很多（包括賄賂），華僑才會不肯辦手續。無論如何，既然中國已經頒布國籍法，應該可以解決雙重國籍的問題，在法律上明確劃分華僑和華人的範疇。當然這也要以居住國消除貧困和維持政局穩定為前提。我覺得這時華僑絕不能介入居住國的政治。但如果是

華人，當然必須可以自由參與居住國的政治活動，平等地享有公民權利，否則要如何能期待他們表現真正的忠誠呢？要是受到歧視，又沒有參加的權利，誰要真的對那個國家效忠？日本人愛公司的精神是因為有終身僱用制在支撐，僱用狀況穩固才有可能維持。有些人連這麼簡單的邏輯也不肯了解，一味流俗搬弄「華僑」欠缺忠誠的論調，真是令人難過。

七、華僑與經濟問題

經濟果真掌握在華僑手中嗎？

我想在最後稍微談談經濟問題。首先應該要區分華僑資本（外國人資本）和華人資本。至於華人資本是否要進一步區分為民族資本和買辦資本，則是另一個問題。

經常有人說：「華僑掌握了大部分的流通經濟或所有印尼的經濟。」我很懷疑這個說法。並不是因為我是中國人，想要為「華僑」辯護，才懷有這種疑問，而是經過科學考證，深深覺得這麼說的人只是聽從傳言或表象，將「傳統的傳說」奉為金科玉律。一方面說他們掌控經濟，另一方面又說那些華僑可能是北京的第五縱隊，滿不在乎地胡扯二律背反的邏輯，讓人覺得矛盾到了極點。不過華僑＝第五縱隊的說法，其實是美國國務卿杜勒斯的骨牌理論，用來做為封鎖中國政策的一環。現在竟然還有人以「黃禍」和「紅禍」來看待「華僑」，讓人覺得有點恐怖。我本來還期待日本和美國、中國的關係好轉之後，杜勒斯的「亡靈」

就會慢慢消散，但看到印尼陸續發生悲劇性的反「華僑」暴動，就覺得無法這麼樂觀了。真的很遺憾。

東南亞特殊情況下的「華僑」

如果不稍微收斂「華僑」掌控經濟的說法，是很有問題的。東南亞國家幾乎都沒有中產階級，因此每一國都很傷腦筋。農地改革如同戰後日本民主化過程中的工會，意義很大。台灣就是一個例子，由於有台灣海峽這條防波堤，農地改革在美國的支持下獲得成功，而逐漸形成中產階級，帶來經濟成長和穩定，我如此理解。

可是東南亞極稀薄的中產階級中就只有「華僑」而已。華僑之所以會占據這個階級，與其說這是他們選擇的道路，倒不如說是殖民地統治的過程中產生的不幸結構。這在第二次世界大戰以前，曾被用多元社會、複合經濟論等方式來解釋。可是依我有限的見識，從沒有看到任何對這種複合社會、複合經濟在戰後以及獨立後如何改變的優秀分析，真是可惜。就「華僑」來說，當然會有少數與居住國官僚勾結的「有錢華僑」。據我所知，這些人本來就不主張「華人特質」，也不忌憚以國際人自居。他們為了保護自己，也為了擴張經濟力，而與居住國的軍人、官僚勾結，自願成為腐敗結構的一部分。可是我無法接受把這一小撮人無限擴大的論調。何況日本企業進入時，需要的合作資本所有人、有管理能力者和技工，幾乎都要仰賴「華僑」社會供給。這就是存在於東南亞的特殊情況。

　　舉個例子來說，蘇哈托政權為了穩定政權，不能不與大企業攜手合作。可以想見那些合作的「華僑」（姑且不問這些人的心理）不論是在蘇卡諾時代，還是面對現在的反蘇哈托勢力，都必須給予所有主要政治勢力政治獻金，儘管金額多寡不一。否則照當今的情況，那些人是活不下去的。然而這麼做就變成了惡性循環的一部分，招致民眾厭惡。這等於是自願去支撐瀧田先生所說的腐敗結構，要從裡面掙脫並不容易。後來在暴動中遇害的其實都是雜貨店之類的小店老闆，是無力僱用保鏢的「小魚」，硬被拉出來當代罪羔羊。付得起保鏢費用，或與官方勾結的一小撮「惡徒」都躲得遠遠的，看不到影子。付不起保鏢費的人只因為些許瑣事，就被當成排擠的對象，更有不少淪為原住民的出氣筒。以此次事件來說，印尼青年和「華僑」青年只是稍微的摩擦，就立刻被利用做為燎原的「火種」，真的很可怕。我擔心印尼社會已經形成一種風氣，認為攻擊「華僑」不再是罪過，不只是在法律上，在道德上也不被責怪。

　　如果「華僑」真的掌握了經濟，我們就應該更深入去研究他們在印尼或馬來西亞經濟結構中占有的位置和關聯，做出完整的統計，從長期的觀點去研擬政策，再去徹底改革國民所得重分配結構中，因明顯的人種、民族差異產生的複合式社會經濟弊害。

連新加坡的華人系資本都不到兩成

　　新加坡是占盡便宜的唯一例外，其他國家的「華僑」處境愈差，李光耀政權就愈穩定。不只是在新加坡，在整個東南亞，可

以說中等階層以上的「華僑」都支持李政權。由於他們有形無形的支持，即使新加坡施行的政策非常法西斯也沒有關係。新加坡沒有正常的工會運動，共產黨是不合法的，而且有完善的官僚體制，英國時代的間接統治也培育出下級官僚，如同日本和台灣以前的關係。日本也曾經把台灣農業納為日本資本主義的一環，在農業方面培養了很多人才，台灣在戰後因此有非常快速的農業復興。

如同當局自己表明的，在新加坡的總資本中，真正有在運轉的地方資本，亦即華人系新加坡人的資本，連兩成都不到，其他八成都是外國資本。因此刻薄的外國評論家偏激地說，李政權不過是多國企業的看門狗。新加坡的政局穩定，是以「華僑」為主的商業都市國家及觀光都市國家，連這裡的「華僑」蓄積的資金和資本活動都只有這等程度，「華僑」又如何在其他國家掌控經濟呢？這是我百思不解的。

無農地改革就難以改變東南亞社會的經濟結構

如果說因為沒有中產階級，才會讓人有這種幻覺，那我可以同意。但是輕率地認為「華僑」掌控經濟就大有問題了。舉例來說，「華僑」不可能單獨掌控印尼的石油。傳統上確實是由「華僑」在支撐只有村落水準的流通經濟，不，他們在殖民地體制下甚至有被迫支撐的一面。我們也不要忘了，當地人信任、依賴他們，他們才得以生存的事實。只要有支撐他們的居住國土壤，亦即社會經濟結構繼續存在，這種「偏頗性」就無法克服。當然當

地的政權領袖極力想要把那些國有化、印尼化，但如果只是寫寫官樣文章，紙上談兵，採取下達法令的姑息形式，好像要去撿拾水流中的「石頭」，卻不想沾濕手，結果是不會改變的。也許東南亞已經錯過了農地改革的時機。不實施農地改革，東南亞的社會經濟結構就很難改變。光靠工業化這條路是很困難的。

拉雜講了這麼多話，真是抱歉。

問與答

「中國出生」的「日僑」問題

瀧田：日本人都不太了解中國國內法問題。中國以外國的國內法弄清楚國籍問題，確定了不能有雙重國籍的原則，又要如何整理與許多國家的國籍關係呢？

戴國煇（以下簡稱戴）：這大概就要由雙方締結協定，決定細則了。

瀧田：如果對方國家有明確的相關統計和紀錄就很好，但如果該國的行政能力或官府機構不夠充實，連誰住在哪裡都不知道，問題就會很困難吧。

戴：是的，的確如此。可是像以往般的政策營運是不行的。制定出法律出來終究是一種進步，雖然可能不太完整。不足的地方以後再慢慢補正就好了。這是我個人的想法。

請讓我再補充一點。中國東北部（舊滿洲）有日本戰爭孤兒的問題。同樣都是戰爭造成的悲劇，這方面是不是可以暫時想成

是「中國出生」的「日僑」問題？這些人不會說日語，生活方式與意識完全和中國人一樣，據說他們有時以日本人＝外國人而受到優待，在文革期間被當成「間諜」，令人心痛。老實說，身為旅日中國人，我對他們的遭遇感到羞恥。而特別待遇通常隱藏著「歧視」。思念「記憶中的母國」是值得同情的。我認為這個問題應該要本著人道關懷和新國籍法，由中日兩國盡快確定他們的法律地位，給予妥善處置，讓他們可以過著正常的公民生活。從中國內政著手解決「華僑」問題，可以做為處理戰爭孤兒或西藏等少數民族問題的參考。

「華僑」資本難以轉成產業資本的背景

　　編輯部（脇田）：五年前某大學有個老師去泰國時，曾與泰國的華僑大亨談話。這個華僑說他很歡迎日本的資本和技術，自己也有不少資金，但因為政治不穩定，所以錢都存在香港。那個老師就問他，怎麼不投資在泰國的工業上？他回答說不行。從事流通業，也投資工業的華僑真的屈指可數嗎？

　　戴：新加坡終於開始萌芽，當地資本開始採取產業資本的行為而在增加力量了。最近以野村證券等機構為首的金融、銀行資本都在研究華僑問題，與您所說的不無關係。也就是說日本參與其中，想要將「華僑」資金變成資本。不過有一個無論如何都不能疏忽的問題，就是「華僑」所處的政治社會情況一直都不穩定。有一種說法認為「華僑」資本無法從商人、商業資本轉成產業資本，或固步自封停留於商人、商業資本的情況是「中國人」

的民族屬性，可是我認為這是不對的，應該要注意到「華僑」資本所處的投資環境惡劣這個因素。我要告訴大家一個印尼華人的情況。他取得印尼國籍後，努力經營紡織業，卻在九三〇事件的反「華僑」暴動中遭到攻擊，工廠被破壞得亂七八糟。儘管他換了國籍，試圖在蘇卡諾政權的支持下為工業化貢獻己力，所有努力卻在一夜之間化為烏有。這種「悲劇」例子實在太多了，因為風險太高，華僑的資金才無法變成產業資本。

這裡還有另一個面向，就是許多華僑因為歷史因素，經營企業是以運用自己的資產為主。我們看資本主義式的日本企業經營，好像在玩遊戲。經營者都是僱用來的老大，不是空降就是從小職員爬上去的高級主管。掌握權力後，閒不下來、想做一點事，同時又能享受公司讓他玩遊戲的閒情。如果是運用自己的資產，就不能玩遊戲了，因為會恐懼。資本和經營不分開的情況在「華僑」企業中確實很多。以運用資產為主的企業占多數是一般「華僑」資本的特性，這一點或許可以說真的很特別。

瀧田：今天非常感謝您。

【附錄】
中華人民共和國國籍法

1980年9月10日第五屆全國人民代表大會第三次會議通過。

第一條　中華人民共和國國籍的取得、喪失和恢復，都適用本法。

第二條　中華人民共和國是統一的多民族的國家，各民族的人都具有中國國籍。

第三條　中華人民共和國不承認中國公民具有雙重國籍。

第四條　父母雙方或一方為中國公民，本人出生在中國，具有中國國籍。

第五條　父母雙方或一方為中國公民，本人出生在外國，具有中國國籍；但父母雙方或一方為中國公民並定居在外國，本人出生時即具有外國國籍的，不具有中國國籍。

第六條　父母無國籍或國籍不明，定居在中國，本人出生在中國，具有中國國籍。

第七條　外國人或無國籍人，願意遵守中國憲法和法律，並具有下列條件之一的，可以經申請批准加入中國國籍：

一、中國人的近親屬；

二、定居在中國的；

三、有其他正當理由。

第八條　申請加入中國國籍獲得批准的，即取得中國國籍；被批准加入中國國籍的，不得再保留外國國籍。

第九條　定居外國的中國公民，自願加入或取得外國國籍的，即自動喪失中國國籍。

第十條　中國公民具有下列條件之一的，可以經申請批准退出中國國籍：

一、外國人的近親屬；

二、定居在外國的；

三、有其他正當理由。

第十一條　申請退出中國國籍獲得批准的，即喪失中國國籍。

第十二條　國家工作人員和現役軍人，不得退出中國國籍。

第十三條　曾有過中國國籍的外國人，具有正當理由，可以申請恢復中國國籍；被批准恢復中國國籍的，不得再保留外國國籍。

第十四條　中國國籍的取得、喪失和恢復，除第九條規定的以外，必須辦理申請手續。未滿十八周歲的人，可由其父母或其他法定代理人代為辦理申請。

第十五條　受理國籍申請的機關，在國內為當地市、縣公安局，在國外為中國外交代表機關和領事機關。

第十六條　加入、退出和恢復中國國籍的申請，由中華人民共和國公安部審批。經批准的，由公安部發給證書。

第十七條　本法公布前，已經取得中國國籍的或已經喪失中國國籍的，繼續有效。

第十八條　本法自公布之日起施行。

本文原刊於《アジアと日本》第86號，東京：アジア社會問題研究所，1981年2月，頁4～27

輯二

從日本看華僑

華僑與日僑

◎ 莫海君・彭春陽譯

　　中南半島的難民問題發生不久後，日本的媒體便不再不分青紅皂白地，一律將華僑稱為華商了。不過，我真是覺得這是可喜的現象。

　　大家都知道華僑當中確有華商，但多數的華人卻並非商人，因此以華商做為華僑的代名詞，其實是不正確的。

　　我把相關情況與「華僑」內部的生活情感，寫在這次所出版的《華僑──從「落葉歸根」到「落地生根」的苦悶與矛盾》（研文出版）一書中。在此書中我指出之前的華僑，只要情況許可，現在多數的人都已取得居住國的國籍，並稱自己是○○籍華人（例如，美國的話就是美籍華人，印尼的話就是印尼籍華人），而不再稱自己為華僑（僑指的是僑居，有暫住、出外掙錢的含意。但一般來說，現在已經定義為那些仍保有中國國籍，由於個人因素需長期留滯外國的人）了。

　　很慶幸拙著能得到共鳴，並在短短的時間內再版。在得到讀者共鳴的同時，當然也會出現批判的聲音。

　　某讀者便提出了嚴厲的質問：「不是以靜態而是從動態面來

掌握華僑的生活方式，這個嘗試很好。我可以理解您是以是否仍持有中國國籍，來做為區分華僑與華人的基準。但是，人類的本性並不會因為國籍的喪失與否而有所改變的不是嗎？而您又是如何看待不會改變的那個部分呢？」

筆者非常幸運，能遇到如此優秀的讀者。針對上述的問題，第一，我想指出的是，就我所知華人這個稱謂，是原本的華僑在第二次世界大戰後，為了讓自己能適應周遭的居住環境以及國際環境，努力證明自己「實際存在」的結果，不但如此，他們還將自我的不安或是願望寄託在華人這個概念中。例如，美國的「全美華人協會」。該會會長乃諾貝爾物理學獎得主楊振寧博士，英文會名為National Association of Chinese-Americans（NACA）。

讓我以「在美日本人」來做為例子好了，這或許會比較容易理解事情的原委及邏輯。

眾所周知，由於排斥日本人的緣故，美國有一段時間並不允許日本移民（也就是所謂的第一代）歸化為美國籍（直到1952年頒布移民歸化法後才解禁）。在這段期間，第一代們都稱自己為在美日本人。

後來隨著移民歸化法的公布與實施，幾乎所有的第一代都取得美國國籍。利用這個契機，他們遂將一直以來的自稱──「在美日本人」改成了「日裔美國人」（Japanese-Americans）。於是先前代表第一代的組織＝日本人會（Japanese Association）的影響力也日益薄弱，據說目前最火紅的組織就是日裔公民協會（Japanese-American Citizens League＝JACL）。

換句話說，日裔美國人的稱呼也跟華僑的情形相同，是由原

先的在美日本人（日僑）以及其後裔，為找到自己在美國生活中
的定位，在其過程中激發出對自我的省思與定義，最後所創造出
的產物。

　　儘管「日裔美國人」這個稱呼聽來還是有些不習慣，不過
今年度（1981年）的春季授勳名單（《日本經濟新聞》4月29
日），倒是已經將範疇擴大到了日裔外國人。日裔外國人當中，
除了最廣為人知的日裔美國人之外，也包括了日裔烏拉圭人、日
裔巴西人等等。

　　另外，為了跟日裔外國人做一區隔，於是那些仍保有日本國
籍，但長期居住在外國的獲勳者，便被稱之為「在外邦人（在外
國的國人）」（《讀賣新聞》4月29日）。

　　只要跟華僑的情況做一比擬，日僑們便能明白已經到了必須
將日僑區分成在外邦人（相當於華僑）與日裔外國人（相當於
○○籍華人）的時機點了。不，其實他們早就知道該這麼做了，
只不過對日本人而言的「日僑」問題，並不如對中國人而言的
「華僑」問題來得嚴重，因此才一直都沒放在心上。

　　接著，我要針對就算國籍改變，也不會輕易改變的部分
來做說明，不會改變的那部分，我想用「種族性」（ethnicity
＝人種、民族所擁有的語言、傳統、宗教、生活型態、生活感
情、文化等的屬性）來表示。套用在中國人身上的話，便是
Chineseness，也就是中國人特質，不過，因為是屬於文化、社會
層面的概念，所以我希望能避開「中國」當中的「國」這個字，
於是便創造了「華人性」〔《全集》統一譯為中華人特質〕一
詞。如果套用在日本人身上，我想用Japanitude（日本人特質）這

個詞來表示，應該會是不錯的選擇。

　　人們掙脫「朕即國家」的桎梏獲得自由，在主權在民的新的法意識下，基本人權漸漸得以伸張。並且可以本於自我意志，脫離原有國籍，自由選擇新的居住國國籍。國籍的改變，所改變的不過是關係者在政治及法律方面的歸屬，並不具其他的意義。

　　為了使人在精神上能夠不受壓抑，活得更有尊嚴，民族特性絕不應該輕易地被歸屬於政治、法律之下。然而遺憾的是，大多數人卻無法明白如此淺顯易懂的道理。

　　　　本文原刊於《東亞》第169號，東京：財団法人霞山会，1981年7月，頁5～7

移民後裔的祖國
——美國的「日僑」與「華僑」的生活方式

◎ 莫海君・彭春陽譯

　　取得美國公民權・國籍之後，還能繼續當個日本人或是中國人嗎？對移民而言，父祖輩的國家歷史與傳統文化，究竟具有什麼樣的意義？

從春季授勳談起

　　依慣例舉行的春季與秋季授勳，分別在4月29日及11月3日的早報公布受獎名單。不論是春季還是秋季，都是表揚生存者的儀式，說跟我們「華僑」（泛指仍保有中國國籍的華僑，或已經歸化居住國國籍的華人）八竿子打不著還真是一點都不誇張。

　　不過，今年春天倒是跟往年有些不同。

　　四月中旬，曾在東京大學留學過的劉先生從故鄉台灣來到日本。為了歡迎他，客居東京出身台灣的客家（漢民族中的一支）鄉親們特別舉辦了一場小小的聚會。宴席上正好觸及這個話題，於是大家也就只好關心起春季授勳的新聞來了。

　　酒宴方酣之際，主賓開了口：「戴君，台北Q大樓的新書店

有賣你的新書耶。我在鄉下聽說你在那本書中，嚴詞批判的那名教授，好像剛過七十大壽……。他從東京大學退休後，成為名譽教授，我猜他應該會獲頒勳章吧。」云云。

乍聽到這突如其來的話題，還沒看過我《華僑》（研文出版）一書的部分朋友，都吃驚地睜大了眼。但過沒多久，有些人便恍然大悟了。會這個樣子，是因為目前當上東京大學名譽教授，又是台灣出身的客家人，除了他之外別無他人的緣故。

當天一早，劉前輩從飯店打了電話給我：「戴君，他的名字出現在勳三等旭日中綬章那一欄耶！不過，本籍寫的卻是東京……」

我立刻找來了報紙。對那位教授我是一點興趣也沒有，我關心的是最後那一欄。當天《讀賣新聞》的該欄是這樣記載的：

在外邦人

勳三等瑞寶章

西村計雄　71　洋畫家　法國

勳四等旭日小綬章

廣川郁三　70　前巴西日商會長　巴西（以下省略）

外國人

勳五等雙光旭日章

滋野甚一　70　前文化協會理事長　巴西

勳五等瑞寶章

久保田重遠　82　前日本人會長　烏拉圭

吉雄武　71　前學校連理事長　巴西（以下省略）

　　然而同一天的《日本經濟新聞》的該欄，則是以「在外居住者」取代了《讀賣》的「在外邦人」，同樣的，「外國人」則是以「日裔外國人」來表示。

　　雖然兩大報社的漢字標示有些不同，不過還是可以看出基本上他們將住在國外的「日本人」（請各位從社會面、文化面的角度來解讀）區分成了二大類。換句話說，所謂的「在外邦人」指的是還保有日本國籍的日本人，而已經取得居住國國籍成為公民的「日本人」，則被歸納為日裔外國人。

　　這樣的區分方式，究竟是始於何時，又是因誰而起呢？關於這點，目前我並無多餘的時間去做調查。不過，能發現日本國內也是用這種分類方式來區別在外「日本人」，實在是一個重大的收穫。

全人類的大視野與「華僑」問題

　　這十年來，筆者以日本人為主要對象，用日文闡述「華僑」問題。有些人對我不成熟的論點相當包容。

　　不過相對的，也有人暗中批評我，說些「還不是因為戴某是中國人的關係，所以他才會專門替華僑辯護」之類中傷我的言論。

　　對於我所寫過的評論，我從未否認這些全基於我的「特異」，以及我「私」的生活方式與經驗。不，應該說是正因為與兩者息息相關，因此筆者才會經常自我勉勵，必須要寫出與其有深厚關聯的真實評論，現在的我更是以此感到自負。

　　同時，我也自我警惕，千萬不能拘泥於「中國」、「中國人意識」，更不能讓自己墮落到成為低層次的「華僑」辯護論者。

　　我僅針對「華僑」這樣的個別問題，來探討它與人類普遍價值之間的關聯性罷了。

　　或許我的說法有些冒昧，不過我一向就是以全人類的視野，以及全球性的規模來檢視人類在肉體及精神層面所遭受到不當的壓抑和痛苦，並且尋求「社會正義」及「人類救贖」（當然也包含了個人的救贖）之道。我一直以來都採取、追求這樣的方法。對於這樣的作為，我感到無上的喜悅與驕傲，遂有了想要記錄下來的念頭。

　　因此，儘管我的能力仍有不足之處，但在探討「華僑」問題時，還是希望能試著與猶太人問題、美國的黑人問題、非洲所謂的英國籍亞洲人（簡單的說，就是非洲的印僑）問題、旅外——尤其是美洲大陸的日裔問題，乃至於在日朝鮮人問題重疊，而且也試著從其與世界史結構相關聯之中，挖掘出問題的本質。

　　不過在日本這個國家，對一般民眾來說，猶太人、黑人一直是「無關痛癢的存在」，因此拿他們來做類比似乎沒有明顯的效果。至於非洲的「印僑」問題，那就更為遙遠了。就算我不說大家也很明白才對。而對於有關在日朝鮮人問題這一部分的「解剖」，由於我個人的能力不足，恐怕還要給我一點時間。

　　陷入困境的我，終於想到了一個針對日本賢達能切入「華僑」問題以接近的最好「媒介」，即在美日裔問題。

與返美日裔第二代的對話

　　兩次訪美（詳細內容請參考拙著《台灣與台灣人》、《華僑》）時，我在拜訪「華僑」社會的同時，對於日裔社會也產生了興趣，試著去接近，並將兩者相互比較來進行研究。

　　1977年3月的某日，在洛杉磯小東京的一家日語專門書店，一場愉快的「邂逅」，讓我至今難忘。

　　當我爬上階梯，試著從最上層開始專心尋找二次大戰前所出版的眾多日語舊書時，一位有點年紀、看起來像是日裔的男子在後頭注視著我。

　　就在我走到櫃檯正準備付帳時，有個人操著英國腔調、還算流利的日語問我說：「您是從東京來的嗎？⋯⋯為什麼會特地跑到洛杉磯來買舊書呢？」問我的人正是剛剛那位有點年紀的男子，後來他對我做自我介紹，說他姓高橋，畢業於東京某私立大學，是所謂的返美日裔二代（按照父母的期望，回到日本接受日本教育，之後再度返回美國的日裔第二代）。

　　「是的，我來自東京，這些珍貴的舊書——白井光太郎著《本草學論考》〔《本草学論攷》〕、田中忠雄著《支那經濟的崩壞過程與方法論》〔《支那經濟の崩壞過程と方法論》〕、片岡直溫著《大正昭和政治史的剖面》〔《大正昭和政治史の斷面》〕，以及杉捷夫譯《法國唯物論哲學》〔《フランス唯物論哲學》〕等——在東京實在不太容易買得到，所以⋯⋯那您呢，高橋先生為什麼會來買這本日本農民曆及《易經》相關的《運命寶鑑》⋯⋯？」我反問他。

　　高橋接過我遞過去的名片，邊看邊回說：「原來戴教授是農學博士啊。請您看看我的手。我除了是農夫，還是個園藝家。這本日本農民曆很好用。當我以日本人的身分，想查查年節例事的日子時，就可以派上用場了。」

　　我想兩人聊得還滿投機的，於是便邀高橋先生去咖啡廳坐一坐。

　　「剛剛您提到以日本人的身分來查年節例事的日子，可以請教您為什麼會特別強調『日本人』這三個字嗎？您應該是在美國出生的吧。所以按理來說，您應該是美國公民才對呀……」

　　「喔喔……我懂了。戴博士是對為什麼我不稱自己為日裔，而是日本人感到興趣吧。」

　　「沒錯。」

　　「第一代以及我們這種還會說日本話的第二代，在平常談話中稱自己為『日本人』是很普遍的現象。有趣的是，當我們和從日本來的遊客、留學生，或是公司的派駐員交談時，又會稱自己為日裔，以和來自日本的人區別。」

　　「那麼，日語的文字表達又是如何呢？」

　　「就拿當地的日系報《羅府新報》來說吧，還是有將日裔和日本人做區分。」

　　「這是從何時開始的？」

　　「我想想……，應該是從1952、1953年之後吧。」

　　「也就是在瓦特・麥卡倫（Walter McCarran）制訂的新移民歸化法（於1952年通過，同法除了同意再開放來自日本的移民，也將給予尚未取得歸化許可的第一代歸化權）之後嗎？」

「對啊……沒錯、沒錯。這麼說來，是在法律頒布之後，才開始有這種說法的。」

「那麼，是不是有資格拿歸化權的第一代（舊移民的生存者），全都歸化為美國籍了呢？」

「正確的統計數字我並不是很清楚。據說整個日裔社會，估計約有三分之二提出歸化申請，取得了公民身分，而剩下的三分之一則未歸化，依然保有著日本國籍。」

「沒歸化的理由是……」

「理由有很多種。到現在仍有人像我認識的一位老先生一樣，非常頑固地認為自己來日不多，現在才要歸化已經沒有意義了。也有一些人無法忘懷當時在強制收容所時的不愉快經驗，因而變得非常討厭白人。還有一些人則是覺得手續很麻煩，因此不願意申請獲取公民權……，大體而言，第一代由於老人居多，老爺爺們基於民族情感，希望終其一生都以『純日本人』的身分自居，這樣的心情我們是可以體會的。」

「二次大戰結束之後，日美關係變得非常良好，只要擁有永久居留權，即使是沒有公民權，其實對於生活上來說，並沒有太大的差異。這或許也是不願意歸化的另外一個理由，也許應該說是外在原因吧。」

「您說的一點都沒錯。日美關係不好的話，管你有沒有公民權，都會一律被視為『日本人』而受到欺侮。第二次世界大戰時，只要具有八分之一以上日本血統的人，都會被當作是『日本人』，被送往強制收容所……真的是很亂來！」

華僑與日本第一代移民

　　筆者從與高橋先生的對話中學到了許多。第一代移民（這些人與「華僑」原始的定義是一致的）當中，有人依然保有日本國籍。這樣的情形在華僑社會中也很常見。不同的是，戰後的日本與日本第一代移民的居住國——以美國為首的國家——關係極為良好，相對的，華僑的祖國——中國大陸——與華僑的居住國之間的關係則未必融洽。而這種不融洽、不正常的國家關係，加上中國大陸的赤化所產生的警戒心、曲解、偏見、猜忌等等，在在都升高了華僑與當地居民之間的緊張及摩擦。

　　第二次世界大戰中，美國當局將擁有八分之一以上「日本血統」的人視為日本人，不論這些人擁有的是什麼樣的國籍，一律認定他們有可能成為「日本帝國的第五縱隊（間諜）」，因而強行帶往強制收容所。

　　當時與日本締結為三國同盟，同屬軸心國的德國、義大利兩國居住在美國的移民，無論是否擁有公民權，都沒有被送往收容所。從這點來看，將日本人、日裔送往強制收容所這件事，明顯屬於人種歧視，不但如此，還進而將「血統」無限上綱，擴大至「政治」層面，說這是愚昧的政策一點也不為過。

　　第二次世界大戰後，東南亞各國頻頻發生排華運動，「華僑」受到壓迫及屠殺，這些悲劇的形成，與前述美國的日本人、日裔強制收容政策，幾乎是同出一轍，沒有太大的差別。

　　由於美國國籍法採行的是「屬地主義」（只要在本國領土內出生的小孩，都可取得國籍），因此按照法律規定，居住在美國

的「日本人」，除非有特殊狀況，否則從第二代以後都自動成為日裔美國人。而第一代移民當中歸化美國籍的人，依照法律，當然也應該被納入日裔美國人的範疇才對。

這麼一來，從二次大戰之前就定居在美國的「日本人」當中，就法律層面來看，只有極少數未歸化的第一代移民，才能被稱之為日本人（戰後才移居美國者暫時除外）。日語裡頭並沒有「日僑」這個詞彙，我覺得很遺憾，若將第一代日本移民叫作「日僑」，那麼「日僑」正在逐漸減少，不但同時代的多數第一代移民都已經日裔化，而且他們的後代日裔第二代、三代、四代、五代也都變成了日裔美國人。

他們內心的苦惱、喜悅，以及其他各種主觀意識，都會因為誕生世代、居住地區、所受教育、家庭環境等的不同，而有所差異。

筆者在前述的拙著當中，是以動態的概念來看待「華僑」社會，提出了華僑逐漸在減少，其後代試著要蛻變成為新生代華人的主張。也就是說，他們的生活原理從華僑＝落葉歸根（如同樹葉掉落後終究還是會回歸根部，出外工作的人秉持衣錦還鄉的念頭，終有一天要回歸故鄉的生活原理），轉變為華人＝落地生根（在當地生根，也就是融入居住國社會、政治的生活原理）。同時也試著去分析充滿在這整個過程當中的苦悶與矛盾。

從華僑轉變為華人的這條路，正與住在美國的日僑自我蛻變為日裔美國人的過程相當。

我認為實際上在美國，日本人是先從原本的Ｊａｐ變成Japanese，然後再逐漸轉變成Japanese-American，這樣的看法應

該沒有錯才對。

　　儘管中美關係的歷史發展與日美關係有著很大的不同，但是旅美華僑也有著幾乎相同的蛻變過程。也就是先從Chink變成China Men（兩者皆為歧視用語），然後是Chinese，最後才成為Chinese-American。

　　眾所周知，美國人種歧視的那面牆，至今仍是又厚又高。加上了短橫線（hyphen）的美國人，還有一直到今天都在試著替自己定位的日裔美國人以及華人系美國人，他們真的能夠順利融入美國這個「民族大熔爐」裡，或是能夠讓自己成為「馬賽克社會」裡不可或缺的那一片嗎？答案當然是否定的。

　　一般而言，日裔比華人有更強烈的WASP（盎格魯撒克遜清教徒）同化指向。對於美國的政治社會所採取的態度和參與度，都較為顯著。直到近幾年前，華人社會都還流傳著「閒談政治」、「莫談國事」這樣自我警惕的警語。這陣子才開始出現從內部呼籲積極參與美國政治社會的聲音。

　　為什麼會有這樣的差異？我認為其一是因為二次大戰後的日美關係與中美關係截然不同所造成；其二是出於民族性的不同。向來講求以和為貴的日本人，與允許自我主張、認可個人主義價值的中國人，兩者之間的差異頗為懸殊。第三，則是對傳統文化的執著度，以及對自己與父祖輩所共有的「文化總體價值」之自信度有所不同。

　　日本人‧日裔當中有一部分的知識分子，是同化可能論者或是將同化視為最終理想的浪漫主義者，其實這樣的現象一點也不奇怪。直到現在，對於剛剛所提到的「加上短橫線的美國人」這

樣的稱呼依然持續存在著，他們還是會感到焦急不安，並將此視為嚴重問題，提出質疑。

而我所認識的華裔美國人當中的大部分知識分子，則有完全不同的見解。他們不但不認為加上了短橫線的稱謂是不好的，反而覺得正因為加上了短橫線，所以強調更能讓自己首肯信服。

換句話說，認可自己的出身背景——Chinese Origin，並稱自己是American of Chinese Ancestry（以中華人為祖先的美國人），有了以身為中國人為榮的思維之後，他們才能夠以好的美國公民活躍於當地社會，他們坦然面對事實而如此主張。

中華人特質（Chineseness）

我想各位讀者一定都注意到了，很多原本應該要寫作「中國人」的地方，都被我改說或改寫成了各位所不常見的「中華人」或是Chinese。雖然，我並不是個無政府主義者，不過「中國人」這個漢字名詞，其中「國」這個字，給人的政治味和法律味實在太過強烈，因此我才會想要有條件的使用。

在《小學館Random house英和大辭典》〔《小学館ランダムハウス英和大辞典》〕當中，不論是「Japanese-American」（日裔美國人），還是「Chinese-American」（華人系美國人），都是由hyphenated U.S. citizen（加上短橫線的外籍裔美國人）所衍生出的用法。而在同樣的這本辭典中，對於加上短橫線的（外籍裔）的美國人的說明則是這樣的：「指那些雖持美國籍，但對之前的國籍卻仍保有忠誠心與愛國心的美國人」。

　　這個說明似乎與那些一方面大力支持明治10年以後急速竄升且定型化的日本國家主義、日本式的民族主義與日本國粹主義，一方面卻又赴美移居的第一代的一部分日本移民相當吻合。

　　不過，卻不適用在辛亥革命（1911年）以前，也就是近代中國成立前就已經出國的華僑第一代身上。我認為，一直要到九一八（滿洲事變，1931年）中國面臨最嚴重的局勢之後，中國人才真正開始有了近代的國家意識。

　　中國雖然是個歷史悠久的國家，但直到清末宣統元年（1909）才制訂國籍法，而且是一直到新中國成立後又經過30年的1980年9月10日才公布實施國籍法。中華民國的國籍法也是在這段期間制訂的，各位也都知道至今在台灣的國府仍在持續沿用這個法令。此即目前的現況。這也是為什麼在檢視華僑的國籍觀或是國家意識以及對中國的忠誠及愛國心時，必須要避開一般類推的緣故。要不至少也得從中國人的傳統國家觀來作全盤考量。對於向來把中國視為「chaos（希臘語，意指宇宙形成前的一片黑暗空間，接近於現代語中的『渾沌』）」的華僑來說，所謂「在忠誠心與愛國心這點對之前的國籍仍保有感情」，根本是難以理解的。儘管有一部分政治意識較高，而且對政治有高度熱忱的僑界知識分子，的確具有類似愛國心的意識，但多數老華僑有的其實是「鄉情」、「鄉心」、「鄉愁」等與「家鄉」緊緊相扣的愛鄉心情，這與歐美、日本所謂的愛國心是很不一樣的。

　　至於忠誠心的部分，與其說是對國家展現忠誠，倒不如說那是對綿延不絕的中華傳統文化的總體價值，所展現出的堅持與忠誠較為恰當。

　　按此邏輯，那麼置於短橫線美國人（hyphenated American）前面的Chinese這個字，其所蘊涵的具體意義則不在政治與法律層面，正確說來應當是文化與社會的概念才能合理解釋。

　　不用說，大多數「民族國家至上主義」的信徒，絕對無法輕易就接受我這種看法。

　　近來在探討華人今後的生存之道時，筆者一直試著想要另外導入民族主義與種族性的概念。我想把華人特有的種族性，稱為Chineseness（中華人特質）。

　　我所提出的Chineseness中華人特質，與力倡非洲解放運動的Negritude（黑人特質）、梅米（Albert Memmi）主張的Judeite（猶太人特質）、美國近來開始出現的Indianness（印地安人特質），以及法國等地所使用的Japonitude（日本人特質）的概念是同位概念。

　　我不否認，在第三世界的民族解放鬥爭中，民族主義仍有效。然而，民族主義卻帶來負面影響——由於閉鎖性、排他性、獨善性，使得原本具優勢的民族開始起了自我腐蝕作用，進而危害其他民族。而當原本受到統治的民族，在奪回歷史或是恢復政治與經濟實權方面有了形式上的斬獲後，竟轉而墮落至既褊狹又不實際，而且是獨善的、充滿人種主義色彩的民族主義裡頭，並且在自己國內造出的minority（少數派。大部分的人都只將重點放在人數上，但其實更重要的應該是包含社會遷徙受到阻礙的人們）加以迫害。這樣的事例在人類歷史上的確發生過不少。最近一個最廣為所知的案例，就屬越南所製造與輸出的難民問題。

　　然而，Chineseness的中心支柱又是什麼呢？第一，我認為是

對身為「中華人」血統繼承者的自我認知。在生物學的範疇裡，血統所代表的意義其實就只是一種事實呈現而已，而且在屬性上也不具有任何價值。而不容否認的是，我們並無法憑藉個人的意志，在事前選擇自己的出身，換句話說，只能聽任「命運」的安排。

　　第二，是與「中華人」的血緣相關，個人的「出生」、「遺傳」，加上身為某個家族的成員之一，且持續滯留在國內的話，就會自動成為中華民族這個民族的一分子。不，或許說是被納入的也不一定。無論如何，受到超越了個人意志的「宿命」（這是舊中國人所喜歡的語詞，通常我們將之視為負面用語，把它束之高閣，但我覺得應該要重新看待這個語詞，賦予它新的解釋）的影響而被納入「中華人」的一分子之後，便在中華悠遠歷史與文化傳統的影響之下，刻畫出做為一個人的生涯與年輪。結果，人們成為或是被迫成為了中華歷史、文化傳統的實踐者（即使是因為個人差異有著濃淡深淺之分）。

　　梅米在他寫的《歧視的結構》*〔《差別の構造》〕（白井〔成雄〕·菊地〔昌實〕合譯，頁40～41）書中指出，「Judeite（猶太人特質）指的是身為猶太人的事實以及猶太人式的處世態度。泛指從社會學、心理學、生物學、體驗、客觀等層面所形成的猶太人諸特性的總稱。也是猶太人在歸屬猶太世界（廣義來說指的是世界上的全體猶太人，狹義來說則是指在特定地理位置上一定的猶太人集團）與潛入非猶太世界同時生存的方式。」

＊　原外文書名：*L'homme dominé*。

　　筆者參照梅米的定義，也試著將中華人特質定調為「中華人特質指的是身為中華人的事實以及中華人式的處世態度。泛指從社會學、心理學、生物學、體驗、客觀等層面所形成的中華人諸特性的總體。也是華人在歸屬華人世界（廣義來說指的是祖國的中國人以及散居在全世界的所有華僑、華人，狹義來說則是指在特定地理位置上一定的華僑、華人集團）與參與非中華世界同時生存的生存方式。」

　　再說得更簡潔一點，也就是「華人的日常生活、既有制度以及文化、藝術上的呈現，也就是中華人世界的歷史、傳統、文化等諸價值的總和。」

　　無論如何，在Chineseness的概念當中，並不涵蓋做為「虛構」的國家，以及政治與法律層面的認同問題。唯有將社會、文化認同從政治、法律認同的附屬地位中抽離開來，並且激發出更甚於此層面的意識，才可能看到新的出口，讓「華僑」獲得新生之胎動。

與返美第三代華人的談話

　　與日裔返美第二代相提並論的話，那麼卓老先生應該要稱作返美第三代華人才對。

　　卓老先生是出生於祕魯的華人，同屬大戰前的有錢「華僑」，被家人送回廣東嶺南大學留學。當時正值「血氣方剛」的他，由於投入了抗日戰爭行列，因此畢業後並沒有立刻回到祕魯。

　　還來不及從「慘勝」中恢復元氣，國共內戰便緊鑼密鼓地展開。對於這樣悲哀的結果，他失望不已，加上不願成為兄弟鬩牆的「砲灰」，於是便逃到了香港。並於1950年代初期重返出生地祕魯。接著約莫過了三年左右，也把孩子們叫了回來。後來由於留學的緣故，孩子們又陸續踏上了加州的土地。

　　直到配偶過世，卓先生這才驚覺身邊的人幾乎都已經成了華人系美國人。尼克森訪問中國後（1973年春），一方面是孩子們的力勸，一方面則基於法律層面的考量，於是老先生便移居到了舊金山，當起了美國人的爺爺。

　　在緊鄰史丹佛大學的一處閒靜住宅裡，我與卓老先生有了以下的對話。

　　「聽說老先生上個月去了台灣一趟……」

　　「是啊，我堂弟是國民黨的軍人，在他的邀請下，這還是我頭一次去到台灣。」

　　「什麼是您此行最感興趣的？」

　　「故宮博物院，還有就是和一些老朋友的聚會了。當然，見到多年不見的親戚也很開心，不過……」

　　「有回到故鄉的感覺嗎……」

　　「完全沒有。我的家鄉在廣東鄉下，祖先的墳墓都在那裡。」

　　「那麼，您會想回廣東鄉下去看看嗎？」

　　「喔，當然會呀。我家鄉在文革時好像被整得很慘，不過我在香港的表弟寫信告訴我說，最近狀況已經漸漸改善了。再過不久，華府就要和北京方面建交了，我想等到時再回鄉去掃墓。」

「您認為台灣與大陸之間的發展會變得如何？」

「我想那只是遲早的問題。雙方早晚要好好坐下來談談的。這事實在鬧太久了。對我們『華僑』來說，真的是很傷腦筋的一件事。」

「您曾經從軍參加抗日戰爭是嗎？」

「沒錯。就某種層面來說，也正因為我曾經參戰，所以才會對國內政情或國民黨的內情更為熟悉。不過，中國政治與社會的亂象已經到了病入膏肓的地步，要等它好轉簡直就要有『百年河清』的心理準備。」

「您似乎相當關心台灣與中國的發展……」

「關心是關心，不過並不打算參與。而且遠水救不了近火。我們大部分的『華僑』幾乎都已經決定將自己目前所居住的國家，視為永住之地了。如此一來，歸化該國國籍不但是理所當然的目標，而且這麼做對於子孫今後的處世方面也會比較方便與愉快。只不過，我還是不希望他們把中華文化和祖先給忘了。」

「話是這麼說沒錯，但隨著時間的流逝，年輕人對於中國人意識不是會漸漸變得淡薄嗎？」

「的確是有這種傾向沒錯。不過，聽說受到尼克森訪問中國所掀起的中國熱，以及《根》（Roots，艾力克斯・哈雷的作品與電視影集）所帶來的影響，現在週末的華語補習班可說盛況空前呢。不但如此，聽說只會說英語的第三代、四代也開始結伴到台灣學語文或是到大陸進行尋『根』之旅了。中國若是能振作起來的話，年輕人一定會接受它的。不過，有幾件事我還是想提醒一下中國的政權執掌人以及當局相關者。想讓年輕人『認同』中

國以及『回歸』中國，但這裡說的中國並不是現在的中國政權。當然，對於少數的毛澤東奉行者而言則另當別論⋯⋯。應該讓他們自己對於中華文化、父祖的歷史與傳統產生歸屬感，並試著在當中找到自尊心與真正的踏實感。台灣海峽兩岸的政權執掌人對華僑的觀念仍停留在孫文階段的華僑觀，以『華僑為革命之母』的觀點來接觸我們的年輕世代根本是沒有用的，只會適得其反罷了。」

「您說的沒錯，不過，您是不是仍然希望中國能早日統一，變成一個強大的國家呢？」

「那是當然的。或許有人會批評我是投機主義者，不過我還是由衷盼望中國人抬頭挺胸，昂首闊步於世界大道的那一天能盡早到來，而且『華僑』就如同是嫁到別人家的新娘或是入贅到別人家的新郎，所以希望『娘家』變得富裕、娘家的人皆能幸福，不也是人之常情嗎？聽到東南亞有些當地的政治家用猜疑的眼光看待這樣的願望時，我真的感到相當難過。不過，由於他們仍處在困境之中，所以我能體會他們的心情。但是，絕不能假借娘家的威望而詆毀夫家的文化，或是做出擾亂夫家經濟的行為。這和做人處世的道理是一樣的，因為在夫家稍有不慎，或是發生齟齬，使得親戚關係面臨破裂危機的事是時有耳聞。希望大家都能謹記在心。」

離開時，卓老先生特地在便條紙上寫下兩句他喜愛的詩，送給我做為紀念：「三湘愁鬢逢秋色，萬里歸心對月明。」「鄉夢有時生枕上，客情終日在眉頭。」第一句的七言律詩，摘自元積的〈寄樂天〉，第二句則出自姚揆的〈穎州客舍〉。可說充分表

達了卓老先生，不，應該是老華人的思鄉情愁。

餘韻

　　回到東京之後，為了表達謝意，我特地以書法寫下張祜〈胡渭州〉當中的「鄉國不知何處是，雲山漫漫使人愁」寄送給他。那是在1978年12月16日傍晚，當我一聽到中美建交的消息，立刻著手寫下的。腦海中所浮現的是，連「祖國」長什麼樣子都不知道，只知道那是父祖「家鄉」的移民末裔，被異文化包夾的同時，還得摸索出自我認同的身影。

　　「心裡面的故鄉究竟在何方？雲、山和海，巍巍渺渺連成一片，我想覓尋靈魂的歸宿，看著眼前的景致，不禁令人感到憂愁與惶恐。」寫著寫著，我彷彿隱約聽到了日裔美國人、華人系美國人的心聲。

　　我在美國遇見的華人知識分子當中，有部分人相當狂妄自大，自認為是中華文化的傳播者，而濫用這一份使命感。在我看來，這些還跳脫不出「白髮三千丈」這種神話傳統的傢伙，只是在說大話罷了。

　　想想，其實只要中國還有十億人民，中華文化就不至滅絕。

　　華人們必須先確立自我的中華人特質，有了此體認之後，再試著去摸索、找出對自我的認同，並嘗試去確立自己活得像人的行為的一環，如此才能讓自己活得更有尊嚴。至於到底是不是傳播者或是繼承者，我認為就不是那麼重要了。

　　那些受到《根》的撼動，以及從精神分析家——艾利克生的

《民族同一性》一書中得到靈感的那些有心的日裔、華人系美國年輕人，其實一直嘗試著要串連起自己與父祖共有的固有歷史與傳統文化，同時也試著在這股洪流中，找到真正的自我。

他們各自在巨大的洪流中，回歸至真實的自我。並且重新選擇自己的「命運」。為了能夠成為優良的美國公民，為了做為美國馬賽克社會中不可或缺的那一片，他們在不「埋沒」其中的前提下，得盡力扮演好自己的角色，因此這樣的過程是絕對有必要的。這段無法抗拒的歷程想必一定充滿了辛酸與曲折，做為地球村的一員，我願在一旁寄予溫暖，默默守護。

本文原刊於《中央公論》第1142號，東京：中央公論社，1981年10月，頁258～268

圍繞華僑社會的諸問題

◎ 章澤儀譯

　　我開會時間前三分鐘才趕到，按禮數，應該提早20分鐘來才對，為此要先請各位多多海涵。另外，我雖然忙，但也沒有忙到像竹村健一那樣（笑），請大家放心吧。在講題開始之前，我要致上由衷的謝意。我本身是留學生的前輩，這種說法或許很怪，但我要以非日本裔的亞洲人立場向各位道謝，因為我們yellow brotherhood的留學生平日都是承蒙各位的關照。我在1955年秋天來到日本時，日本的大學還沒有任何接受外國留學生的制度，至少在我們留學生的眼中，只有早稻田大學還算有個像樣的制度，其它的完全是一塌糊塗。不過，當我聽說像今天這樣的研修會一直持續已經行之有年，我便認為日本會愈來愈進步，這是值得我們共同慶賀的。

我的華僑論

　　我很愛講話，興之所至常會偏離主題，有時會天南地北的胡扯，好像從大西洋跳到太平洋那樣，到時還請各位見諒。這是我

的壞習慣。遇到演講的請託，我總是用直覺來掌握該場合的宗旨，不會想得太多就答應，因此我今天也簡單的接受了。今天的講演預期目的為何，我在事前並沒有被告知，只有立教大學總長室室長高橋先生大致交待了事由，我就乖乖的來了。

　　讀過主辦單位送來的手冊後，我在電車上整理了幾個大方向：一是透過我這位留學生前輩的經驗，對各位的工作是否有幫助？二是試著掌握東南亞華裔、也就是如何考慮、掌握各位中國裔留學生的定位，輔以東南亞現狀的背景說明做介紹。不知各位意下如何。

　　我的「華僑論」雖不是個人的獨斷和偏見，但是褒者評以獨特，貶者則謂不明白說什麼，幸好能得到東南亞華人系留學生諸位，說「在日本有關華僑的書，戴老師的書最能說出我們的真實」。老王賣瓜不是一件好事，不過能得到這樣的評語，確實讓我鬆了一口氣。

　　明年〔1983〕，我將應邀到加州大學柏克萊分校的少數民族研究學部參與亞洲系美國人研究學科對國內政治的反映（Department of Ethnic Studies, Asian American Studies program）研究計畫。基於美國國內對越戰的反省和卡特政權下的人權外交對國內政治的反映，少數民族最密集的加州也開始關注亞裔人士的問題。當然，這個問題的重心在於日裔和中國裔，韓裔最近也增加了許多；此外，加州的菲律賓移民以農民占絕大多數，他們如今已取代了在外討生活的日本人和中國人農民在19世紀末到20世紀初所扮演的角色。為了替這項研究計畫建構新觀點，加州大學才找我去，所以我想，我所提出的別開生面問題和視角，也

滿不錯。

我的華僑論和既有的日本傳統華僑論非常不同。恕我失敬，日本教授們在研究華僑時，眼中只看見華僑，看不見華僑以外的存在，因而欠缺比較研究的觀點。舉例來說，把在日朝鮮人的問題和華僑問題拿來重疊在一起掌握，目前還沒有任何一位學者這麼做過。研究日裔美籍人者相當多，但這一批人幾乎完全不研究在日朝鮮人的問題，也不曾為此做過發言；針對華僑問題而發言的學者就更少了。說得好聽是禁欲，說得難聽就只是做挑剔細節的研究，見樹不見林，而且似乎也沒有學者拿著樹和樹相比，為它們找出森林裡的位置。沒有人以世界史的規模和角度去探討，也沒有橫向關聯，或是在同一個時代性裡綜合地、全球性地去掌握問題。只有在談研究架構時說應該從綜合性與全球性去掌握，實際上不容易做到。也許日本的「近代」保障了大學人的衣食溫飽，結果反而使人們怠惰了；研究已經極度分工，精細得讓人無法掌握問題也說不定。就「華僑」問題的關聯來說，我去美國兩次就是要藉著比較日裔美籍人與華人的生活方式來思考的觀點。

我也身處日本的學界之中，要是得罪了日本的學者，雖不致飯碗不保，但已經不怎麼受歡迎了。雖有少數學者不斷鼓勵我並表示歡迎，但保守派的學者大概都認為我是個令人不快的傢伙，只是嘴上不說罷了。這種檯面下的氣氛就給各位當作參考。話說回來，我在日本受學界關照長達27年，倒想把這些缺點說出來，當作報恩。我有個稍稍狡猾的想法：身為鄰居，日本要是行為不端，亞洲人可就困擾了。自辛亥革命以來，中國人一直致力要認真，無奈內部的力量不足，我認為必須借助外力。拿日本柔道的

精髓來比喻，就是假外力來嘗試自身內在的活性化、思圖改革、嘗試改善體質。這或許是一種夜郎自大，但我還是認為，提出不同的發想可以給日本人帶來刺激，讓日本社會在精神層面上更加豐富。這對日本的各位而言是一正面之舉，最終效益也將嘉惠於我們這些亞洲的鄰國友邦。因此敢於講出這些逆耳的話。剛才介紹說我在各種場合發言，其實我只是逕自承擔「惡」或「敵」的角色。絕不是我到處拚命賺「不義之財」哦。（笑）請各位體諒。

有關華僑與華僑社會

讓我們進入正題吧。我想先說說第一次來到日本的「華僑」系學生。華僑的概念在日本很混亂，常遭到曲解和誤解。語言是活的，也反映著意識，而日本人與亞洲人的感覺有落差，這一點單從教科書問題便可窺得。日本人為了避免在亞洲遭到孤立，為了提升國際化的程度，應該致力導正語言感覺的偏差才好。

回到華僑的概念與定義，《朝日新聞》和老師們都相當落後。這個意思指的並不是頭腦不好或學無長進，而是以日本「近代」或日本社會特有的規定性去看他者，用自己的升斗——量器；標準——去衡量他人時，如不能擴大自己的升斗，或不努力超越自己的升斗的歷史局限性，不經常反躬自省，是很難接近事實的。

說到這裡，我想起昨天在橫濱的一場會議。我也講了逆耳的話，有幸地當過外務大臣大來佐武郎先生，他發表了耐人尋味的

談話。他向一同出席的外務省東北亞課長小倉發問，日本法務省為何要使用「入境管理局」和「出入國管理令」等管控外國人的名稱。我心想哈哈……終於到此地步，大來先生總算注意到而感到高興。一個像日本這樣仰賴貿易的國家，在國際間的和平交流與友情中，透過經濟關係、貿易關係而短時間致富，歷史上並不多見。儘管如此日本至今仍存著管控外國人的想法，我覺得不大妙。當大來先生在議長席上講出這些意見時，我真覺得開心，就和今天來到這裡演講的心情一樣。日本的有心人終於到此地步，令人欣慰。

讓我稍微離題一下，各位不要只坐在受理留學生的大學窗口，最好也找機會和留學生一起到入國管理事務所的窗口去看看。最近在池袋日光城的新窗口非常整潔漂亮，比之前在品川的舊窗口要來得更平易近人，容易贏取外國人的友情。一開始就把這些到窗口來接洽的人視為管控對象，畢竟不是一件好事。我能想見，各位在大學的窗口接觸留學生時，必定抱持著私人的善意，但是法務機構中仍有被舊思維和行動模式所制約的人。幸好，這種狀況正在緩慢改善中。

回到正題。對於華僑，人們至今仍存著舊意識和舊觀點，不少學者像是一直佇立於過往的時間隧道內沒有活在現代，至今仍引用戰前的東南亞經驗，或是在中日的不幸關係下，把曾經參加過抗日運動的華僑，以滿鐵調查部和東亞研究所等國策機構所做的調查研究去敷衍，或者以那紀錄為基礎繼續撰寫這一類的報告、發表言論和講課，真是很糟糕。

關於華僑及華僑社會的演變過程，我怎麼努力地講也很難讓

各位理解。舉例來說，由於戰後日本使用漢字受限，意即當用漢字中沒有「僑」字，大眾傳播媒體就用華商來代稱華僑，這就讓我感到非常不妥，因為這個名詞很容易讓一般大眾誤以為凡華僑皆商人。事實上，已經有很多日本人都認定華僑皆經商，又覺得經商者往往靠賺取中間利益而致富等。人們只知道從東南亞來想像亞洲，卻不知道「華僑」社會中存在著政治家、律師、學者、技術人員、文學家、醫生等知識工作者，也有從事勞力工作的。我認為，這種觀念偏離事實太遠了。我的日本友人就有這種不得已的誤解。以美洲大陸的日裔問題為例，這對日本人應該是個切身問題，他們和「華僑」在某種意義是同樣的存在；此外，日本的「南韓・北韓人問題」也一樣是近旁的問題，卻從沒有學者把這兩個問題放在一起討論，令人遺憾。說到在日朝鮮人問題，年輕學生往往將之與民族・人種歧視的問題掛鉤而高唱反對論，這是自1970年代以來的學生的精神狀況，想必各位都了解。有趣的是，馬克思主義和意識形態的影響漸漸薄弱了。《資本論》不再暢銷，換成談民族，人種歧視的書暢銷起來了。於是儘管一邊有學生的這種精神狀況，而日本的一般社會卻避談朝鮮人的問題也是事實。也不想去思考，雖覺得對不起，但滿足於小家庭至上主義，不願意再面對任何費勁的事和壓力，這是社會一般的氣氛。

　　同樣，面對外國人，只要是白的就好，像我們這種膚色的不受歡迎。這就是日本一般的社會意識且根深柢固。如何翻動這非常堅硬的「土塊」，是一大課題。

　　日本人對「華僑」的了解，和上述的一般日本人的思考方式有關，那種意識也反映在語言上。新聞用語自然也不例外。華僑

一詞自有它的意義。語言背負著歷史性的重荷，在這層意義上，華僑就是歷史的產物。從歷史的觀點來看，被稱為華僑的這些人們為了生存而不得不選擇改變。人的性格和民族性一樣，有所變也有所不變的部分，但在某些情況下，人為了生存他們被迫改變自己。

例如曾經有一段時期，久居美國的日本人無法取得美國國籍。當時加州率先排斥中國人，接著日本移民也遭到排斥，第一代移民長期無法歸化美國籍，只有第二代、三代能夠循美國憲法來選擇國籍；這個現象一直到戰後，我記得是1950年代我這次大綱也提到的如〈移民後裔的祖國〉〔參見本冊〕中觸及的《麥卡倫─瓦特法》（McCarran-Walter Act，1952年12月24日生效）通過後，第一代移民才得以取得國籍。

於是，旅美日人（保有日本國籍者）選擇以美籍日裔公民，日裔美國人生存，成為可能，不少人選擇成為美國人。這一點並不奇怪。他們帶著日本人特質，就像我們說猶太人特質、中國人特質一樣。英文的「Chineseness」也可譯為中國人性，這是社會文化的概念，有著漢字的字感，我譯為「中華人特質」。關於這一點，我稍後補充。不論如何他們保持了Japonitude，當年的日裔美國人選擇了這樣的生存之道事不足為奇的。

語言學家早川〔雪〕就是一例。他接納自己的日本人特質和血統，卻以美國國民的身分成為國會參議員，在日、美發生摩擦時，往往也站在美國的立場發言。我記得他的母親就不屑取得美國國籍，而是回到山梨定居，早川先生返鄉時也一樣去探望她。這是人之常情，沒有什麼好奇怪的。

　　另外，夏威夷州長有吉先生應該算是日本移民的第二代，他讓自己的女兒到上智大學留學令她具備日本人特質，並且做為美國優良公民。我忘了在哪兒讀到，有吉先生的千金後來嫁給日本人。我認為這是一樁美事。

　　這一類的案例，日本人大多認為與自己無關的問題，因此排除在思考層面之外，也就是不去想它。相反的，日本人卻認為華僑就永遠是華僑，始終保持著中國籍的中國人。新加坡總理李光耀就常對外國記者表示，他們早就不是說中文的中國人了，應該叫作華人或華人系新加坡人。「中國人」的說法含有國家概念，「華人」則不具政治意味，而是一種文化概念，表示自己的歷史和背景中帶著「中華」的傳承。就身為人的意義而言，這也可說是一種命運的選擇。宿命是我們無法選擇自己的父母親，其結果，只有接受父母的血緣。我們生長在父母親組成的家庭，所以一直活在他們保有的歷史與社會背景中，逐漸接受宗教等文化性的社會習俗而成人。我認為，「血緣」的義涵應該就是這樣的。

　　不過，在以往的歷史經驗中，政客們卻故意賦予「血緣」政治性的意義，而加以政治性的利用。因此也造成許多不幸的歷史，我們都有共同的體驗。因此必須將此間的經緯在近代國家行使政治權力的關聯上從歷史的脈絡來探討它。然而在近代化的過程中，日本一直以歐洲的民族獨立國家為模範，積極地要成為「單一民族」國家，結果使得國民與國家完全契合的狀況以至今日，日本人民的觀念也因此難以跳脫這個「框框」。簡單的說，就是往往以自己的格局（升或尺）去揣測他人。以己度人原是人之常情，不過，這量杯或者尺，非常舊，當作古董很好。再者以

同一量杯喝酒，舔鹽巴或許是最佳情況，我喜歡在新宿鬧區以量杯喝酒。可是，如果那個量尺，像中國又髒又臭的纏腳布，是根本無法測量現狀，距離時代精神非常遙遠的量杯或尺的話呢，怎麼辦？我認為，重新審視問題，自己製造量杯或尺，使它成為國際可以通行的東西，才是當務之急。這也是我今天要提出的第一個問題。

再舉一個例子：假設有個來自馬來西亞地區的留學生，用帶著一點兒腔調的英文打電話來詢問，這個人極可能是黑種人、黃種人或至少是帶有中國裔即華人系血統的。我想各位在平日的工作上一定時常遇到這樣的情況。然而，即使是在華人系之間也有意識相當不同的，受華文教育者在思想上會和受英語等語言教育者意識截然不同。不論如何，在華人系留學生中，除非是特殊背景，否則到日本來留學的人有八成是在東南亞當地出生的年輕人。

馬來西亞又讓我想到另一種情況。以日裔美國人為例，因為美國是移民國家，以美國式的思維，尤其是憲法精神及法律觀念其第二、三、四代是日裔美國人；同樣的，出生在馬來西亞的華人留學生就和馬來西亞人無異，我們應該將他們定位為華人系馬來西亞人。我有三個孩子，都在日本出生，生活上都說日語。由於沒有教他們說中文，而他們在學校已經學了英語和法語，所以打算將來進大學去學中文，這是我和我太太討論後決定的教育方針。依日本現行的國籍規定，我們夫婦都有中國國籍，我們生的孩子就永遠都是中國人，除非他們去辦理「歸化」手續。三個孩子中只有二兒子曾到法國的寄宿家庭去遊學，其他兩個打從出生

就沒有離開過日本，不過，目前的日本法律完全不把他們這10年以至20年的居住期考慮在內。

即使在人造衛星滿天飛的20世紀末，有這種思維的社會可說除了日本以外幾乎沒有，在先進國家也非常少。「華僑」系留學生之間存在著各種不同的「內情」、意識形態和語言問題等等。這是我要提出的第二個問題點。

日本是個非常均質或者同質的社會，這種同質性高社會容易凝聚向心力，可以繼續其獨特的高效率，具有近代化且容易管理等優點。但在我看來，日本絕不是單一民族國家。我從二十多年前就一直這麼主張。打從沖繩回歸引發紛爭的時期開始，我便因此而受到部分人士批評，指責是反動的中華思想分子。我從未反對沖繩回歸日本，但琉球民族和其王國的歷史存在為何硬要和大和民族視為同一來談。大和民族、琉球民族、愛奴民族，在其上位概念有日本民族，為何不能有這種發想？這是我的疑問。人們怎麼能夠忽視琉球王國的存在？不可能的。我至今仍然認為，我們不必硬要將它們黏在一起。

一直到最近幾年，日本的革新政黨才開始有人把愛奴人視為少數民族。連革新政黨都只是這個程度，可見在這個國家，不論左右派，人們是如何地認為日本民族是單一民族。殊不知，這世上根本就不存在單一民族的國家，日本人卻深信不疑。不光是平民大眾，就連相當前衛的學者也是如此。在日本民族中，少數民族的比例可說不高，自從琉球處分（自1872年設置琉球藩至1879年廢藩、設置沖繩縣的明治政府一連串措施的總稱），沖繩人口已經外流了100萬人，據說現在只剩100萬人；愛奴人或鄂倫春族

的人口也正在減少。不過，就因為這種趨勢，我們就能說日本民族是純粹的單一民族嗎？我認為不能。接納少數民族的存在，應該是民主主義的第一步，因為這牽涉到尊重少數人的意志。

當然，這種錯誤認知的責任並不只在日本人身上。我曾在日本的華僑社會和中國人社會演講。有一天，當我講到漢民族是長久混血而成的民族時，當場有聽眾罵我叛徒。就事實而言，漢民族並不是個純種的民族，而是個「雜種」〔譯註：此處為行文之故例外譯為此，《全集》統一譯為「混種」〕民族，偏偏在中文裡，「雜種」一詞是用來罵人、貶低人的。（中國）有你是「雜種」的罵人用詞。

單就遺傳學的觀點，混種反而能產生更佳且優異的生物。文化也是如此。各位，你們為什麼接受留學生？在前一個國會為什麼要制定法律，要求國公立大學聘用外國籍教授？是因為對外國人特別寬大嗎？我不這麼認為。這些現象表示，愈來愈多的日本人開始注意到對新文化的創造比較有效之故。

美國的活力是從哪兒來的？美國國內也有黑人問題，種族歧視也嚴重得令人不舒服，人種歧視雖強但種族的多樣性卻造就了這股活力的迸發。這一點值得我們重新審視。

因此，日本人也應該客觀且具體地接納自己內部的多元性、多樣性、異質性在其歷史的關聯當作事實接受去習慣它，我想就會從內部開始邁向真正的國際化。廣義的日本民族（不是狹義的大和民族）是有可能再度激發民族活力。這是我衷心的期盼。

1973年，我和長洲〔一二〕及堀田善衛等人在平凡社合出了一本書。該書由名古屋《中日新聞》的「討論·1970年代之睿

智」對談系列（1972年1月～1973年2月）的專欄文章所集結而成，而這個專欄係由當時文化版主筆三浦昇先生企畫，自1972年1月起連載了一年。書名是我訂的，序文也是我寫的，名為「討論日本之中的亞洲」。出版社當時嚇了一跳，因為「世界之中的亞洲」、「世界之中的日本」或「亞洲之中的日本」之類的書名才符合常識。

我在當時說過的事，最近才有人開始討論。昨天的橫濱座談會就是如此。日本與會者在會中討論到，真正的國際化必須由日本人、從自身做起。前述的書出版時，討論的並不是日本在亞洲扮演的角色問題，而是指出日本國內的亞洲問題。日本內部的異質性、愛奴人、沖繩人、在日韓國人、在日亞裔人等等問題都與日本民眾切身相關，唯有將之視為自己的問題，重新去了解，才能真正架構起日本對外平順關係的前提條件。

基於這些想法，我起了那樣的書名，可惜的是，該書的問世在年代上太早了一點。平凡社很不會賣單行本，而那本書雖然激發了非常多書評（據說平凡社的業績那時起就不好），卻沒有再版。當時堀田先生在書中曾預言，日本的這種情況要是繼續發展下去，遲早在亞洲會成為過街老鼠，人人喊打。

實不相瞞，有位霞關的朋友問過我：「戴君，你寫的書為什麼總是這麼radical？」在英文裡，radical一字同時有「激進」與「本質的、根本的」兩個意思，我反問他，你指的是哪一個字義？他沒有直接回答，而說：「還是稍微激烈。」我便又告訴他：「我只是藉這本書去探究問題的本質，訴諸真相而已。」

那本書上市時，田中角榮首相還沒有訪問東南亞。他後來去

了東南亞訪問，卻遇到大批示威民眾，又被困在印尼首都的茂物宮殿，一步也不敢外出，看著抗議民眾焚燒日本製的汽車。回國後，外務省把我叫去，付了高額講師費，要聽我演講。我曾經說過，身為研究者和學者，要是大環境不允許我說真話，那我寧可去賣麵；身在日本，如果我出言奉承日本人，那麼電視台會爭著要我去上節目，演講場也開都開不完了。話說回來，我不太喜歡上電視，所以我也只願意對日本的有心朋友們講，我要繼續講這些逆耳的忠言。為什麼呢？因為亞洲不可以再發生戰爭了。我對霞關的那位友人表示，我會堅持下去，他也只好苦著臉說：「我知道了。」

　　田中首相最後沮喪地回來。直升機把他從茂物宮殿接到國際機場，然後他就這麼回到了日本，以一國首相而言，實在是太沒面子、也太嚴峻了。要是他們能在事前多做點調查、多掌握情況，應該能避免這種窘境。

　　在此，我想表達的是，這種狀況之中，日本舊有的思想和感覺必須改變，否則日本人對華僑的認知將永遠扭曲。社會意識本來就不是孤立存在的，而是連動的；從在外日本人到日裔美國人，存在於日本社會的異質，對少數民族的認知與包容。沒有這一點，日本的華僑觀就不會改變，會耽誤情勢的認識。這是我想要指出的一點。

華僑的形成史

　　我在《華僑》（研文出版）一書中也曾寫過，如今又回想起

來：當天，我正好在一橋大學講課，就在課堂上提了這個問題。
李光耀總理可能是韓國的朴正熙總統在遇刺前最後接見的國賓，
而這位李總理接著造訪東京，在記者招待會演講。聽完他的演講
後，有一位日本記者發問。（日本的新聞媒體分工很有趣。當有
外國貴賓來訪召開記者會時，都由政治版或社會版的記者出席，
反而不是由外電或海外版的記者出席。政治版和社會版以報導國
內新聞為主，對國際關係並不熟悉）「李總理，身為華僑，您對
中國的四個現代化有什麼看法？或者您會如何援助？」當場，李
總理臉色一沉，立刻說：「我們不是華僑。」外籍記者群隨即鬨
然大笑。

　　李總理從以前就一直主張自己不是華僑，而是新加坡人。順
帶一提，所謂華僑，指的是保留中國國籍而在國外討生活的中國
人，就某種意義而言，像是無根之草。李總理說：「我們是已持
有新加坡國籍的新加坡人，而且我們自主地選擇外交與國家政
策。」華僑畢竟是中國人，以法律範疇而言擁有中國的國籍。
「Singaporean but Chinese origin」是具有中國血緣，但為新加坡
人。日本的外電或海外版記者已經漸漸明白這之間的不同，但是
與國內消息的政治版和社會版記者還是連接不上，而一般日本人
的習性又欠缺那種感覺，結果就鬧了笑話。

　　中南半島發生海上集中營事件時，我在《中央公論》和《世
界》發表了論文。當時，法政大學的松下圭一先生在「論壇時
評」上寫，他昨天也和我一同出席了那場橫濱國際座談會。松下
教授讀了我的論文，卻看不懂。不是我往自己臉上貼金，我的日
文還算可以，是日本人不習慣論文的邏輯與文路。寫論壇時評的

教授都不知道我的論文在寫什麼了，連媒體最前線的記者們與「論壇時評」都如此，其他人就更不用說。

在「船民」一詞出現之前，日本的媒體都用「華商」來表示「華僑」，一來是「僑」字在日本當用漢字上沒有，二來早期的華人的確以經商居多。但不知該說是幸或不幸，我們的語文又共用了漢字，而漢字是象形文字擁有具象的意義，相反地也具十足抽象性，因為一個漢字就可掌握意象往往同時就能具有具象性與抽象性兩方面的性格。所以，當我們使用「華商」一詞時，也用不著導入莎翁《威尼斯商人》中那位猶太奸商的形象。而日本的大報社、新聞電台和電視頻道就這麼一直宣傳著。

不過，當河內政權與北京起衝突，也就是中越兩國發生對立時，與「華僑」有關的爭議開始超越了日本媒體既有的框架。河內說我們不僅沒有商人，也沒有華僑。總之，以在自己主權下的華人系住民說法與北京爭論。換言之，這些居住在越南的「華僑」人士的法律定義就和有吉州長之類的日裔美國人一樣了。不管中國說什麼，船民們既已不具中國籍，又早已入了越南國籍，縱使曾經是華僑，也由不得外國人來置喙。這場對立於是演變成國家的主權行使之爭。

越南的主張有其不合理之處。華僑的國籍問題在南越已解決的說法不合邏輯，但問題依然存在。在我們討論這場紛爭之是非前，對於箇中經過其實並不了解。日本的新聞記者們根本也不想去了解。松下圭一教授雖然向世人提出大眾社會論，卻弄不懂「華僑」的國籍問題。不懂是當然的事。

容我再分享一個小故事。1972年夏季，非洲惡名昭彰阿敏總

統宣布要驅逐國內的印度裔人，此舉驚動了國際社會。這裡所謂的印度裔，指的就是具有英國國籍的亞洲人。日本的媒體根本弄不清英國籍亞洲人是怎麼一回事，因為他們不明白英國籍的亞洲人是什麼意思。

要解釋這一點，其實非常簡單。在世界史上「近代」形成的過程，亦即以歐洲為中心的近代或資本主義體制建立的過程中殖民地擴展。要在殖民地追求利潤，最好的勞動力並不是當地勞工，因為當地居民對應不來（不好用）。讓原住民留在村莊裡，在他們舊有的體制中繼續生產第一級產品對體制方有利。不過，與資本主義之間的「橋樑」角色要由誰來扮演，是殖民國家的一大課題——這就是英國人把統治下的印度人帶去西印度群島和非洲的理由。

英國的國籍法很複雜，從本國到聯邦有種種規定，不像日本這樣單一。被英國人帶去的印度人在非洲留了下來，他們的角色變得像東南亞的華僑一樣，因為選擇英國籍而不回印度。印度很貧窮，但這些人如晉身上流社會，入英國籍反而為他們帶來行動上的方便。遭到驅逐之後，他們大多直接飛到倫敦去，而不是回到新德里。接到這項外電的日本記者起初不明究理，亞洲人擁有英國籍這一段歷史脈絡完全在他們的理解之「外」。

華僑是世界史之下的產物，形成過程或有些許差異，形成原因卻和前述的印度裔或美洲大陸上的日裔一脈相通。勉強地說，在日朝鮮人也一樣說是世界史的「近代」的產物，絕非過言。因此，我們到新加坡時，有許多印度裔的亞洲人；去到了馬來半島看看，大概有二成是印度裔、近四成是華人系，其餘是土生土長

的馬來人和山岳少數民族。這種組成並不是突然就有，而是世界歷史的產物。

　　馬來半島之所以有今日的人種民族結構，當然是有接納方的條件與印度和中國大陸的排擠力所產生的。我們也不能忘記，當時是英國的殖民主義者在主宰馬來半島的政治。說來是罕見的事例，由於野獸和風土病等影響，馬來原住民的人口在19世紀末至20世紀初自然增加緩慢。

　　1860年代，知名的蘇伊士運河開通，亞洲和歐洲之間的距離頓時縮短60天，歐美的資本主義和產業因而急速發展，電力工程帶動了錫的大量消耗。馬來半島的錫產量至今還是世界第一，中國勞工開鑿錫礦，供應全世界所需。接著，他們開伐叢林，從南美引進橡膠，讓汽車輪胎等近代工業廣為使用。我們現在使用的人工橡膠都是石化產品，不過當年的天然橡膠取得非常不易，光靠馬來原住民實在難以應付，於是引進大批中國和印度的勞工。

　　日本人用一種過於簡單的概念去貶低東南亞原住民，說他們劣等、好吃懶做。就民族性來說，我們不能用優秀與否來評定一個民族。同樣的，在以往出席的演講中，有人會說漢民族是優秀的，但我總是當場否定。在場的各位或日本先進們雖這麼說，但不也曾經說中國人好吃懶做、窩囊不中用嗎？我要反問各位，漢民族怎麼突然優秀起來了？事情不是這樣看的。

　　一個民族有他們自己的生活步調，東南亞當然不例外。他們的起居和生活方式全因應於大自然的恩惠，只是和近代歐洲或資本主義式的節奏不相符罷了。相較之下，印亞大陸或者中國大陸早早就有國家的形成，歷史悠久且文化水準高，在經濟面比較適

應商品經濟。來自中國南方的中國勞工早期以苦力居多，後來才漸漸從事商業活動，印度人也大致依循這個模式。他們都比較習慣商品經濟，最適合引進令之勞動──也就是方便於榨取。馬來半島上這二成的印度人和四成中國人，就是英國統治馬來半島的結果；他們大多是橡膠工人，開拓叢林造了橡膠林和錫礦工人。

　　時代再往前推一點，在奴隸貿易興盛的時期，黑人被鐵鍊拴著帶往美洲大陸，直到1820年代教會內部出現批判聲音，非洲人口漸漸減少，非洲也開始殖民地化。同時，奴隸制度下的勞動方式效果不彰，強制帶走又會造成大量死亡，成本太高，無法繼續下去。當時的殖民者了解到以戴著鐵鏈的方式使其勞動，無法合理地產出更多剩餘價值而作罷。於是歐洲各國陸續頒布奴隸貿易禁令。印度人和中國人就在這時填補了黑奴的勞動力空缺，這就是後來的印僑和華僑之「祖」的那些人。

　　1840年，鴉片戰爭爆發，中國南方的自給自足式經濟瓦解，華南的農村經濟遭到破壞，產生了流亡農民。在中國，流亡農民的勢力時常發展成農民運動或革命，往往推翻當時的政權；辛亥革命之前的王朝交替就屬於這類易姓革命，像是明朝的朱元璋推翻元朝。鴉片戰爭後，流亡他鄉的一部分華南農民也走向農民運動，之後連結到1850年代的太平天國，接著便是孫文、毛澤東的革命。

　　流亡農民的另一個去處是東南亞、南美的祕魯、巴西、古巴，也有的人被帶往北美，成為殖民地開發的優質勞動力。夏威夷的鳳梨田和甘蔗田，加州的淘金熱，美洲大陸橫貫鐵路的鋪設，澳洲的礦山等地，都見得到這些農民的足跡。我們在西部影

集裡看過淘金熱的年代，在1860年代，這一批中國農民和後來的愛爾蘭移民成了工作上的競爭對手，繼而遭到迫害，開始被塞進中國城，從事最骯髒的洗衣工，或是經營中國餐館。

各位，世界各地都有中國餐館，這可不是什麼值得讚賞的事。世界各大港都和大城市都有中國城和中國餐館，其中是有原因的。外國大船的下級船員大多是香港出身的廣東人，他們早年在船上都幹粗活兒，長時間忍受酷熱，也多是家境困苦的窮人，和赴東南亞做苦力、挖錫礦、採橡膠、伐叢林的那些人是一樣的階層。這些人上了船，為船員們燒飯，由於中國菜口味有普遍性，外國人在遠洋航程中漸漸習慣，因此得到上流社會的白人肯定。

當時，因長期航海無新鮮蔬菜，往往引發敗血病或種種身體不適等等。中國的食材中不乏乾貨和醃漬品，可以避免這種現象。這似乎也是中國菜受接納為船上料理的理由之一。

華僑的社會和世界史的「近代」的形成幾乎是同時的。遺憾的是，絕少學者用歷史的有機結構性關聯去談華僑社會的形成。一般人往往認為，華僑是有錢人，為金權所迷惑，赤手空拳地到別人的國家拚命賺錢，好像不是什麼善類。日本人有個奇怪的性格，總是認為真理在弱者之一方，一般似乎有這種美學意識。有窮鳥入懷，獵人不殺，喜歡路旁不知名的草花等習性，但在社會科學的分析上卻不盡客觀，甚至錯用剛才的美學意識，讓人非常困擾。無憑無據地就認定弱者、少數者都有真理，我認為這是不妥當的。假使如此，馬克思的「無業無產階級」分析也生動不起來了。

　　十多年前，日本的對美貿易正值轉振點，日本企業開始到台灣、香港或韓國（馬山）自由區去尋找廉價勞工。為了持續發展資本主義，日本也不得不開發並運用東南亞的廉價勞動力、資源和市場。我常應邀講演華僑論，有次遇到一個白髮的老先生舉手發問：「中國人和華僑為什麼不投身救濟事業？為何不從事慈善事業？他們不願還富於當地人嗎？」

　　我與那人素不相識，後來才知道他是一橋大學出身的日本的代表性華僑研究家，是知名的人。我讀過他的書，知道他都寫些舊東西。對大師的提問感到訝異又不能不回答，所以當下只當他是某間小公司的社長或執行董事之類的人物（笑）。

　　我不打算談情感論的問題，只想從社會科學的分析角度來探討。且舉馬來西亞或馬來半島為例，我同意當地在人種或民族別的國民所得有明顯落差；關於這種落差的形成結構，在場的商界人士多，我就按下不提。但那位教授提出這樣的問題我才不得不講。我要說的是，這種差距來自於就業結構帶來國民所得重分配結構的偏頗性。

　　簡單的說，馬來半島的就業結構因人種而異，再推回去，原因就出在英國的殖民統治。英國的殖民統治採分割統治，這樣管理方便，被統治的民族就不會聯合起來反抗統治者了。於是，南印度人主要分布在鐵路相關或橡膠園，中國人則在錫礦山、橡膠園，也一部分被培養成經銷流通的負責人；馬來人就繼續由蘇丹制度治理，留在農村從事農業活動。蘇丹的地位相當於領地諸侯，各位不妨想像成織田信長或豐臣秀吉，只不過馬來利用回教，日本則以日本刀為中心統治。

　　總之，把民族‧人種中心分成三大塊來統治，雖然後來在此連續線上政權轉移，在社會經濟結構上卻沒有改變而繼承下來。再加乘於蘇丹制度之上在1950年代獨立。在殖民地制度下產生的就業結構、產業結構和社會經濟結構的，人種‧民族的性格並沒有改變，也因此讓所得的差距殘留到今天──就形式上看來，正是這種所得重分配的結構導致「華僑」的平均所得較高，印度裔也偏高，馬來人卻成了低所得者。

　　就算在日本，農業所得也是偏低的，因此農水產省致力推動米價政策和農業補助金等等，讓農家所得和都市勞動者不至相差太多。日本的務農者也是日本人，所以沒有民族人種問題，如此而已。儘管如此，日本農民仍不時站出來捍衛米價。同理，馬來人的農民所得也不可能比勞工階級、自由業者或流通業的華僑，甚至是鐵路基層員工的印度裔高。

　　解釋過這個分析之後，我對那位教授說，我總在年底拿一部分年終獎金到神保町的舊書店去償還借款，每次都會在救世軍的社會鍋裡投一點錢。社會鍋能不能平衡所得差距呢？我有感覺做慈善事業者其心之溫暖，但那與社會科學的分析層次是兩回事。慈善事業、救濟事業各有其社會意義，但在涉及殖民地遺制的克服、因民族‧人種而產生的就業結構的偏頗性與國民所得再分配結構修正問題，是不能混為一談。

　　我還要強調一點，再沒有像華僑這樣投身慈善事業的了。有錢的華僑與蘇丹交好，除了為尋求庇護而獻金，也熱中於救濟事業。各位若在馬來半島走一圈便知，在新山市到西海岸的高速公路開車，會看到路旁有一排非常富麗堂皇的清真寺，那建設經費

幾乎全都是「華僑」出資的，那是為了保護自己而向蘇丹獻金、為他服務。

在我看來，慈善事業反而阻礙了馬來平民去主動發現矛盾之所在。「華僑」中當然有人本著真正的善意而從事慈善事業，卻也有人只是假慈善之名圖利自己。那場演講結束後，我受那位提問者的真實身分嚇了一跳，也很沮喪，卻也越發不知社會科學究竟為何而存在。情感論和社會科學的邏輯不同，一個專攻經濟的學者為什麼會發展出那種邏輯，我也不明白。社會的表面就像萬花筒，我們可以見到許多閃耀的現象，但要如何發掘背後的真實面，才是社會科學研究者真正的使命之一。一位大學者到這個年頭還抱持那樣的論調，令我悲傷。

要正確的了解「華僑」社會，我試著把演講內容做個整理。現居東南亞的前華僑已不再自認是華僑，上一代雖然仍保留著華僑意識，下一代的子孫卻不是如此。新生代之中的八成是在當地出生，為了生活而不回中國，或者說是不能回去，而他們也漸漸不懂中文了。話雖如此，這些人卻要為了保命，每天都繃緊了神經過日子。

印尼大選就要展開，到時必定會發生針對「華僑」的暴動，而且會有人因此喪命。在印尼國內的社會矛盾中，人們將責任轉嫁到「華僑」身上，把他們當成代罪羔羊。反「華僑」情緒正是最淺顯易懂的人種・民族感情，往往被候選人利用來號召群眾，維持自己的政權。

日本歷史上也有過類似的案例。關東大震災的朝鮮人大屠殺就是其中之一。納粹把德國經濟混亂的責任推到猶太人頭上，最

後把他們關進奧斯威辛集中營；美國也曾對日裔移民做過類似的處置，將他們強行移到收容所。另外，在20世紀初期，美國曾經排斥中國人，手段兇殘之處，當然也有人種主義的成分在內。

我們必須明白這種人類之「業障」的結構。我的意思並不是說只有日本人做了壞事，中國人也一樣，在這裡我想指出這是人類歷史中一種病理的存在。我並不是說「華僑」或猶太人完全對或沒有問題，而是這種病理存在於人類歷史之中，中國人也不能倖免。不過，利用時代產生的誤會來找人頂罪，或是利用人種主義去行使或維持政權，這種骯髒、不道德的政治史是我們人類全體的共業，這問題我們應該將之連結起來深思，不這樣做是不行的。

說到日裔美國人的集中營問題，三省堂和紀伊國屋還設了特別專區，可見人們對這個問題多麼關注。1977年1月19日，我記得那一天也是福特總統卸任的日子，也是東京玫瑰恢復名譽之日，我寫了一篇文章〈「東京玫瑰」的悲劇——對「血」的漫長鬥爭之路〉（收錄於《華僑》）〔參見《全集》11〕。那是莫大的戰爭悲劇。由於政治對「血緣」的解讀無限上綱，這位女士被法庭宣判由死刑減為無期徒刑，直到1977年才還她清白。一個人的青春和家庭生活都被政治與戰爭搞得一場糊塗，這就是最好的例子。日本人的身邊有很多類似案例，請將此與在日朝鮮人問題、中國人問題和「華僑」問題稍微加以聯想。

華僑生活原理的轉變

　　讓我們進到最後的問題吧。各位以留學生接受如上述出自「華僑」社會的部分年輕華人系青年。當他們被稱為華僑或中國人時，表面上並不會顯得憤怒或不愉快，是不是？我想，留學生們自知受到各位的關照，與各位應對時自然力求委婉，可是就我所知，這其中有一部分學生卻是怒火中燒，覺得日本人昧於事理。是的，他們既不是中國的國民，也不是華僑，而是華人，在歷史、文化背景和「血緣」上和中國有關，在政治和法律地位上卻和原本的中國人完全不同。這些孩子既沒有到過中國大陸，有人會中文，但急速減少。由於東南亞等地大多關閉中文學校，使得年輕一代的他們愈來愈不會說中文。對這些年輕學生，我希望各位能多給他們一些空間，懷著耐心去面對他們。

　　時間所剩不多，之後接受各種提問，最後我想談談問題解決的出口在哪裡，做為結束。第一，「華僑」當前的處境不為日本社會大眾所知，就我認為，他們正處於「落葉歸根」到「落地生根」之間的苦悶和矛盾中。在日本，我是第一個用這種說法的人，最近也常被大報紙的社論引用。

　　「落葉歸根」指的是樹葉落下後回到樹根的身旁，我們可以想像成赴異鄉奮鬥後衣錦還鄉的故事。在日本，年輕人到東京工作，退休回到鄉下老家去養老，也是一樣的意思。不過現在的日本人似乎也愈來愈不這麼做了。

　　這本來是華僑的生活原理。早年的華僑都有這個信念，同時當時的殖民地政權卻可以說也唆使他們這麼做，因為殖民地體制

並不是以人道主義接受華僑。幸虧近年風氣轉變，從人道主義的立場要以世界規模救濟、接納中南半島的難民。從前的中國苦力在中國國內不能溫飽，所以才到南洋去討生活，以英國為首的殖民主義者便利用他們開發殖民地，累積自己的財富。這些中國人充其量不過是原住民和殖民地統治者（白種人）的中間人，對上要應付殖民地統治者，對下要和不同種族的原住民印尼人、菲律賓人、馬來人等打交道，更要忍受他們的白眼，日子也過得不輕鬆。原住民恨那些壓榨他們的白種人，但白種人行蹤不易掌握，反觀華僑們的日常生活素與原住民交集，遇得到也逮得著，這就成了衝突的替代對象。在這樣的社會結構裡，華僑其實並不握有實權，又要擔心被原住民尋仇，成天提心吊膽，當然就更想快點賺夠錢告老還鄉去。這是我把「落葉歸根」原理解釋成華僑生活原理圖式化的原因。

這個念頭是怎麼轉變成「落地生根」的呢？「落地生根」就是種子落地後長出根來，就此立足之意。我要說的是，不回故鄉的人在新的家園傳宗接代，在當地紮根，完全是情非得已。華僑開始歸化他們的僑居地國籍，成為華人系住民，是第二次世界大戰之後出現的新狀況。令其這麼做的中國方面的主要原因，就是發生了社會主義革命。

社會主義革命本來被理解為超越國境或者可以超越，而民族主義其實具有可利用或阻礙共產主義實現的兩面性。要如何揚棄民族主義，其實是社會主義革命期或革命後的課題。

1945年8月15日，第二次世界大戰一結束，華僑人口最密集的南洋情勢立刻生變。一是他們現住的僑居國紛紛邁向獨立之

路；二是他們的祖國中國發生內戰，在1949年10月1日那天變成了一個社會主義國家，更走向共產主義激進的、以毛主義武裝的國家。這麼一來，華僑們只能留在僑居地，別無他途。

讓我們回想當時的情況：美英兩國都害怕中國的革命之勢波及中南半島、泰國、馬來半島或印尼等地，這一點可從當時的美國國務卿提出骨牌理論窺得。美國採納這個理論後，便試圖與亞洲政策連鎖來圍堵中國，此舉在華僑問題裡製造出極大的矛盾，進行華僑是北京第五縱隊的反華僑運動。簡單的說，美國此舉動等於用政治和意識形態去擴大解釋「血緣」的義涵——華僑是中國人，中國人信奉毛澤東思想，是共產主義者，所以華僑有可能是共產主義者，而且很可能是潛伏在僑居地的第五縱隊，威脅著東南亞的局勢——當時，美國就巧妙地向大眾宣傳這種觀點。

這麼一來，東南亞的反共勢力＝反共＝反中國人＝反華僑的圖式，排成一列。華僑們被國際輿論和僑居地政府兩面夾殺，實在是進退維谷。更糟的是，當地的記者、激進派民族主義分子又拿華僑的財富來作文章，說這些外國人都是來賺我們的錢，他們也不向我們的祖國宣誓效忠，肯定是壞傢伙。於是，我前面提到的代罪羔羊，就這麼成了華僑被迫扮演的角色。

這時候的殖民地統治者躲的躲、逃的逃，暫時離開政治舞台，留下的是華僑這群中間人。為了生計，他們曾經是白人主子的幫手和附庸，如今又得替他們收拾爛攤子。這些人日常生活中得面對當地居民，是明顯的存在。

當我們冷靜時，大多能夠包容異族的生活方式，容許異文化的存在，日本人的葬禮是這樣，結婚典禮是以這種方式進行，好

有趣呀！這是異文化的理解，試圖接納它。這是國際文化交流的側面，有趣，也是好事。不少外國人到東京來探望我，問起日本人為什麼不再穿著華麗的和服，我笑著回答他們，只歎我面子不大又沒有錢，否則就能帶他們到赤坂或柳橋之類的地方去見識藝伎們華美的衣裳了。我又安慰他們，下回改在正月造訪日本，就不會失望了。外國人對於日本的傳統事物極有興趣，看作是不同於別國的獨特行為模式，用正面的態度去欣賞它。

　　無奈的是，人類有個通病，討厭和尚的人往往連袈裟也一塊兒恨進去，一旦有了偏見，就把憎惡的一切都轉化成負面解讀；嫌棄一個人，連他的舉手投足甚或食物都覺不齒。有個現象可以證明這一點：我們在日本街頭看得到穿中式服裝的年輕人，卻幾乎看不到有勇氣穿著朝鮮民族服裝的年輕人。就我所知，大概只有與韓國人結婚的日本人才敢那麼穿。日本和韓國距離最近，心靈上卻也最有距離，在日本人心目中，戰後的中國人反而變得比較好親近了。有趣的是，日本人還會穿戴南洋民族的服飾，但日本人和這些民族根本就沒有直接關係。仔細想想，現在的西式服裝原本是「毛唐」〔譯註：指毛色膚色不同的西洋人，係歧視用語〕的玩意兒，現在大家都是歡喜地穿它。對日本人而言，「白人」代表的就是高價值，所以服裝模特兒也是白種人才吃香。我認為這也是殖民地病理學的一部分。

　　同樣的，喪葬禮俗也是各民族互有不同。中國的方式雖然有點兒誇張，卻是孔子教導傳下的儀式，讓做子女的不惜借錢也要辦一場風光大葬禮。不過，當僑居地的民族主義者開始對華僑產生反感時，一切都變成負面的了。舉凡葬儀、飲食或音樂，都會

被毫不留情的批評。日本在某個時期也是這樣對待朝鮮人的，朝鮮人吃蒜頭就嫌人家臭，朝鮮人做的任何事都要挑剔。以前中國人愛吃的動物內臟，戰後的日本人也開始愛吃，但若讓殖民地時期在台日本人來看，他們一定覺得大大不可，說那是支那人才吃的髒東西。為了鞏固對殖民地的統治，樹立種族優劣觀念似乎是必要的，所以當年的在台日本人怎麼也不能接受台灣人的口味。很可惜，這就是我們人類的歷史，充滿偏見──中國人也同樣對日本人懷著偏見。

這種事態一發就不可收拾。獨立運動極盛時，少數民族主義也隨之激昂。眼見民族主義在東南亞地區有效，政治家就用民族主義來建國，或是不道德地運用它來維護政權，「華僑」又成了最合適的頂罪者。回不了故鄉的他們只能低聲下氣，在僑居國忍氣吞聲地過日子；而這就是他們的落地生根。從「落葉歸根」到「落地生根」的路滿布荊棘，也正是我前面所說的苦悶與矛盾的路程。

許多日本學者要問，為什麼華僑不歸化當地、為什麼不能與當地同化，或是否不願同化。有人認為是中國人的中華思想使然。那麼我要問了：我個人並不偏好歸化、同化，因為在我看來，埋沒人類固有的民族獨特性無助於文化創造。然而，為了政治的穩定，近代國家總是要求自己國內的「異質分子」歸化，或試圖請求他們同化，那我們姑且假設歸化、同化是大眾所樂見的好事吧。現在，請您們自問，假設您的公子千金到美國去留學，回來時帶了一位黑人伴侶，您怎麼辦？日裔美國人也是您們的夥伴，他們是向誰同化？向黑人？向印地安人？還是墨西哥人呢？

我想，能夠答得出這些問題，那麼前面學者所提的問題才能成立、才有意義。

　　說來遺憾，在現階段，絕大多數的人類仍受限於人種‧民族偏見，連我自己也不例外。要是我的女兒將來去美國留學，回來時牽著一個黑人男友的手，我這個做父親的又會怎麼想呢？我自認是個觀念先進的父親（笑），尚且要花點工夫才能接受，其他人又怎能輕易地責備「華僑」不與當地同化？

　　對我們人類而言，什麼才是極致的價值觀？要討論這一點很重要。從一般世俗的日常性看來，在當代受到推崇的是以歐美為中心的價值觀，或曰歐美「近代」所體現的事物價值。近年來，日本在汽車、相機、電視和錄音器材方面占優勢，但我們卻仍然是「白」的囚徒，在受「白」拘束的情況下過著日常的生活。若在這種情況下選擇同化，想必是「白」的價值體系會成為主流方向。這也是他們遲遲無法同化於僑居國當地社會的原因。有些人在年輕時勇敢的下鄉，但在思想進步的學者大師之中，有多少人願意為了地方文化的創造而留在地方大學教書呢？日本尚且有這樣的問題，令人苦惱。無關於文化創造。要說意識形態、進步的思想與文化創造、為生活困苦的人貢獻云云，都只是美麗的辭藻，實踐卻不容易（笑）。這就是現實。

　　所以，為了真正的華人化，華僑努力隨著僑居地的客觀環境而調整自己，但也要看接納他們的當地國方的條件改變、或有調整。舉例來說，東南亞地區的僑居國要華僑宣誓忠誠，但若缺少了對等交換的關係，所謂的忠誠心就不真實了。為了保命，又受政權壓迫，華僑只好假意效忠，被視為二等、三等公民，在隨時

會被拖出來打殺的恐懼中宣誓忠誠。這種行為就像從前隱匿的基督徒的「踩繪」（幕府時代禁教，雕刻或畫有基督的木板讓人踩，不踩者即認定為基督徒而處死）無疑是不道德至極。從落葉歸根到落地生根的苦悶與矛盾就是如此，然而「華僑」也是人，也希望以自己的故鄉和出身為榮，今天的待遇卻像當年的猶太人一樣；猶太人之所以非死不可，是因為有人片面地認定猶太人有罪，並且滿不在乎地懲罰他們，而現在的東南亞「華僑」正處於類似情況，尤其是印尼，非常危險。

二、三年前，印尼的梭羅發生暴動，並且擦槍走火地演變成一場反「華僑」暴動，暴動的背景相當複雜，我就不在這裡說明了。根據報導，在這場暴動中，有一家華人被關在家裡，暴民們放火燒屋子，一個印尼當地人看不過去，試圖救那家人，結果卻被群眾毆打，那個華人家庭全數葬身火窟。這場悲劇告訴我們，當地正興起一種社會風潮，讓人毫不在乎的屠殺「華僑」，而如同奧斯威辛集中營的慘狀在東南亞也可能上演。

不知是幸或不幸，藉著越戰為契機，此刻的東南亞正在快速發展，其中當然也牽涉到日本企業的進入和資金的導入。且不論好壞，這種發展又加深了當地的貧富差距，這又有可能引發更多的悲劇。

日本在戰後的經濟發展造成農村流失了青壯人口，因而促成農地改革的成效，如今已蛻變成一個能夠良性循環的結構。可是，東南亞的城鄉、農工之間並不能充足的正面連動，發展的只有都市，沒飯吃的人就湧進城裡，促使城市淪為貧民窟。菲律賓通都（Tondo）貧民窟就是如此。

　　到目前為止，許多國家將國內貧困與社會矛盾的責任轉嫁到
「華僑」身上，每逢選舉或社會不安定時，總會發生「華僑」遭
到毆打、殺害等事件，以此拖遲矛盾的暴發。但是最近倒有些不
同了。我在今年暑假帶著立教學生到菲律賓山區停留了兩個星期
左右，借住在農家，到馬尼拉的通都貧民窟去觀察，同時也尋訪
「華僑」社會，與華僑們交換心得。我在這趟旅程中感覺到，
「華僑」的代罪羔羊角色已經漸漸沒有效果，民眾似乎已察覺此
間情事的本質。

　　附帶一提，東南亞的人種・民族多得難以計數，語言自然也
非常複雜，當地的少數民族問題並不限於「華僑」問題，目前只
有「華僑」問題表面化。基於這一點，我希望各位在會見「華
僑」系的留學生時能多多體諒，他們想要為自己的出身自豪，但
又不能，這樣的心情是極端複雜的。

　　接著，我要提出一個自創名詞──paradoxical dynamic
identity（自相矛盾的動態自我認同）。我一向認為，人類的雙重
認同（double identity）是理所當然之事。以東京玫瑰為例，她是
出生在美國的第二代日僑，偏偏在拜訪父親老家時碰上了日美開
戰，結果就回不了美國了。由於她堅持保有美國國籍，終戰後被
美國處以叛國罪名，因為她身為美國公民，卻尋求日本「血緣」
和文化，因而被日本的情報部徵用，遭到東京國際法庭的問罪。

　　在英文裡，尤其是在基督教為主的文明社會裡，雙重認同
並不是個好字眼，似乎意味著牆頭草和背叛。因此，我創造了
paradoxical dynamic identity一詞做為借用詞，並且提出以下的假
設。

　　至今為止，許多人並不重視人類的多重認同，特別是近代國家成立以來，國家權力大多以政治、法律的認同觀點為優先，對於別的認同基準──例如「血緣」、文化或社會性認同──則擺在下位，使其從屬化。而極為厭惡政治、法律的認同與其他認同置於同格。換言之，人本來具有的身分，屬於例如宿命的選擇的「血緣」或文化的認同，連這些都被硬嵌入政治權力、法律權力虛構的國家裡，有時也控制人的靈魂。

　　當政治權力陷入危機，政治性的認同基準會更受到強調。我認為這是不正確的。我也發現，議會民主主義的成熟、人權、民主更獲保障，應該會使個人的人權更受尊重，而不是使自己靈魂的問題也全部從屬於政治性、法律性的認同之下。

　　喬治・有吉先生重視日本人特質，同時又是好日裔公民做為夏威夷選出的州長秉持美國憲法賦與的權利去治理夏威夷，兩者之間互不矛盾，我的願望是這觀點能在理性的高度受接納。由華僑蛻變為華人，好比新加坡的李總理，他也同時保有中華人特質，但在治理國政上又能擺脫中國的影響，我認為我們應該給予正面積極的評價。他曾經到中國的老家掃墓以及鄉下旅行，此舉和他在政治、法律面上的新加坡人認同也一樣不矛盾，可以理解。

　　長久以來，我一直向日本的各位朋友們講述我的觀念。說來僭越，打從明治以來，日本人就把國家、社會、家庭、個人擺在同一條線上思考，是個奇特的民族。我希望我的這些主張能解開日本人在思想上的死結，讓日本人的心更加國際化。不好意思，我用這種強加於人的說法，很抱歉。

　　做為人的生活方式擁有paradoxical dynamic identity，這是天經地義的事。不過，我們大多受近代國家的束縛，想法也長期受「白」的制約。文學上也是如此。以立教大學為例，我們有一門名為「英美文學」的課，我個人非常喜歡。這讓我想起一個小故事：我孩子有個同學是混血兒，他的母親是來自威爾斯（Wales）的英國人，父親是日本人，而我也是個外國家長，在家長會碰面時就聊了開來，她說日本的媽媽、太太們老是管她叫「英國人」（English），但她可不是英格蘭人。是的，日本的媽媽們想必不懂，因為一般人也不知道British並不等於England。當然也不知道England和Wales之間還有字典存在。所以我們說「英國文學」，其實也不是個正確的用法。就像我們知道威爾斯的橄欖球（rugby）比英格蘭要強，卻用個「英國」就統稱了他們，對他們而言，當然也是一件令人困擾的事。

　　對不起，我花了不少時間講瑣碎事。長舌就到此為止吧。謝謝各位！

問與答

　　問：我來自拓殖大學，敝姓宮內。老師的演講充滿熱誠，讓瞌睡蟲都不敢跑進我的腦細胞，令我佩服。

　　我想請教一個問題。日本封建時代有士農工商，到了明治才有海外移民，但幾乎都是農業人口，而且大多是農家的次男、三男。華僑移往海外，是因為人口過多嗎？或者是有政策的移民？又或者，他們是否本想在外國經商？那是國家方針使然嗎？此

外，他們是不是都懷著遠大的抱負，準備在外國賺錢，幫助祖國繁榮呢？我這個問題層次不高，請見諒。

戴國煇（以下簡稱戴）：在毛澤東執政以前的中國人，將中國視為一個國家，更把它視為一個世界，而且一般人都有這種夜郎自大的心態。日本政府在明治之後制訂了移民政策，積極地把自己國家的人民送往國外，但中國是從未有過。

附帶一提，清朝其實也實行過海禁政策，雖然和日本的鎖國政策不同，但對人民出海、出國之事始終是禁止的。因此，列強在鴉片戰爭後與中國簽定條約，條約中就要求廢除「海禁令」，因為他們都需要來自中國的勞動力。中國從來不推行移民政策，也不獎勵移民；北京政府最近稍稍放寬了出國的限制，台灣也一樣，不過政府方面通常不鼓勵國民積極赴外。

其次，說到階層，中國很早就打亂了士農工商的身分制度。就像我前面說過，人基本上是不願意離開故鄉的，特別在中國人的漫長歷史中，豐衣足食會使人減少冒險心。在鴉片戰爭後離鄉背景的大多是底層農民，而且都是因為沒飯吃才出走的。他們在外胼手胝足，慢慢往上爬，後來才有了商人商業資本的基礎；等到這個階段，他們就把家鄉的親戚也找了出去。這大概是1840到1920年之間的移民形式。

1920年代以後，狀況不同了。國共內戰、中日戰爭、太平洋戰爭接連發生，終戰後又發生了國共內戰，然後新中國誕生，有錢人和上流社會的地主層和政治家們當然嚇得趕快逃跑。這些人移往新加坡和美國等，有些就成了「華僑」資本家。不過這種案例可以視之為少數。

　　因此，在早期的外移人口之中，商人可說是少之又少。到了1950年代因新中國成立，上海、青島和台灣等地的有錢人害怕共產主義，除了走避香港、澳門和新加坡以外，也有人靠關係遠赴菲律賓、美國和日本。這兩個星期有個震驚媒體的新聞，就是東京的日華信用組合爆發弊案，事件的主角就是這一批人。

　　中國移民的動機大多如上所述，所以華僑祖先們大多是苦力出身，他們力爭上游，一部分打進了流通產業，其後代開始往政治自由業之路發展。近來學者人數也增加了。李光耀總理本身是劍橋的狀元，他的父親說的則是和我一樣的客家話。我聽說這位長輩到最近都還在新加坡經營鐘錶店，真的是像苦力的人。這種華僑實在太多了。

　　當然，隨著居住國環境的不同，也不是所有的華僑都像他們一樣。就拿菲律賓來說，由於黑潮的關係，福建和呂宋島之間很早就互有往來，當西班牙人在1500年代進入菲律賓，立刻和中國人之間建立起三角貿易關係。西班牙人拿著墨西哥的銀子來換中國的陶瓷、絲綢，再帶回歐洲去賣。所以，菲律賓華僑的苦力比例較少，貿易商人的比例則多一些。

　　1898年，西班牙和美國打仗，最後美國取代西班牙統治菲律賓，名義上當然是協助菲律賓人的獨立運動。就在同一時期，美國國內出現了限制中國人入境的法律，菲律賓因此也隨之跟進，這才由日本人取代了中國苦力，開始到菲律賓去造橋鋪路。

　　至於移往日本的華僑，苦力人口是幾乎沒有。他們絕大部分是貿易商人、小生意人、流亡政治家，或是來自台灣的移居者。台灣因為是殖民地，日本並不限制當地人入境，留學日本的人也

常常就此滯留日本。因為被軍事徵召到日本而沒有返鄉的也有。

問：我來自關東書院，敝姓瀨沼。您剛才提到《討論日本之中的亞洲》一書時，曾說我們應該從自身開始做到國際化。我覺得這是這場座談會的一大重點。您是否想過具體的實踐方法呢？希望您能給點建議。

戴：那本書是在1973年出版的。當時，一般人的觀念是會講英文就算是國際化、懂得西餐禮儀就算國際化，但我總是唱反調，認為事實並非如此，應該先去了解日本國內的亞洲問題，藉此連結到外面的亞洲或全世界的問題。我主張用這種方式去探觸問題。

直到現在，我仍然這麼主張。我在長洲先生擔任知事前就與他熟識，所以他找我參加昨天在橫濱的座談會。我們也談到這方面的議題。長洲先生自己沒發表意見，不過列席的年輕一輩北大副教授、在《讀賣新聞‧論壇時評》執筆的東京大學副教授樺山〔紘一〕先生都有類似的意見。要之是日本國內有些因素妨礙了國際交流，我們能否從身邊做起，藉自己的力量使日本國內的交流更加圓滑。聽到他們的意見，我非常欣慰。

我這兒有個非常有趣的例子，在昨天的會議上也成了話題。富山縣有個村子舉辦了國際性的演劇祭，村長特地來向我們報告。另外，川口湖附近的勝山村村長也提出有趣的報告。這兩位村長都覺得村民們太過保守，希望能借助外力為村子帶來活力，由村民開始實踐國際交流。富山縣的情況是為了喚回人口過少的村子的活力，與早稻田小劇場的成員合作，而這場國際交流為全村帶來了活力。

　　勝山村和澳洲的某個鄉鎮締結為姊妹村，從此開始有澳洲人往來，村子也因而改變，現在孩子們的學校社團活動和校慶內容都受到了影響。我給的建議是如何使這些人的努力成效推廣普及化。

　　昨天，神奈川大學的鈴木老師提出一份報告，內容是分析國際交流的資料，而這些數據在以往幾乎是空白的。這位年輕的老師在報告時批評，地方自治體雖然努力在做國際交流，但應該用當地特色的民間方式去實踐，而不是用霞關那一套。很難跳脫國家的框架。他同時也把資料圖表化，指責姊妹市層級的國際交流不外乎宴會、酒席、升旗等占的百分比太高。這就不成為「民際交流」。針對他的報告有了「民際交流」應全部以地方自治體市民的層次，亦即從自己身邊做起的發言。

　　要做到民間交流，在日本並不容易。當然，現在的情況已好多了。比方我們到美國去，會發現美國的地方報都帶有鮮明的地方色彩。我記得像《紐約時報》（*New York Times*）這等有權威性的優質報紙，發行量大約是40萬份左右；但在日本，光是《朝日》和《讀賣》就各占了約800萬份，這叫地方小報怎麼活下去呢？假使是在美國，即使像我這種小角色去活動，也會在當地形成話題，要我去講話，報紙會刊登，那就會是一種交流了。我現在說的並不是國家層級的往來，單單以「我是中國人，在台灣出生，久居東京」的身分辦一個聚會，大家就會好奇的呼朋引伴來參加了。他們可能會問：日本人這麼封建又排外，你是怎麼有辦法當到大學教授等等。就這樣，這種話題就可以在一場餐會開始了。我當然會努力替日本美言，試著介紹日本這個國家，完全不

會扯到像今天這樣的嚴肅話題（笑）。

等到類似形式的交流開始盛行，我想，外國人就會了解日本人有個性的一面了。現在，他們對日本人的印象仍然停留在集團式的經濟動物模樣，所以不要太正經八百以後可以讓他們深入了解到地方社區，甚至大學裡的各種交流。邀請留學生來，當然也是一種方式，不過我猜，大學的老師們大概已經受夠了留學生吧。真教人傷心。

永井〔道雄〕先生擔任文部大臣時曾經自豪地對我笑說：「戴君，打從明治政府成立以來，我是第一個聘請亞洲人擔任政府委員的官員呢。」是的，我就是文明懇談會的政府委員之一，曾經和獲得諾貝爾獎的湯川〔秀樹〕老師、朝永〔振一郎〕老師同桌議論，有榮幸聆聽他們的高見。令人吃驚的是，日本政府從前確實不曾招聘亞洲人做政府委員。我相信這個情況會日漸改善。

今天的會場，我想也有來自立教大學的人。立教大學的留學生入學制度還不算完善，而且也以美裔留學生居多。這個制度真的很難推動，我一個人也只能投一票而已啊（笑）。今年總算叫我做國際交流委員，我樂得猛點頭；太主動是不合乎日本美學的，所以我一直靜靜地等。結果遇到了永井先生，他竟對著我埋怨起立教大學的種種不是。我說：那些事可不是我說了就算啊，要不然先生您自己都做了文部大臣，日本的教育行政可有多麼大的改變？（笑）結果說好了好了息事。

昨天與好久不見的長洲先生會面說，應把僵固的土石一點一點耙鬆，把舊殼剝除就可期待。當鈴木先生提到地方自治體的國

際交流和民際交流時，我提了一個意見：既然鄉鎮村落的經費有限，那麼，假使城市等級的經費充足，何不在國際交流預算額度，決定哪一部分由地方自治體發起，企畫去做，如果是500萬，乾脆把500萬的標案向市民公開招標。諸如地區民間運動團體、住宅社區委員會，或是地方鄉紳熱心公益者，地方自治體可以邀請這些單位來提出活動方案，然後把預算撥給通過審查的案子，等於與民間單位合作。這麼一來，多了地方居民的意願和民間的善意，也有助於參與度。

就從今天起，與會的各位或許可以試著邀請留學生到府上作客。說不定已經有人這麼做了。或者，各位可將有此意願的教授們組織起來。這種活動對孩子也會有好影響，讓他們在實際生活中多多接觸外國人，了解外國人的獨特想法。若是請他們到家裡，不妨讓他們進廚房；日本的主婦雖然不喜歡讓別人進她的廚房，但是做丈夫的可以表現得積極些，別再頤指氣使地坐在客廳當大老爺，而是領著留學生到廚房去展現他們家鄉的手藝，再把這些經驗傳遞給我們那些「冥頑不靈」的教授同僚們。慢慢的，大學內部的氣氛應該會有所開通。這是我各人的心願，或許稱不上好建議就是了。

問：您的意見非常好，令我回想起過去和留學生互動的經驗。當時我沒想到這層面的問題，以致有些令人傷懷的回憶。

您說雙重認同有負面意味，因此改以paradoxical dynamic identity代之，這個部分我不太懂。我的解讀是：父母親和出生地不是我們能夠選擇的，我們對他們的認同是人性之必然，但是「國家」的概念是極端人為且虛構的，認同國家時必須用理性稍

作融合。您是這個意思嗎？

　　不過，嚴格說來，或許這和我們身處在均質社會之中有關。我們的國家認同和出身背景的認同有許多交集，而且前者的基礎或許正是對故鄉和雙親的認同；反過來說，具備這種認同被視為一種本能，這點或許才是障礙。然而，說不定這也是人為造成的，因為教育讓我們建立起尊重父母親、感懷故鄉的觀念，隨之勾起我們對失根的不安情緒。換個說法，當我們無限地使心靈國際化，就會隱約有失了根的感覺。我因此有個疑問：這兩種認同是否可能是系出同源？依您的看法，它們的同源或不同源性有多少呢？

　　另一個問題是，當失根的情緒產生時，人性的穩定性也隨之失去。我想這兩者是相互關聯的。所以，我們是否也要接受當代這些不良的人為認同，之後再用理性去調整？不知您的看法如何。這個問題太籠統，請見諒。

　　戴：這是個非常根源性的問題。您剛才的論調和我的有些許不同。舉例來說，戰後的國際間訂立了《世界人權宣言》，日本如今終於能夠加入該條約；宣言中保障了人類脫離國籍、選擇國籍的權利，這是非常重要的一點。我們一向是秉著自然法則去接受國家，中國人和日本人也大致如此。國家雖然是一種人為的政治體，但此政治體連縣持續的話，人們就很少去懷疑，在無意識間會產生一種觀念：人民出生在哪個國家並不是自主選擇而是命定的。

　　我想說的是，我們不能不去討論國家、政府、政權和政黨的定義有多麼不同。我當然不是對各位鼓吹革命意識，只是日本的

社會大眾鮮少能在日常生活中思考它們的定義區別，因為老百姓認為主政者是一體。說來有趣，中國人其實也是如此。在台灣，人民若是不認同國民黨，國民黨政府就會說你不愛國；另一方面，要是不認同中國共產黨，就輪到中共說你不愛國了。可是就我個人而言，我心目中的國家就是中國，既不是中華人民共和國，也不是中華民國。

中國人──尤其是漢民族──流傳著黃帝神話，並且認為自己是黃帝的子孫。包括漢族在內的多民族歷經長期分分合合，這個大家庭裡的人口已經高達九億有餘，從中國的歷史年表來看，梁、金、元、清等國家或朝代主政者都不是漢民族，但絕大多數中國人依然認定自己是血統純正的漢人。我覺得中國人對正統的憧憬實在是迷信到家了，要是他們溯源歷史，會發現中國早就是一個多民族混血的國家，而且國土時大時小。無奈人類就是這麼容易認為既成事實的自然存在。

都說漢民族占百分之九十多，這世界上再沒有一個民族混血的次數比漢族還要多了。我的同胞說自己是純正漢人，我評之為可笑，結果被一個80歲的老前輩怒斥為「不可理喻」。我當場反駁，說自己是從社會科學的角度出發，沒有理由挨罵。老人家總是比較頑固。

把國家視為自然的存在，這樣的觀念對日本人來說是容易接受的。波蘭有名的柯克‧阿得西（音譯，クォコーアディス）的作品出現的波蘭問題，我想試著重疊在馬來西亞建國的例子上。把無關的婆羅洲的沙巴、砂勝越和馬來半島黏在一起，在那兒捏造一個名叫馬來西亞的國家，美國的建國也極為人為的吧。然而

馬來西亞、美國2000年後都變成不是人為的，不，人們只會以自然的存在接受它。又如琉球王國確實在歷史上存在過，只是被明治政府在琉球處分時不知不覺就納入了日本帝國的體系之中；愛奴雖然不是個國家，卻是個有酋長領導的部族。同樣的，我的祖先也曾為了生計而渡過台灣海峽，殺害台灣山地的居民，搶奪他們的土地加以開拓，然後自居為地主。

　　說到這裡，我想道理就明白了。在這個定義上，國家是個政治認同（political identity），它和民族或個人的文化認同（cultural identity）與血緣的認同是不同層次的問題。我的意思並不是指國家是虛構不存在，而是說它是被做出來的，是人工的產物。涂尼斯（Ferdinand Tönnies）的社會學概念包括Gemeinschaft（禮俗社會共同體）和Gesellschaft（法治社會）的區別，不過我還沒有整理這方面的理論，要請各位包容我在這兒放肆搬弄了。簡單的說，涂氏主張人類有選擇國籍和公民權的權利，但「血緣」是與生俱來，是命運所定，我們應該分別思考此二者，知道它們的認同並不相互矛盾或對立，而是可以彼此容納共存在同一個個體中的。

　　我再舉一個例子。艾力克斯‧哈雷所寫的著名小說《根》為何在美國非常暢銷，在日本卻登不上暢銷書榜？請大家想想原因何在。我曾在經團連（經濟團體聯合會）的午餐會上演講，當天主持活動的就是那位有名的花村〔仁八郎〕副會長，而台下坐了將近二百多位財界人士。當天的紀錄已經節錄在《華僑》書中〔參見《全集11‧代序：華僑的實像與虛像》〕，有一部分就是我今天談到的內容。我在日文版《根》的同一間出版社出過三本

書，恰好是同一位編輯經手的，因此聽到不少內幕。不過，小說雖然賣得不夠好，但引起了日本年輕人的興趣，又加上電視影集的播映，還是有人會買。

日本雖然都市化，但基本上並沒有使鄉村荒廢或毀滅。直到今天，東京還會仿效鄉下習俗辦神轎慶典，大夥抬著熱鬧一番。當然，就狹義的農村社會學而言，鄉村是正在逐漸崩潰，但就全球標準來說，日本的「鄉村」結構和意識形態並沒有瓦解。所以，日本人沒有認同危機，《根》的銷售量就比不上它在美國的轟動了。話說回來，美國雖是個移民國家，卻也在越戰中被揭穿只是個穿新衣的國王，而自己也知道了。所以哈雷先生寫了這種小說卻沒有被人殺掉，就是多虧了美國的這種自覺。我曾經見過哈雷先生。當時他親口說，這部小說若是在十年前出版，自己一定馬上就遭到暗殺。

哈雷先生研究被虐待200年的黑人的人性，為自己尋根，也試圖確認身世和找回民族的尊嚴。他的努力是我們人類共通的課題，我們應該重新自問。

我要提出另一個假設。在我心中，至今仍有一個大問題，那就是華僑對中國的歸屬意識為什麼這麼強？日裔似乎就沒有這麼強。話說回來，當我研究夏威夷和美國，我發現一個意外的狀況：日本有全村外移、整個成了移民村的案例，但這在中國是很難想像的。

對照中國人的觀念，日本人為什麼要丟下全村遠渡重洋？這些村子是什麼樣的村莊？當然有自然村，村莊應該發生了什麼事。為什麼整個走光光？這意味著什麼？這些問題都只是假設，

還沒有完全求證，姑且充作問題的回答，只是不甚明確罷了。

感謝各位的耐心聆聽。

本文原刊於《昭和57年度一般研修報告書——国際交流關係》，東京：社団法人日本私立大学連盟，1983年3月1日，頁29～70

東南亞的中國裔移民
──對殖民地的貢獻與孤立

◎ 劉靈均譯

　　雖有或多或少的曲折，在歐美開始對菲律賓、馬來西亞、新加坡、汶萊進行殖民統治的時間點前後，中國人也開始離鄉來到這些地方掙錢。大多數是勞工（或被稱為「苦力」），一部分則是商人，主要來自於廣東、福建二省。除了離鄉背井出外掙錢別無選擇的他們，奉行「衣錦還鄉，落葉歸根」（也就是年輕時出外工作，老了返鄉終老）的生活原理，暫住在外地辛勤地工作。而他們自稱為華僑。

從華僑到華人之路

　　二次大戰後，與華僑相關的內外局勢大大地改觀。他們的居住地颳起了民族主義的暴風，這股暴風橫掃了政治、經濟、社會等所有領域。殖民地體制崩毀，許多國家因此獨立。

　　於是乎，這些華僑們已經無法再像過去一樣，在殖民地體制的大架構下，穿梭於少數統治集團與大多數的被統治者集團之間，巧妙地拾取殖民統治利潤的殘渣為生。

表1　華人人口的分布推算（1983年）

國名	總人口	華人人口	比率
馬來西亞	1486萬人	475.5萬人	32%
新加坡	250	192.5	77
菲律賓	5206	78.1	1.5
汶萊	20	4.0	20

註：此爲筆者總結整理相關當局和頂尖研究者之推算。

　　然而，華僑們卻也無法輕易回到將他們或者他們父親送出來（或者說排擠出來）的故鄉了。那是因為：第一點，1949年10月開始，中國突然變成了社會主義中國，所以華僑們居住國家的政府禁止，或者嚴厲管制他們與中國大陸之間的往來。這樣的禁止和嚴厲管制一直持續到了美中兩國開始接近的1972年，那是因為害怕中國共產黨的勢力或者是他們的影響對於現住國的滲透。

　　特別是，害怕中國革命波及東南亞的美國，基於骨牌理論制定了封鎖中國的政策。美國的反共宣傳無止境地高漲，反中國共產黨逐漸變成了反中國，甚至變成反中國人，把承繼著中國「血緣」的華僑、華人都捲入了政治的漩渦當中。

　　將「血緣」在政治上的解釋無限上綱的反華僑主義，因此橫行於東南亞。統治台灣的中國國民黨政權與統治中國本土的中國共產黨政權的對抗，也被投影於華人社會，大多數的華僑與華人因而成為無處訴說自己苦痛的無告之民。

　　妨礙東南亞華僑回到中國的第二個理由，在於他們大多在大陸已無託身之處，而且多數是中小型商人，為了定居而回國不一定很情願。第三個理由是北京當局，除了那些被認定為「愛國華僑」者以外，並不歡迎華僑們的歸「國」，尤其是從大躍進時期

到文化大革命時期（1958～1976年）更是如此。

在諸般狀況之下，華僑只好捨棄自己素來「衣錦還鄉」的方針，被迫萬不得已地變身或者轉身成為華人。

這些已經不是華僑而是已經取得居住地國籍的華人，開始邁向新的道路，也就是「落地生根、開花結果」（在居住地生根，長出枝幹並且開花結實）的生活方式。他們開始試圖將自己定位為「菲律賓華人」、「馬來西亞華人」、「新加坡華人」、「汶萊華人」，亦即逐漸從過去的寓居海外的中國人角色，改變成華裔菲律賓人、華裔馬來西亞人、華裔新加坡人等。

然而這樣變身、轉身的日子還很短。居住國建國的進展不順、政情不安，當地居民對於華人的認識也仍然不夠。再加上就現況而言，華人自己的自我認同也還不能十分成功地確立，「成為華人之路」也可說仍然處於矛盾與苦悶之中。

漢文化與本地文化

在此我們姑且不提明末以前的中國人與東南亞的文化交流。在此現存的華人文化的原型應當大多是從鴉片戰爭（1840～1842年）到太平天國時期（1851～1864年），以及中華民國成立後的混亂期（特別是1920年代）到中日戰爭（1931～1945年）移居東南亞而華僑化的人們所帶來的吧。

其中以清中葉到清末的華僑，其文化是以漢文化中的江南文化為核心。他們將可以算進廣義的文化領域的手工業、農耕、農具等技術面導入東南亞，這部分的貢獻在史書中多有提及。此

外，菲律賓語、馬來語有關蔬菜、料理名稱的語彙中，也混雜著許多華南的中國方言，由此可見華人先人們的貢獻；然而他們在商業面上的貢獻與活躍，更招致了超越評價的忌妒。

那麼在所謂狹義上的文化，也就是在語言、宗教、教育等方面，華僑們又有怎樣的貢獻呢？老實說極為有限，客觀上而言，華僑們幾乎沒有機會和能力對當地文化產生影響。

畢竟華人的先輩之所以會出國去東南亞，並非有國家政策為後盾的組織移民，也不是因著傳教的使命感。絕大多數的人都是私下的，頂多是親朋好友組成了團，只是為了當下生活所需而離鄉背井。

他們所建造的道教寺廟、孔廟、關帝廟、大伯公廟、媽祖廟，甚至是中國化的佛教寺院等，都只有在華僑社群中才得以發揮機能，只能算是華僑們之間的宗教活動。由於殖民地體制方面的放任不理，他們為了教育子女自己出資辦中華學校，教育活動上也與本地社會幾乎毫無關係。

由於華僑與本地居民的交流主要是透過商業買賣，廣義上而言，他們的生活方式，特別是生活簡樸且有著旺盛的勤勞意識，對子弟教育熱心等也對本地居民略有影響。菲律賓人喜歡陶瓷器也是其中一例。我們也可以指出，其重點在於：華商的狡獪的一面為人所厭惡，但是他們在履行約定上重視信義，交易的效率等方面也獲得信賴的好風評。中華民國成立（1912年）以後，透過華僑引進東南亞的政治思潮面的影響，則在於孫文與毛澤東的思想與行動。特別是為了阻止毛澤東思想的影響，居住地政府當局可說是竭心盡力，至今依然為此有所用心。

居住國政府在文化上的壓迫

　　由華人體現的中華文明與文化能否藉由其個性，在居住地為嶄新的文化創造作出貢獻？又是否有客觀條件可以達成呢？答案只能說是前途一片黑暗。在新加坡的南洋大學（以華語為教學媒介，用華僑的善款所創設的東南亞唯一綜合型大學）遭到廢校（1980年）。在馬來西亞則由於過度偏激的布米普特拉政策，讓華人社會持續遭受到有形的、無形的歧視與壓迫。為了保持中華人特質，華人社會特有的語言、文化、教育等各種活動是不可或缺的，然而其自由被各國的文教政策不斷地限縮。

　　就目前當地的政治、經濟、社會的各種狀況而言，不要說保存民族固有文化或者擁有特有民族文化與傳統的自我主張，就連對其進行批判性的繼承與發展在當地都不被接受，這樣的現況恐怕是讓華人社會的人們悲傷不已的。

　　我們期望有一天，華人意識能夠持續被保存，並且能擁有更高層次的菲律賓人意識、馬來西亞人意識、新加坡國民意識、汶萊國民意識等相互融合的實現。

　　本文原刊於《週刊朝日百科・世界の地理》第492號，東京：朝日新聞社，1985年6月9日，頁166～168

異文化社會與華僑‧華人

◎ 林彩美譯

前言

　　眾所周知，華僑與華僑社會主流部分的形成是隨著歐洲近代的世界化，亦即向非歐洲世界擴張的過程中開始的。

　　今天，做為我們議論主要對象，有關居住東南亞華僑、華人的祖先在居住地的位置，大致可以下面的構圖來描繪。

　　上層是統治者集團的歐美人，下層是被統治者族群的本地人，華僑則不管喜不喜歡就是被定位在此中間的存在。

　　歐洲的近代與非歐洲的前近代（在此指包括「近代」以前的所有發展階段，當時的非歐洲世界的發展階段）以亞洲做為舞台的「邂逅」、「抗爭」、「對決」的劇本裡，華僑終究只是配角而已。總之可以說，依歐美殖民地體制下，只宿命地分配到幫手或附屬物的角色。

　　華僑們從一開始，在居住地社會就是當不上「主人」，也當不了「奴隸」，懸在中間不上不下的存在。

　　以居住地「東南亞」做為舞台的歐美近代＝殖民地統治對東

南亞·傳統＝被殖民地統治，自始即蘊藏著異質文化傳統，生活方式的相逢與衝突。

華僑的祖先們帶著中國的「前近代」＝傳統去到東南亞。他們赤手空拳進入與自己迥然不同的，歐美的近代與居住地「前近代」相遇的血肉橫飛的戰場。在兩個迥異的主流的相逢、抗爭，相互對決的東南亞異文化社會中，以自己的「實存」拚命地尋求糊口之糧，汲汲於掙錢寄回故里。他們所奉行的生活哲學與原理就是「衣錦還鄉」與「落葉歸根」，亦即「衣錦還鄉，晚年壽終變成故鄉之土」。

圍繞華僑·華人的認同問題

「不同文化的接觸必然引起文化衝擊」，近來人們喜愛以此為話題。

如限於第二次大戰前的華僑界來看的話，好像文化衝擊的事例不多。當地出生的「僑生」，特別是已華裔化、華僑意識已非常稀薄的少數群體的事例在此除外不談論。

讓我們回到一般華僑的事例吧。他們因為在居住地社會，從一開始就不屬於「主人」、「奴隸」的任何一方，所以只有停留在達觀的境地，或令自己沉潛在中華意識的一個變種的華僑意識之中是通例吧。特別是形成唐人街日常生活在此營生的人們。

基本上來說，艾利克生所說的認同危機或進退兩難，在華僑的座標軸都未曾發生。或說很少發生。

第二次大戰，然後終戰，繼之澎湃而來的圍繞著殖民地解放

的抗爭、對決，撼動了華僑的定位。

開始甦醒、曾經的「奴隸」們揭舉愈來愈高昂的土著民族主義帶有濃厚的國家主義性格＝自己種族中心主義向前衝的他們，需要有新的敵人來鞏固其內部，當作政爭的工具。而在身邊就有，並且是感情上也易懂的存在的「華僑」便無可避免地被擬成代罪羔羊的角色。懸在空中可以中間人敷衍了事的時代確實告一段落了。

這些新狀況的發生，加上華僑的祖先之國的中國大陸出現了社會主義政權是在1949年10月1日的事。一直以來以「莫談國事」、「閒談政治」──不要談論國事和不要與政治有牽連為座右銘，一味地奉行明哲保身的哲理，而現在卻是政治毫不客氣地以帶泥的腳踩進他們的日常生活中。

應該回去嗎？停留下來嗎？到第三國去嗎？但可選擇的空間很小。尤其中下層華僑是如此。他們不得不把生活哲學從落葉歸根的原理改選為「落地生根」的原理。

「落地生根」就是把根在居住地和居住國伸展，最終了要變成該土地中的一部分為目標來營生之意。法律上是獲取居住國國籍，從華僑變成該國華人系住民，加入為該國國民的構成員。而在社會上，要自己主動積極超越華僑的定位，克服揚棄傳統的華僑意識，意味著重新培育能體現在居住國應有的時代精神的華僑意識，那才是理想。在理論上談論是很容易的事，但實踐就難了。走向華人之路有重重的險峻的土著人方的阻礙要因埋伏著。

「對金錢很執著的，厲害不好惹的外來者中國商人」的老調與罵聲衝著華僑、華人們，有時還被貼上中共的第五縱隊，潛伏

的「赤色敵人」的標籤。有關華僑、華人的認同危機與進退維谷是越發嚴重。

但不知為什麼，人們不寄予關心。簡直就像奧斯威辛的事件儘管規模小些可是頻發了。唯一的例外是中南半島劇變後發生的海上難民（boat people）災難，沙特（1905～1980，法國哲學家）的彈劾「不能允許海上奧斯威辛的再現」猶留在記憶中。是傳言說海上難民的八成左右是華僑那時候的事。

「華僑」的確不像猶太人是亡國之民。何況「赤色中國」與「白色國府（國民黨政府）台灣」都儼然屹立著是眾所周知，因此而喚不起同情的吧。而「華僑」的「猶太人化」也確實進行著。

在此所說的猶太人化，不是指「對金錢很執著，厲害不好惹的亞洲的猶太人」老調，而是在說「華僑」們變成受虐待，屠殺也是當然的「對象」，做為在人之下的「存在」，被周圍的一般「他者」所看待的日常狀況這回事。

保持華僑・華人的「中華人特質」是罪惡嗎？

自1965年的九三〇事件以來，印尼的一般「華僑」在政治、經濟、社會各層面處於嚴峻的「逆境」中。有關此問題在此不論及。

在此的主題基軸是有關異文化社會的課題之故，我們擬聚焦在圍繞「華僑」的文化狀況來嘗試思考。

愛因斯坦在其著名的論文〈世人為何憎恨猶太人？〉（Why

do they hate the Jews?, Coolier's Magazine, Nov.26, 1938年所載。日
文譯名《愛因斯坦選集》3，頁235～245，共立出版，1970年初
版第6刷）上講的很確切：

　　「猶太集團之所以能存續至今，與其歸因於他們本身的傳
統，不如說是因他們始終受到壓迫與敵對關係所致。毫無疑問
的，這正是這個集團能夠延續數千年的主要理由之一。」此外，
他還提到「儘管迫於無奈過著離散（diaspora）有如浮萍般的漂
泊生活，卻讓他們更加堅定保有自己的猶太人特質，而且仍努力
拚命捍衛。」

　　把猶太人特質，暫時以「自稱猶太人的集團所共有的
Ethnicity＝人種、民族、社會的集團所擁有的言語、傳統、宗
教、生活樣式、生活感情、文化等等的屬性」來定義，那麼結合
猶太人的「紐帶」＝結合原理，我們可以從猶太教信仰、言語
（意第緒語〔原住德國的猶太人方言〕與古代希伯萊語為核心的
語緣）。長期的迫害與歧視的歷史所產生的傳統、生活樣式、
生活感情、連帶感等可看出。以上的任何一項，與其說是「政
治」、「法律」的次元，不如說更是「心」、「魂」、「血」等
所謂文化的社會次元存在。

　　圍繞華僑的居住地或居住國的狀況，如果人種的民族歧視與
被忽視的現實狀況只要繼續下去，華僑、華人也會如猶太人般，
同樣為了「實際的生存」而拚命，堅持中華人特質，為了捍衛而
消耗精力是可設想的。

　　保持自己的民族性，可以說擁有「本能」性功能者，也不限
於猶太人或「華僑」。在北美大陸的日裔第三代以降新世代可看

到的動向，還有1960年代，以黑人為中心的公民權運動為契機而
發生的民族性的認同問題在美國社會的顯現，對我們提示諸多事
例。

　　前夏威夷州知事有吉先生對於日本人特質，季辛吉前美國
國務卿對於猶太人特質，美國汽車公司克萊斯勒的李・艾科卡
（Lee Iacocca）前會長對於義大利人特質的拘泥，而談各自的
根，因而被懷疑對美國的忠誠心，在現今的美國我想恐怕已不會
發生。

　　在此意義下，從長遠來看，華人取得居住國國籍，保持自己
的「中華人特質」，一邊將之發揚光大，對居住國的建設能有貢
獻的日子將來臨，已有美國的事例，也不是不能期待的。

　　然而，為了那日子的到來所要準備的條件：(1)居住國方關係
者的盡力；(2)「華僑」方的主體性的諸營為；(3)「華僑」的祖先
之國方關係者的協力；(4)「華僑」研究者的國際性規模的啟蒙
等，必須要有以上條件的組合的總合性協力。

　　1987年秋，在馬來西亞發生的華人與馬來人領導們的大逮捕
事件是圍繞「母語」教育問題為起因，因此是討論上面(1)的課題
的最淺明的事例，我認為有供作話題的價值。

　　　　本文原刊於《アジアその多樣なる世界》，東京：シンポジウム「ア
　　　　ジアその多樣なる世界」事務局，1988年2月19日，頁107～110，係
　　　　於1985年2月19日，第2回「大学と科学」公開演講討論會之演講文

對台灣與華僑在經濟上的期待

◎ 林彩美譯

　　在中國經濟‧東南亞經濟發展之中，讓我們來期待台灣與華僑所能扮演的角色吧。

　　1991年台灣政府擬好了新的六年計畫，目標是把現在的每人GNP 8,000美元，到1996年提升為14,000美元。台灣出身的華僑在中國大陸的進展異常醒目，東南亞諸國也歡迎台灣資本。但是台灣資本家有戒心，因為第二次大戰後華僑被犧牲、受迫害的歷史，不知此對華僑鎮壓的歷史，什麼時候又會重演？

　　在中國發展之際，華僑如何發揮其功能？馬來西亞所提倡的東南亞經濟圈，不能讓它只做為一時的政治秀就不了了之。自日本戰敗以來，亞洲沒有比現在更和平的時候了。

　　我們如今更應向歷史學習，建立超越國家與經濟狀態架構的哲學。今天的日本有沒有那樣的政治家存在呢？

本文原刊於《日本経済新聞》。係於國際經濟經營會議機構舉辦「1991年國際經濟經營會議」之發言摘要，1991年3月18～19日

華僑是誰？華僑問題是什麼？

◎ 雷玉虹譯

這是幾年前的事了。我在某大學以「東南亞的社會經濟與『華僑』問題」為題進行集中講課。做為初步入門的方便，我從提出「華僑指的是誰」這一問題開始了我的講課。

在三十名左右的聽講者中，僅有一個人做出了回答，而他的回答竟然是「像成龍（香港的功夫片明星）一樣的人……」。點了幾位沒有舉手而保持沉默的學生名字，要他們做出回答，其結果均是「不知道」。

「對巨人隊的王選手你又怎麼看呢？〔譯註：指出身於中國的著名棒球選手王貞治〕」針對那位做出「像成龍一樣的人」回答的學生，我試著逼進一步提問。自稱喜歡看電視，而且也常常看電影的這位學生看起來確實是見多識廣。他歪著腦袋猶豫不決地說：「王貞治雖然像是中國人，可他又拿了國民榮譽獎……」，結果還是說了一句「不知道」而坐下。

對於愈來愈不看書的學生們而言，要他們把握華僑與華人（後面再做詳述）的形象確實是一件相當費勁之事。為了介紹有關華僑、華人的情況，要是有便利的、高質量的錄影帶就好了。

一、唐人街與華僑

　　看來這樣下去是要冷場了，我趕緊把話題轉到唐人街上來。橫濱有中華街，神戶也有南京街，只是規模小一點。在長崎、函館也有。實際上不僅僅是在日本，在世界各地均有唐人街。在美國的紐約、舊金山有，加拿大的多倫多、渥太華等處也有，我以見聞為中心進行了介紹。在這個過程中，我順便也提起舊金山的日本城，洛杉磯的小東京、芝加哥的日本人街等情況，嘗試著一邊進行比較，一邊進行介紹。

　　這裡的唐人街在中文也稱華埠。這種最為普遍的叫法，當然是將中華的「華」與埠頭（碼頭），以及商埠（通商港口、城市）的「埠」相結合而成的詞語。也就是指中國人聚集的港口城市之意。因此，可以說英語裡的China town唐人街與華埠是很相稱的叫法。此外，除了華埠以外，中文裡被稱為唐人街者也不少見。唐指的是唐朝。中國人常常把唐朝當成理想的「朝代」來看，「盛唐」一詞說明了這一點。因此，唐人意思是指來自中國之人。

　　總之，住在唐人街的中國人，在日語中一般被稱為「中國系」的人們；至第二次世界大戰結束為止，在漢語裡一般被稱為華僑；在英語裡一般被稱為Chinese abroad或者是Overseas Chinese。

　　華僑及華僑社會形成的歷史相當悠久（請參照〔本冊〕〈華僑社會的形成與分布〉）。僅僅因為其歷史悠久，在各種主客觀條件的動態作用之下，華僑這一詞語的內容、客觀的地位、生活

方式、生活感覺，由此他們的意識等也發生變化。不，也許應該說是不得不發生變化。

　　讓我們先從對華僑一詞進行字面上的解釋著手吧。華僑是由指意味著中國或者是中華世界及文化的中華的「華」，與表示僑居之人的僑民之「僑」相組合而形成的略語。僑的語源是否也可以解釋為來自於「喬遷之喜」即「搬家的喜悅」這一成語中的「喬」，再加上人字旁，以表示移居之人們。因此之故，在中文裡一般將居住在中國領域外的中國人，大致上稱為華僑。在日語裡也仿照這一點，直至今日。

　　令人感到意味深長的是，在中文裡將在中國領域內居住的日本人以日僑，英國人以英僑，美國人以美僑，印度人以印僑等詞語來進行表現。近年來，由於香港與台灣的勞動力不足，大量的泰國與菲律賓的勞工持續不斷地流入，對此，中文報紙將其稱為「泰僑」、「菲僑」進行報導。世界形勢變化之劇烈令人瞠目結舌。而因為印僑與華僑一樣散居世界各地，所以並不僅僅是限定於居住中國領域內者。在新加坡、馬來西亞、緬甸甚至是非洲大陸等各地均有印僑分布，這是眾所周知的。將華僑與印僑進行比較的同時，進行論述者也不少。

　　有關印僑問題在這裡向大家介紹一段小插曲。1990年夏天，我為了參加學會而去了香港。在我下榻飯店門口的服務員中，站著頭上捲頭巾的印度裔人士。對於會說英語與廣東話的他，我問到：「1997年香港已經決定要被歸還中國，您準備怎麼辦呢？如果方便的話，請您告訴我。」他說：「沒問題。我是香港人。如果香港被歸還中國的話，對我而言只不過是在香港人的頭銜之

外，再加上一個中國人的頭銜而已。」「您沒有想過要回到自己的祖國，或者是移居到其他的地方去嗎？」「完全沒有想過，因為我沒有錢。我認為我所熟悉的香港是最好的……」他眨起一隻眼睛向我做了一個鬼臉回答道。他的幽默使人感到欣慰。

　　這使我感覺到，站在庶民生活感覺上的居住意識與民族意識微妙交差的「波動」，在這一瞬間若隱若現。當然，在這裡所謂的民族意識，並不是指曾經成為近代國民國家形成的原動力一部分的意識形態層次民族主義。充其量也只能說是應該將其定位於下位的社會的、文化的集團認同層次的民族主義而已。如果套用美國的人類學與社會學的「ethnicity」的概念來思考的話，就會變得更易於理解了。所謂的ethnicity，就是指擁有對特殊民族集團的歸屬感及民族性文化上的連帶感與自豪感，雙方相互交織在一起的這種狀態。人們根據自己所共有民族集團的下位文化認同，來確認自己做為人的存在感。

　　唐人街是華僑的集中居住區，同時也是他們賴以經營生計的社區，這毫無疑問。因此，很容易引人注目，成為象徵性的存在。隨著中國人出國者與到海外打工者不斷增加，並且在當地紮下根來者日益增多，以及從一開始就以定居為目標的移民者增加，華僑的分布也遠遠地已經超過了唐人街的範圍。職業的種類也變得多樣化，與其他「種族」（在本書中將其做為包含人種與民族雙方含意的詞語來使用）通婚頻度的增加也是當然的趨勢。

峇峇中國人

在馬來半島（包括現在的馬來西亞西部與新加坡兩者）經由與馬來人通婚而在當地出生的子孫被稱為峇峇（Baba）或者是峇峇中國人。而在印尼則被稱為Pernakan，在菲律賓由於受到西班牙語的影響被稱為Mestizo ，在泰國被稱為Luk cin，在越南則被稱為明鄉（Minh-huong）等等。

這些人一般的共同特點是，與祖國＝中國的往來已經斷絕，隨著日月的流逝與中國鄉土的紐帶正變得淡薄。理所當然，通常的情況下，他們做為對中國的鄉土或者是中國人意識的下位意識的鄉土意識也變得稀薄。

不能忘記的是，他們父祖之輩大多數是辛亥革命以前，甚至可以追溯到明末清初來自中國領域，即所謂下南洋的這些人。如此，用自法國大革命以來逐漸成形的國民國家、國籍法、國民的概念以及國民開始擁有的近代國家以及國民意識，直接對峇峇們的政治、社會、生活的諸意識進行說三道四可說並非明智之舉。這樣做是非社會科學的，這點首先應當確認。

庶民日常生活中所使用的詞語，並非是經過社會科學的嚴謹定義之後再有意識地被使用，此是任何社會中都可見到的現象。

在男性的單獨出國成為主要潮流的時代，與當地婦女之間的通婚也只不過是在自然情形之下進行。隨著時間流逝，華僑的混血兒或者是其後裔之間通婚的情況也在增加。另一方面，偶爾也出現下南洋而取得成功地與同鄉婦女之間締結婚姻關係的例子。已經習慣於入鄉隨俗處世態度的人們，也就是說當地化很明顯的

人，即使沒有與當地人混血，也開始被稱為峇峇了。

　　在這裡，有一點是需要重新確認的，就是混血兒峇峇們的問題，基本上與混血程度無關。從混血50％對50％開始，到75％對25％或者是與之相反的例子等，隨著時間的流逝，表現出極為多樣化。

　　他們之所以從社會層面、歷史層面浮現出來，是由於出現了以下狀況。也就是說，通常都是在出現了使得這一部分人或者是他們領導者的存在已經到了不能被忽視的狀況，周圍的關係者們不得不把這個問題提出來，人們才開始對此問題注目並產生興趣。據說菲律賓人中的五分之一，泰國人中的四分之一均不同程度地擁有中國血統。在通婚障礙比較少的泰國與菲律賓，其中庶民層次混血的進行與其結果，就像滄海中之一粟般被吞沒，消失得無影無蹤。

　　貧窮的庶民，僅為謀生已經竭盡全力。大部分做為父親者自己本身並不識字。通常即使是有望鄉的念頭，無論從主觀上、客觀上均沒有得以實現的手段。混血兒們是經由「當地」出身的母親之手扶養成人的，通過母親之手，混血兒們在悠悠的「大地」絮下了根。權力一類對於廣大的庶民而言，可說是可望而不可及之物，甚至從某種程度上而言，是和他們沒有直接關聯的存在。日常生活層面的被社會疏遠的孤獨感及歧視意識，則通過妻子方及母親方的「共同體作用」而被抵消。

　　曾有無數的這種普通民眾的故事，對於這點我們是不能忘記的。一般政治家、研究者們理所當然地很少會去注意到此點。對他們而言，無告之民的煩惱及心理上的問題是屬於他們關心的問

題範圍之外，因為這只不過是一些瑣碎之事而已。

　　這也許是因為身為人的本性或者是他們所處的生活基礎使之如此的吧。在殖民地時代，峇峇們中的成功者們盡忠誠的對象是居住地的殖民地統治權力而已。而他們認同的對象，則是做為殖民地權力體現的歐美價值體系，在宗教上也不是信仰本地宗教或者是伊斯蘭教，而是選擇了基督教做為主要的信仰。在語言、生活習慣、衣服等方面多少還留有一些中國的色彩與傳統者也不在少數。這是因為在殖民地權力者集團之中，即使侮蔑當今的中國，但是對中華文化甚至是孔子所教導的普遍倫理觀反而表示尊崇者也不少。

峇峇社會的形成

　　具有強烈事業企圖心，並且獲得成功的他們之中的大多數人，與居住地的草根社會幾乎沒有密切關係。一般情況下，他們與本來的華僑社會、殖民地體制下的歐美人上層社會均保持著一定的距離也擠不進去。他們形成一個不上不下的特殊圈子而謀生。

　　在漢語裡將他們統稱為華裔。然而，華裔並沒有一個明確的概念，僅僅只是指具有中國血緣關係的後裔者，尤其是指對祖國＝中國的政治歸屬意識稀薄的人們。然而，在他們內心深處往往會感到一種對中華帝國絢爛歷史、文化的牽掛。華裔指的是諸如峇峇們一樣的人們，是個相當曖昧的稱呼。

　　不上不下像浮萍般存在的他們，受到所圍繞著的生活條件及

環境左右而東跑西竄的史例也不在少數。要探究華裔的內心世界
並非一件易事。

　　通常的說法是認為馬來半島的峇峇社會是形成於葡萄牙人統
治麻六甲的時代（1511～1641年），尤其被認為是形成於17世紀
以降。麻六甲後來經過荷蘭人的統治之後，變成了英屬海峽殖民
地之一。英屬馬來的海峽殖民地於1824年被法制化，由麻六甲、
檳城與新加坡三部分構成。峇峇社會也由麻六甲擴大到檳城、新
加坡。英國以海峽殖民地為中心強化擴張對馬來半島的進入與侵
略，峇峇社會也隨之進展。

　　1900年發生了義和團事件。這是清末期間華北發生的反帝國
主義的民眾運動，高喊「扶清滅洋」的口號包圍了北京的外國公
使館區域，德意志公使被殺，導致英、美、法、日等八國共同出
兵，反帝運動最終遭到挫折。

　　此時期峇峇社會的反應令人感到意味深長。據新加坡大學的
崔貴強說，當時在新加坡出版的《海峽華人雜誌》（*The Straits
Chinese Magazine*）上，曾有峇峇的某人號召「海峽僑生、峇峇
中國人應該組織義勇軍，派遣到中國與英軍共同打倒清政府」的
投稿。事實上，1901年11月曾有多達100名的峇峇中國人的年輕
人，加入到新加坡義勇軍步兵連隊，向英國政府宣誓忠誠。

峇峇中國人的返祖歸宗

　　自19世紀末至20世紀初的20年間，東南亞華裔、華僑社會發
生了劇烈的動盪。清朝朝廷的相關人士和以康有為、梁啟超為首

的保皇會（黨），以及由孫文領導的革命勢力共三股勢力，為了獲取支持基盤，開始展開了競爭活動。

全世界的有識之士們奔相走告，「沉睡的獅子＝中國」終於睜開了雙眼，中國的黎明即將到來。有心的華僑青年傾向於支持革命，這是不用說的。由於認同的擴散而感到困惑的峇峇，即華裔青年們之間，也隨著時代的潮流湧現出了「返祖歸宗」的現象。

出身於檳城的峇峇辜鴻銘（1857～1928）的一生，與日本也有不淺的關係，令人感到意味深長。辜是檳城的第一代中國人甲必丹辜禮歡的三男龍池之子，因被譽為神童而頗有名氣。曾隨僑居的英國人布朗（F. S. Brown）渡歐，以優等學業畢業於愛丁堡大學。之後再到德、法、義大利等國遊學，23歲時回到大陸，受湖廣總督張之洞重用，負責外交事務長達17年之久，脫掉洋裝，換上長袍馬褂，過起了蓄髮辮的生活。因第一代華僑之首領著名的陳嘉庚之邀，曾任其所創設（1921年4月6日）的廈門大學第二屆校長（因為第一屆只是掛名而已，因而從本質上而言也可以說是首任）。為歸國「僑生」（在南洋當地出生的華僑第二代）及「僑鄉（華僑的鄉土）」子弟的高等教育盡力的林文慶博士（1869～1957）的故事也是很著名的。林原先也是出身於峇峇，在英國受醫學教育，擁有英國籍。他對孫文革命的民族主義，開始是持批判態度。因為對儒家思想與中國哲學感興趣之故，與康有為等保皇派比較接近。做為受過英語教育的改良主義集團的首領，英國的殖民地當局也由於其教育背景，對其信任有加。他熱心於新加坡的華僑、華人社會的教育事業，創設了新加坡華文女

子學校（Singapore Chinese Girl's School）等等。非常遺憾的是限
於篇幅，我這裡沒有機會談及他變貌的過程。自1921年秋，他就
任廈門大學校長以來，至1937年該大學改制為國立大學的大約十
六年間，他招聘以魯迅為首的先進教員所進行的大學教育，現在
還是人們樂於談論的話題。

　　峇峇們的「返祖歸宗」現象，並非唐人街特有的現象。

　　即使是流浪，也堅持不屈的猶太魂的種種例子已經是眾所周
知的了，我們也應該留意在美國的日本人及其子孫生活方式的例
子。他們開始了第一代是「竹子」、第二代是「香蕉」、第三代
是「豆腐」等為志向的自我主張，諸如此類的圖式頗具啟示意
義。

　　對於不被允許歸化入籍、甚至連當地化都談不上的第一代，
只有像具彈性的竹子一樣，柔軟地、堅韌不拔地生存下去。而第
二代取得了美國國籍，雖然自相貌到皮膚都與從前沒有兩樣，依
舊是黃色，但從內心裡卻無限地嚮往著認同於應該屬於美國白人
的價值體系的「白」。這就是他們被稱為「香蕉」的緣由。然
而，本質性的問題並不能夠得到解決。不僅使人變得卑躬屈膝，
而且在第二次世界大戰時，日裔強制收容所的開設，給他們這些
第二代，帶來巨大精神上的衝擊。根據美國憲法，雖然自出生
以來就應當是美國人的具有日本血統的第二代，在沒有得到提
示——除了他們具有日本血統以外的任何法律理由的情況下，就
被拘留關進了具有日本血統者的強制收容所。他們被已成為這些
第二代的法律上的祖國美國政府，強制性地從家庭裡被攆走，既
沒有舉行公開宣判也沒有進行舉證就被監禁起來了。這不用說對

「香蕉」們的心，就是對憲法都採取無視態度的美國政府強制性處置。這一點告訴我們，美國這個國家是個具體的存在，僅限於其不可能是抽象結構這點，無論是法律還是民主主義，是社會正義還是公民自由，都絕不可能與現實的政治相脫離而以理想的形式存續下去。

被稱為「豆腐」、具有日本血統者的生活方式，是從越戰時期的反戰運動，與黑人解放運動為發端的美國少數民族運動的高漲之中，覺醒而起的具有日本血統的第三代們有意識地選擇的。換一種說法，也就是他們無疑是在追求一種皮膚與心靈，也就是表裡一致、確立人性尊嚴的生活方式。換句話，是否也可以說是保持優良的日本人特質（指的是意識到做為日本人的生理上、文化上的特質，並對此感到自豪）的同時，確立自己做為優良美國人的新認同為目標呢。

「華僑是革命之母」

言歸正傳。當時清朝的崩潰明顯是早晚之事。在第一次中日戰爭（1894～1895年）中國戰敗之後，將台灣「割讓」給日本，亡國之兆促使全中國有良知的年輕人奮起。此外，擁護主張以明治維新為榜樣的光緒皇帝的康有為等人所推動的政治改革運動，也因戊戌政變（1898年9月）而失敗。這種狀況的變化，為孫文等革命派的活動提供了很好的機會。孫文等人趕緊提出了「華僑為革命之母」的口號，開始向華僑們鼓吹「滅滿興漢」的口號與以三民主義為基礎的四大綱領，即「驅除韃虜」、「恢復中

華」、「創立民國」、「平均地權」，其中前二者係為核心的民族主義。其目的很明確，就是取得漸漸在居住地站穩腳跟的南洋（當時的東南亞全域）華僑的支持，取得革命資金的來源及將革命的青壯年組織起來。

　　在下面一章裡我還要提到的，就是在明清兩代中國人的出國、私人貿易等都被朝廷所禁止，或者是受到限制。然而，以自己生存為賭注，與東南亞之間的往來，對於閩粵兩省的冒險漢子們而言，不論多少的禁令並不成問題。如果依附於歐美殖民主義者所創造的東南亞秩序，並且勤勉勞動的話，就有可能過上比故鄉更好的生活，也有可能給家裡寄上一點錢。於是他們蜂擁去南洋。即使是在物質層面可以在某種程度上得到滿足，心理上的不安依舊不能消除。就與「母國」當局間的關係而言，一直是「見不得人的人」，在殖民地體制下的打工之地，則免不了遭受白眼而產生孤獨感。

　　旁觀孫大砲（孫文的大吹牛皮）運動的人們大吃了一驚。這麼說不僅僅是要打倒巨大的清朝朝廷與強大的皇帝權力，還要把我們當作愛國者來看待。如果中華民國變得強大的話，就能與明治維新以後的日本人一樣，在居住地的地位得以提升，重新振興起來的偉大中國就會從背後給我們以庇護。就要與在居住地的臉上黑暗生活說再見了。如此一來，人們就將巨大的夢想寄託於孫文身上。

　　華僑的自稱、他稱均急速地得以普及，甚至連已經貼近殖民地體制的中上層，取得該國國籍的峇峇們等華裔也被捲入華僑概稱之中的氣勢。

華僑的國籍問題

　　中國國籍法的第一號係於清末的宣統元年，即1909年制定公布的。是由荷蘭政府當局將有關蘭印（荷屬東印度，即現在的印尼）僑居的「東洋外國人」（指日本人與中國人）的法律上地位改變為契機。自明治維新以降，伴隨著日本國力的增強，在東南亞日本人的地位也得到了提升。1908年4月，日本與荷蘭之間締結了有關領事事務協定，在蘭印僑居的日本人從法律上脫離了「東洋外國人」的範疇，獲得與歐洲人同等的待遇。

　　華僑社會漸漸地成形，由於受到孫文等人，特別是興中會（1894年11月創設）與中國革命同盟會（1905年8月結成）的革命運動波及，華僑間的國家意識開始產生，並得到高揚。他們對自己與日本人相比而被歧視，僅能停留於「東洋外國人」的層次上，與「本地人民」同樣對待的法律上地位深感不滿。發起了強硬的批判與抗議。

　　看到這種狀況，清朝開始藉保護「僑民（海外僑居的自國民）」的名義與荷蘭人進行交涉。荷蘭人提出因為清朝沒有國籍法，對誰是清朝國民或者是僑民這一點並不明確，因此認為對此問題無從談起。

　　清朝的意圖當然不是為了真正意義上的保護僑民或者是國民。孫文於1894年10月被倫敦的清朝公使館拘禁，險些喪命。通過這事件可以看出的，清朝真正的目的，是為了彈壓海外的革命活動家與懷柔華僑社會。其根本意圖是為了通過制定管理自國國民的法律根據，而達到以上目的，這不言可喻。

　　長期以來，由於做為殖民主義者與被殖民者之間的中間者存在，被殖民當局凌辱與冷淡待遇，又受到本地居民白眼的華僑們並沒有自己的立腳之地。他們對清朝設置領事館所帶來的地位改善抱著熱烈的期望。然而，列強諸國中除了英屬馬來以外，對清廷的要求並未應允。列強們擔心在沉睡的獅子終於繼日本之後清醒之時，他們無法控制與僑居日本人根本無法相比的大量華僑。

　　在辛亥革命之後的1914年，對清朝國籍法進行了修正。之後的中華民國國籍法的正式公布與實施，則是在相當晚期的1929年。該國籍法是與國府台灣的現行國籍法相關聯，並且現在還持續發生作用。除了1980年9月1日公布的《中華人民共和國國籍法》以外，中國國籍法一貫是以血統主義做為立法的基本立場（有關國籍法與華僑的國籍問題請參照〈華僑的國籍問題與中國‧東南亞國協關係〉）〔參見本冊〕。血統主義的國籍法一言以蔽之，就是如果父母為中國人，不管是出生在什麼地方均是中國人。並且規定，如果要歸化他國首先必須取得中國政府的國籍脫離許可。

　　因為弱國無外交，對於居住於擁有出生地主義國籍法的國家或者其殖民地的華僑而言，如果他們不歸國的話，就不會成為中國公權力行使的對象。由血統主義國籍法與出生地主義國籍法的對立而派生出來，即所謂有關雙重國籍所產生的華僑問題自20世紀以來到處發生。然而，由於國際上力量的關係，在大多數的場合下都是在對外國有利，也就是說是在對中國不利的形式下被政治性處理的。正如在〈華僑的國籍問題與中國‧東南亞國協關係〉中可以看出來的一樣，華僑的雙重國籍問題真正解決的契機

是在中華人民共和國成立以降。雖然一路上經過種種曲折，但現在還不能說是已得到解決。

頗耐人尋味的是，華僑們對國籍的態度。由於辛亥革命而成立中華民國以前的華僑，完全沒有國家意識或者說中國的國民意識及公民意識。有關此點我已在前面提及。就是有，也只是與鄉土意識及鄉黨意識沒有差多少的東西。對鄉土歸屬意識與對國家歸屬意識之間還有相當大的落差，對於這點我們不能忘記。

到第二次世界大戰結束為止，有關華僑的國際或者是國內的環境站在華僑立場上來看的話，絕非理想。

澳大利亞以白人澳洲主義為根據，對來自中國新移民的禁止與限制，換言之就是所謂的排華（包含華僑、華裔）政策早在1855年就實行了。接著，夏威夷於1875年、美國本土於1880年、紐西蘭於1881年、加拿大於1886年分別實施了相關的排華政策。雖然因各個國家的不同，其實施經過也各異，但基本上通常都是不承認第一代華僑的歸化，或者是對其加以明顯限制。不僅如此，在大多數的場合，華僑還被迫處於屈辱的非人境遇下。

對於歸化給予積極許可的荷蘭或者葡萄牙，由於他們的意圖一清二楚，華僑們當然是採取敬而遠之的態度。不能得到與歐洲人同等待遇的歸化，不僅只能使自身更受拘束，變得更為不自由，而且有可能不得不承擔起服兵役的義務。華僑們對此特別恐懼。華僑父祖們的華僑化雖然有各種各樣原因，但其中重要的原因之一，是有亡命的因素在內，這點我們是不能忘記的。為了逃脫中國戰亂或者是政局動亂，好不容易移住到了海外，對於新的「政治漩渦」或者是戰爭，對華僑而言，一文不值般地以他人為

主體的政治或者是戰爭，無論如何都是不願參與的。此外他們也還不能從「好鐵不打釘，好漢不當兵」的傳統思考方式束縛中解脫出來。因此，從主體的角度出發進行歸化的華僑人數並不多。

搖晃不定的華僑形象

　　清末時期，特別是辛亥革命前夕的東南亞華僑社會，存在著清朝當局、保皇派、革命派三派的爭鬥，有關這一點我已經在前面提到過。辛亥革命之後，大多數華僑基本上都傾向於支持革命派，將「夢想」寄託於孫文等人身上。然而即使革命成功，中國的政治安定與經濟發展軌道的構築並非一件容易之事。袁世凱（1859～1916）的反革命與帝政復活、北洋軍閥的跋扈、軍閥割據混亂的平息並非易事。他們一直沒有停止過歸國投資、參加民國建設與國民革命等活動。但另一方面，由於夢想破碎而重新返回僑居之地者也不少。

　　唯一的補償是他們在中國的地位得到了好轉這一點。被歷代王朝看成是「賤民」、「不講理之輩」、「謀反之徒」，被禁止一切官方往來的狀況一變，他們被稱讚為「革命之母」。此外，雖然曾被看成是「社會的廢物」、棄民等地位下賤的人而受到冷淡待遇，但現在搖身一變成為社會上的羨慕對象，並且受到了優遇。對於華僑而言，這是一件令人感到心情愉快之事，這是不難想像的。在閩南系華僑的僑鄉廈門，第一次世界大戰（1914～1918年）前後流行的打趣小俗謠有「蕃客，蕃客，沒有一千，也有八百」，以及「呂宋客，沒有一千，也有八百」。這裡順便一

提，蕃客的蕃指的是外國，在這裡所指為南洋。而呂宋指的是菲律賓的呂宋島，在此是對菲律賓全域的總稱。也就是說「從外國回來的老爺們，總有個千元八百的（銀元）」的意思。沒想到這是足以讓我們感受到貧窮庶民對華僑們，投以羨慕熱切眼神的小俗謠。

　　事實上，華僑在南方政府（針對袁世凱與北洋軍閥的北方政府，而以廣東為根據地、繼承了孫文衣缽的國民黨政府）內的地位非常高，受到優遇。其理由不僅是因為與孫文的革命運動在傳統上的聯繫。而是因為對於開始北伐的南方政府中國統一運動，以及在這之後進行的抗日運動與戰爭而言，繼續取得華僑的支持與協助是不可或缺的。

　　姑且不說離開故鄉、到海外去流浪，來自中國的打工者、移民、亡命之徒及其後裔們，到此為止一直沒有有關自己恰當的稱呼。華僑這種稱呼，表達了他們所處的狀況，做為表現他們的詞語出現時，在漢字文化圈的人們對華僑所擁有形象的肯定面與使人奮起的力量，抱以無限著迷而被迷住了。

　　至1950年代前半期為止，不，據說現在還有耆老或者保持中華思想的人們是這樣定義華僑，或者是表現華僑的。「所謂的華僑，是指自中國領域移居到外國領土的中國人及其子孫，是指在外國領土居住的所有（中國）人」等。

　　按照國籍法，對現在華僑與原來華僑所處狀況進行議論的有識之士，當然對上述說法持有異議。但是，從傳統的中國庶民感情角度來進行思考時，存在此種定義方法或者說法，也是不難理解的。

　　伴隨第二次世界大戰終結而產生的亞洲、非洲、拉丁美洲的民族解放獨立鬥爭的展開、社會主義中國的出現，以及世界人權宣言在聯合國的通過（1948年），使得圍繞著華僑的各種主客觀條件與地位發生了劇烈的震盪。

　　自己的祖國或者是鄉土已經變成「遙遠思念中的地方，已非回去安身定居之地」的狀況，現在已經變得很明確。圍繞著這種狀況而出現的嚴峻政治現實，現在橫擋在華僑們面前。

　　暫時居住的土地或者國家，已經變成往後自己或者自己子孫們不得不實實在在生活下去的土地與國家。華僑們自身被置於不得不重新迫切正視自己的今天與明天生存方式的環境與狀況之下，不，實際上也可以說他們是被逼到了這種狀況中。

　　是否對環境與狀況的變化不介意，固守於從前像無根浮萍般的生活方式呢？還是仍然站在至今為止，一路走來道路的延長線上，只漫不經心地聽任他人擺布度日呢？還是捨棄過去的鄉愁，即使是惡戰苦鬥，也應該踏踏實實地努力追求新的自我認同呢？華僑們被置身於一個重大的轉換期中，不，可以說他們現在還處在這個轉換期之中。

　　我過去曾提起過的「從華僑到華人的苦悶與矛盾之路」（請參照拙著《華僑》）〔指〈從「落葉歸根」到「落地生根」的苦悶與矛盾一文，參見《全集》11〕就是對這種狀況進行整理的一個圖式。

二、從華僑到華人

下面我想探究的是，華人究竟是指什麼人？

經過許多波折，雖然許可（華僑歸化）條件及難易程度因國家的不同而有所差異，但眼前的世界潮流是在朝著允許華僑歸化入籍的方向發展。

至此，為了明確華人的概念，我們也有必要首先給有關華僑的概念下一個明確定義。

做為嚴格用語的華僑，我想把其定義為：華僑是指從中國領土移住到外國領土且保有中國籍的中國人及其子孫住在外國領土的人，但是由中國當局或者是其他公、私機關派駐外國或是居留的外交官、駐地人員、研修生、留學生及其家屬等，則不包括在內。此外，有關中國國籍問題因為有以下內情因而有必要留意。也就是說，中國人所持有的護照中，有中共中國所發行的所謂中國護照與國府台灣所發行的俗稱台灣護照兩種。雖然隔著台灣海峽，而且雙方還處於對峙狀態，限於兩個政府都主張一個中國論，因此應該把中國國籍當作一個來看。

因為華僑完成了歸化手續之後，就是已經取得了該居住國的國籍，早已不是暫時居住的所謂僑民了，應該把他們稱為華人才妥當。事實上，許多有識之士正在這樣做。

一般情況下，時代潮流會敏感地反應到用語上來的。在英語裡Chinese American一詞已經取代了American Chinese一詞。前者可看作指的是華人系美國人，而後者則可看作指的是美國華僑或者中國人之意。用中文或者是華語來表現的話，前者是否可

說是美籍華人，而後者則是指美國華僑。在占75%的人口是原華
僑及其後裔的新加坡，自1960年代初以來，漸漸地不再稱自己
為華僑或者是中國人這一點已經是眾所周知。他們將自己的位
置確定為新加坡華人，用英語來表示就是Chinese Singaporean、
Singaporean Chinese Origin 。

　　此外，日本的大眾媒體有將華人稱為中國系某某人或華商的
時候，這很容易招來兩個誤解。第一個誤解是中國系這一漢語的
語感有可能被當成中國支持派，或者是包含中國這個國家概念背
景含意的漢語來看。此外，儘管華人中存在著華商，但華商並不
能做為華僑或者華人的總稱。因為戰後的當用漢字裡沒有「僑」
字，故而儘管是自第二次世界大戰結束後（1946年發表）一直使
用的日語慣用語，但不能反映出實際狀況的用語法應該盡量避
免。

　　最後我想探究的是，究竟問題何在？我們不能斷定說因為中
國（包括台灣）的政治、社會、經濟情勢如何變化，不再會出現
新的華僑。然而，如果從長遠角度來看的話，華僑正在走向減少
化的傾向，向華人化方面的傾斜在進一步發展。從而我們應該提
起的問題是華人問題，而早已不是有關華僑的問題了。

　　有關華人問題的相關人士大致上可以設想為四大類，第一是
做為主體的存在的華人自身；第二是居住國的政府相關者與原住
民；第三是華人的祖國及其相關者；第四是做為本書主要讀者的
日本人相關者等。

欠缺來自內側的省察

在這裡我們先提出有關華人自身的問題。

有關華人們面臨著大轉換期，使他們不得不面對新的自我認同之選擇與探求這點，我在前面已經提到過了。長年以來，一直把華僑史與華僑問題做為研究對象一部分的我，一直感到困惑，並且至今還弄不明白。猶太人知識分子智慧營為的成果之中有類似於「為什麼人們會憎惡猶太人」（見愛因斯坦著，《晚年回想》〔《晚年に想う》〕，收於講談社文庫）、《猶太人為什麼會遭屠殺》〔《ユダヤ人はなぜ殺されたか》〕（Lucy S. Dawidowicz，上、下，サイマル出版會。其原題為*The war against the Jews*，即《對猶太人的戰爭》，其內容卻正如翻譯本的題目般）、《我身上的「猶太人」》〔《私のなかの「ユダヤ人」》〕Routie Joskowicz（三一書房）等許多從內部來觸及問題的論文及著作。與此相比較，依敝人的管見，華僑系華人系知識分子中尚未見到此類著作。

雖然是僅限於在日本的「華僑」（做為總括華裔、華人、華僑的用語，在本書中將華僑一詞加上引號來進行使用）界的見聞與體驗，令人感到遺憾的是，在眼前有志向及對其議論的實在是太少。即使有學習經驗的態度，而學習歷史經驗的態度仍然是很少。喜歡宴會的熙熙攘攘與對「賺錢」成功故事的自我陶醉，據我的寡聞，並未曾聽到過有追求安靜的學習與沉潛於思索的勵志之士出現。

在「華僑」社會裡，來自於內部省察的知性營為太少的理

由，到底應該到何處去尋找呢？

　　我們從世界規模來思考的時候，由於政治、社會、歷史及地理的背景不同，各國對待「華僑」的方法也不相同。在公民社會成熟度比較高的發達國家，例如在美國、加拿大、澳大利亞等國家，華人系研究者間，已經萌生出新形式的知性營為的新芽，這是個好兆頭。我對此寄予很高的期待。

　　他們開始議論華人系馬來西亞人的困境、新加坡或者是印尼居住的華人系住民圍繞著政治上的忠誠對象有選擇性認同問題的探究，以及在北美大陸居住的華人積極的政治參與及社會參與等問題。

　　主角終究還是華人的年輕人。年輕人們是如何具體地確立新的自我認同，以與居住地社會共生為目標，具體地使時代精神得以體現的形式，與本地或者是居住地出身的知性者相攜手，選擇正確的道路向前走。這一切都是與他們今後的思想與行動相關聯的，對於這點，我強烈希望能確認。

　　從表面上來看，似乎有關華人的認同問題，是通過歸化、同化，以及在居住地社會的自我埋沒就能夠解決問題。許多人都有此種錯覺與幻想。

　　然而，令人感到遺憾的是，古今中外的歷史史實告訴我們實際上並非如此。在希特勒統治下的納粹德國，實行對600萬人的猶太人進行大屠殺以前，從猶太人社會自身，到他們的同伴及他們的敵人都曾對猶太人問題提出了許許多多的解決方法。然而這一切最終還是失敗了。我認為這是因為所有的解決方案幾乎都是些否定猶太人做為猶太人存在下去的內容。猶太人特質（關於做

為ethnic group的宗教、文化、傳統，以及生活方式等猶太人式的固執與自豪，即所謂的猶太人民族性的主張）的保持，換言之，就是有關猶太人的靈魂層面的問題被人們輕視了。因此，為此付出了昂貴的代價。

正如史實所告訴我們的，即使是重新移居他國，即使是改變信仰，即使是被屠殺，猶太人問題還是沒有得到解決。以大屠殺，也就是說遠遠超出了人類想像慘劇的「代價」，以色列國家被建立起來。然而，即使是以色列建國，在眼前的情況下並不能真正地解決問題。以色列當局對反猶太主義者走相反極端而行使了別的暴力手段，從而衍生了巴勒斯坦難民問題。現在的狀況是新的惡性循環扯住了人們的後腿。

被歐洲的近代所蹂躪、瀕臨滅絕的本地美國人，也就是所謂的印地安人開始主張Indianess（印地安人特質）；受到明顯人性破壞的黑非洲大陸開始主張Negritude（黑人特質）。也就是說，人們開始主張各個民族或者說是部族所擁有的、對固有生理文化特質的自覺與自豪。正是受盡凌辱的人們站在自己的大地上發出的「大地之聲」在回盪之時。即使有華人們發出中華人特質的主張，應當也不是什麼不當之事吧。倒是應該嘗試對以實現國民國家為目標的中國民族主義的鄉愁，及試圖從其同一性中蛻變與昇華的新知性行為的努力。也就是說，是否應該通過對中華人特質概念的構築，而試圖探求與確立做為華人的新認同為目標，不惜積極努力地去解開與居住地社會及其關係者之間的不信任感。

個人層次的沉默、逃避、妥協及向當權者趨炎附勢而試著避過風頭並不能讓問題得到本質上的解決。大眾激情爆發之時，個

人層次的判斷力便煙消雲散。當某個集團被敵視、被當成標的之時，只要是擁有一些關係及屬性與同一集團成員共有的所有人們，都成為瘋狂下的暴力對象。這就是歷史的真實，也是歷史的教訓。

　　做為人的每一個個人所擁有的「血緣」問題，本來是生理上宿命之物，不具有任何政治上屬性。然而，有志於絕對權力的政客及搞政治的人，把人的「血緣」做為政治上手段進行玩弄的史例不勝枚舉。

　　為了有效地與進行政治上玩弄「血緣」的行為進行鬥爭，有良知的人士們首先應該把自己從「血緣」的囚禁之中解放出來，這是前提條件。

　　猶太人特質、中華人特質、黑人特質的「特質」到底是屬於生理上文化屬性，並不包含有政治上屬性。問題在於，政治一事即使本人不去找它，或者是拒絕它時，它也會主動找上門來。

　　在做為民族性的中華人特質為依據，確立更為確切的做為華人新的自我認同，是緊急、不可或缺的課題。除此以外，沒有樹立與普遍價值相連結，追求與他人共生可能性肯定認同的其他途徑。在市民社會比較成熟，議會民主主義運行比較順利的諸發達國家，儘管殘留著人種差別的根，但華人問題表面化的並不多。

　　然而，在華人分布密度很高的東南亞諸國，依然處於完全不同狀況之下也是實際的狀況。以華人問題為火種的人種暴動、對華人火攻事件及暴力事件、越戰終結後的船民慘事等記憶猶新。僅僅聽到船民的80％是華僑或華人這一點，就可以確認，社會主義體制對解決華人問題也並非那麼有效。圍繞著「華僑」問題的

中越紛爭後來竟然發展為戰爭，從中我們可以窺見問題的深刻程度。

蘇聯革命〔譯註：指1917年11月7日的十月革命〕後經過了70周年，不用說是猶太人問題的解決，就連其端緒尚且未被找著。猶太人問題加上民族問題在蘇聯東歐圈裡如火如荼般，燃燒著的現今情勢，告訴了我們民族問題的根之深。

東南亞的戰後

第二次世界大戰之後的東南亞，在結束了三年又八個月的日本軍政，人們終於鬆了一口氣。歐美列強還會捲土重來嗎？有識之士們一邊擔憂一邊觀望；一般民眾在一邊期望戰後復興的同時，一邊整天不停地匆忙辛勤工作。一貫以反帝與反日運動為主體進行戰鬥的政治菁英們的態度很明確，接下來的計畫也很清楚。即試圖建立屬於自己的政權，達成民族解放與國家獨立的意圖正在激烈胎動之中。其結果是使屬於保守派的上層本地菁英們在感到不知所措同時，左右搖擺。由於與日本當局的合作表面化，而害怕報復的不安，第二次世界大戰中的東南亞諸國及諸地域與日本的關係是相當複雜的。

泰國靠攏日本一邊。印尼的本地反荷蘭政府集團則一邊利用日本軍的同時，一邊蓄積自己反帝、民族解放鬥爭的能量。要記住的是，印尼的共產黨是東南亞地域內最早，即1920年創建的共產黨。他們對於應該如何參與太平洋戰爭之後的秩序建立，僅因為其是有組織的政黨，其方向性與指針在一定程度上是明確的。

　　也許是本人的寡聞，我並未曾聽到過日本軍當局對馬來半島有過幫助他們「獨立」等承諾，或者是提起過給予他們獨立等問題。難道是因為馬來裔反英政治菁英做為集團尚未成熟嗎？然而，在馬來半島的華僑抗日意識很強烈，馬來亞共產黨前身的南洋共產黨於1928年成立。由於宗教等問題，馬來人的黨員很少，使得同黨長年以來以華僑為核心發展。太平洋戰爭爆發之後，已由南洋共產黨改稱為馬來亞共產黨（1930年）的該黨，組織了以華僑青年為中心的馬來亞抗日人民軍及抗日相關的政治團體進行活動。對此感到棘手的日本當局，除了對華僑進行血腥鎮壓外，還挑起馬來人對華僑的反感而試圖加以利用。甚至還在馬來人中間大肆鼓吹反白人帝國主義的民族主義感情。

　　當時菲律賓的政治狀況是，一方面有由菲律賓的本地政治菁英組成的反美勢力存在，與之相並存的則是由菲律賓共產黨指導下的抗日人民軍，在中部的呂宋島與日軍進行了激戰。在反美本地政治菁英之中，甚至還有像勞雷爾總統（José P. Laurel, 1891～1959）般於1943年10月14日宣告獨立，不僅僅是與日本締結了軍事同盟，甚至於1944年9月發布了對美國的宣戰布告。雖然日後他曾被逮捕，但被特赦了。

　　有關中南半島、緬甸、印度等地的情況，由於篇幅的關係，我在這裡只有割愛了。

　　各個不同地方的政治情勢各有差異，同時相關社會的政治菁英集團所擁有政治力量的凝聚程度，以及做為政治指導層的成熟度或指導能力的大小也有相當大的差距。

　　儘管如此，我們要注意的是其均存在以下四種共同的狀況：

　　第一，隨著大戰的發生而不得不解體的東南亞殖民地體制，早已不可能恢復到1941年（日本軍的南進之前）的狀況。雖然有程度上強弱的差別，但民族主義已經開始湧現出來，並且也可看到政治意識的高揚。這種本地民族主義與1920年代以來所培育而成的華僑民族主義，漸漸地開始走向對立。

　　第二，不管是願意還是不願意，擺脫殖民地化與建立新國家的課題落到了人們的頭上。用比較容易理解的說法，就是對於各個以獨立為志向的政治指導層而言，這種被稱為國家的觀念架構被理所當然地賦予他們。對於這個突然降臨的有關國家概念，一般大眾不知該怎麼辦才好。特別是當時的華僑們，當初並沒有意識到這個國家就是自己歸屬的國家，而且也不能夠意識到。

　　第三，從國民國家的形成是建國的至上命題這一點來看，國民的統一就成了不可避免的大前提。與國民統一相平行的，國民形成與國民意識的培養在有心人士操弄之下推進著。在這裡，面臨著國民統一及國民國家形成的本地政治指導層，很快不得不面對的障礙之一就是華僑問題的浮上檯面。後來隨著所有華僑的華人化，僅在名稱上變成了華人問題。問題的本質是如何將曾是殖民地遺留體制的一部分，是一種結構上存在、來自中國的移民及其子孫後裔如何使之國民化的問題。

　　第四，國民國家的概念及其政治實體，都是歐洲＝基督教文明圈經過一個世紀以上時間的抗爭與流血的結果，才得以漸漸實現並紮根。然而，在東南亞有力量的共產黨已經在各地存在。政治上領導權的抗爭與歐洲近代國民國家的形成過程，呈現出相當不同的面貌。

儘管對復歸殖民地已經放棄，列強們為了確保自己在舊殖民地的權利與影響力，進行了許多策動。於培養曾受過影響或容易受傳統本地統治階層影響的新興本地政治菁英同時，使得這些菁英與其聯繫，嘗試著自上而下的近代化便是其中一例。理所當然的是，與左翼勢力展開了激烈的對立，為了掌握有關後殖民地體制的新秩序領導權，他們也在與時間賽跑。因為如果是慢吞吞的話，就會出現對左翼革新勢力有利的狀況。本來「外來者」通常多被當作代罪羔羊送上祭壇，換言之，即被做為民族統一或者是國民統一矛盾緩和政策的藉口來使用的例子，不勝枚舉。在德國統一而導致國民國家登場的過程中，猶太人排斥主義的橫行便是典型的史例。這很快就導致奧斯威辛慘劇的發生。

華僑與祖國

本來，為了使東南亞的建國更為有效、冷靜起步，應該對迄今為止的殖民地體制進行科學的結構分析，在進行批判的同時，提出自己國家建設的政策。然而，殖民地體制把人性徹底破壞，被統治者一方的社會科學研究被壓制，社會科學者被鎮壓。能夠足以擔當優秀建國設計師大任的政治家很少，課題設定也不盡人意。即使在時間、客觀條件上，也沒有賦予他們有深思熟慮華僑、華人問題的從容。人們徒然喊著空洞的口號，結果只會使情勢變得愈來愈糟。有關華人的統計數字當然缺乏，科學的實況調查當然也根本沒有進行過。把華人做為研究課題提出來一事，在大多數的場合一直是禁忌。由於亞洲四小龍與東協經濟發展與共

產主義勢力的退潮，使得圍繞華人問題研究與解決的國際環境得到明顯好轉。

　　在東南亞諸國，其政治、社會、經濟方面也開始變得從容。在摸索與創造後冷戰體制下的新亞洲新秩序之際，殷切期望將來相關居住國政府與社會能夠冷靜下來，對華人問題進行科學的議論。利用國家權力的「暴力」介入，迫使華人社會及有良知的本地有識之士們保持沉默的話，問題本質的解決就變得不可能。採取不讓華人發揮本領，或馴養他們的政策都非上策。我認為歸根究柢，應該把華人做為將來應該共同追求的自立與共生構圖不可或缺的夥伴來對待、做為前提思考。因此，為了從華人中吸取建國所需的一部分珍貴能源，如能夠把他們有效地動員起來，嘗試制定對華人重新認識與重新定位的政策才是正確之路。這是因為不能把華人踢落大海，如果要把他們全部趕回中國也是不可能的，除了把他們做為走向共生的夥伴、進行協調之外別無他法，不知我的這種思考是否有點冒昧？關於其不明確的生活空間而感到苦惱的華僑、華人的生活模樣我在前面已經提到過了。使他們困境進一步深刻化的主要原因之一，就是祖國＝中國的政情與政治的分裂。自孫文革命運動以來，近代以降的中國政治勢力不僅不能無視華僑、華人社會的「力量」，而且為了要爭取到他們的支持，展開了各種各樣的政策，進行了激烈的交鋒。

　　將政策對象大致分類的話，在居住地可以分為以下三種，即僑團（華僑、華人的社會組織）、僑校（華僑、華人所創立經營的中華學校、華僑學校或華文學校），以及僑報（華僑、華人所經營的報紙）。

在當前，大部分華僑社會正處於走向華人社會的大轉換之中。理所當然的是，有關華僑、華人的社會是在難以劃分、相互重複的同時進行活動。因此，即使在這裡用「華僑」社會，在漢語裡用僑社一詞來表現，並沒有什麼不當之處。

僑團、僑校、僑報三者通常又被稱為僑社，亦即「華僑」社會的三寶。這三寶的形成，有完全是由僑社內部自發生成的、僑社內部與祖國的相關人士，以及關係機關等相互攜手建立的、完全是由於外部的推動而成立（這種情況是，以在僑社內安插替身或者是代理人的形式出現）等各種類型。正如在華僑社會的歷史形成過程中所看到的（請參照〈華僑社會的形成與分布〉），中國至今從未曾有過移民政策，或者說在中國歷史上從未曾有過國策性移民的先例。從這個意義上來說，華僑社會擁有極其私人性、自治性的社會性格。換言之，中國前近代的農業社會的價值體系、鄉土意識，甚至是鄉黨、宗族意識被濃厚地投影於其上，或者是仍殘存於其上的社會。

本來應該是從居住地社會生活的必要出發而產生並得以經營的三寶，也被捲入中國國內政治的分裂與抗爭之中。一般的情況下，都是與居住地的政治保持著一定的距離，並且有著對祖國的強大化加以壯大的渴望，卻對政治持不直接介入的立場。因此，傳統的僑社是把「莫談國事」做為警句高高掛起的。

但是，從被孫文讚賞為「華僑為革命之母」，大規模地被捲入抗日戰爭與太平洋戰爭以來，「華僑」社會不論是否願意，都與居住國政治和中國的政治發生了即使想切也切不斷的藕斷絲連關係，直到今日。

　　坦率地說，自辛亥革命以降至今的中國政治勢力，不問朝野，曾經保護過華僑、華人，或者說是能夠保護華僑、華人的事例實在太少。而試圖把「華僑」社會做為自己政治上的利己主義，或者說是黨派的利害上加以利用之例實在是太多了。只能不得不善意地說，由於政治上還處於分裂的狀況之下，中國尚未達到近代化、強大化的領域，因此也是沒有辦法。

　　正如至今為止的事例裡所見到的，所謂的「華僑問題」在公共場合被提起來，大多是以祖國一方，特別是相關機關的立場為依據而被提起的情況占壓倒性多數。有關這些，可以舉出諸如「華僑的經濟問題」、「華僑的教育問題」、「華僑的國籍問題」、「有關華僑的權利保護問題」等。

　　列強的侵略與圍繞著近代國民國家形成的主導權爭奪戰，使得中國政情一直處於混亂的狀態之下，1949年10月1日成立了新的中華人民共和國。以孫文的正統繼承者而自負的蔣介石所領導的國民政府將中央政府遷到台灣。自1949年末以降，台灣海峽兩岸的對峙狀況一直持續至今。

　　對一般民眾而言，使他們放下心來的是，對戰狀態由熱戰走向冷戰，由對戰走向對峙，再進一步到最近幾年來由對峙轉向分立的共存關係。

　　台灣海峽兩岸的中共中國與國府台灣間緊張的緩和，確實地在進行著，這一點是眾所周知的。緩和的內情會在今後雙方的討價還價過程中，慢慢地被填補起來。總之，緩和的硬體部分，特別是國府台灣一方的大框架，由於國家統一綱領的公布（1991年3月5日）而成形，這一點是應該值得注目的。

中共中國一方，對國府台灣政策由「解放台灣」走向和平統一的轉變是始於1970年代末。自此，北京當局對國府台灣展開了從提倡三通（通郵、通航、通商）、四流（學術、文化、體育、工藝的交流）到強調在「一國兩制」（一個國家兩種制度）構想的基礎上，實現國家再統一的和平攻勢。

以國府台灣一方的國家統一委員會的成立（1990年10月）與前述的國家統一綱領的公布為契機，可以說重新加上在分立的共存關係之中，對話的可能性與「場所」。

採取樂觀的態度還為時過早。然而，導致僑社處於分裂狀態的祖國政治上的分裂狀況，終於可以看到好轉的兆頭，這一點是確實的。

長期以來，華僑、華人的獨自認同及生活方式的確立與構築受到妨礙。其主要的外在因素當然可以從居住國的一方找到。然而，也可以稱為是其次原因，而且是相當重大的準外部政治力、來自祖國的政治介入是存在的。可以說現在這種介入還在持續進行，這絕非過言。這些現實與內情卻意外地被許多人忽視。這種準外部政治勢力的介入，不僅妨礙了僑社的團結，相互間的中傷與不睦也波及到了居住國及其社會，給第三者帶來了麻煩，甚至還招來居住國統治者一方對僑社的鎮壓。這種事例並不少見。

由僑社培養出來的有心的第二代、三代的年輕人們，因僑社內部總是不能團結，不能自主地解決自己的問題而感到挫折與苦惱者不在少數。看到他們筋疲力竭的樣子也不是一兩次之事。他們在困惑之中，懷著無力感與屈辱感而悶悶不樂，最終被時代的大浪潮所吞沒消失。知道這一點並且能給予理解的有識之士很

少，對此持惻隱之心的有心人就更少了，這也可以說是理所當然
之事。

從民族主義走向民族性

　　包括波斯灣戰爭在內，在世界各地，人們為了追求冷戰後的
新秩序正在進行不斷地探索。

　　雖然道路迂迴曲折，但做為一個大方向，可以說人們正在以
地球村的一員進行自我確認，為構築明天所該擁有的自立與共
生、最理想的人類史而正在進行戰鬥。至少我是這麼看，而且，
也這樣期待。

　　當然，這個過程會是充滿痛苦的。在橫跨蘇聯、東歐、中
東、中國（包括台灣）等的廣大地域內，民族問題今後還會進一
步激化。圍繞著歐共體統一，近代國民國家應有的狀態正重新引
起議論。21世紀即將來臨，我認為歐洲近代所創造出來的國民國
家的既存概念，並不能就這樣一成不變地一直被通用下去。本
來，我認為有關國家存在的思考框架本身是應該被重新質疑的。

　　台灣海峽兩岸的政府當局也無法自外於上述的世界性規模的
潮流。就此意義來說，對「華僑」政策的擔當者、相關機構而
言，構築能夠體現時代精神的自我認識與自我變革的態度成為當
前的緊急課題。而實際上真正地認識到這點的有識之士還是很
少，實在令人感到遺憾。

　　民族問題既是一個古老問題，同時也是一個新問題。因此，
重新質疑被翻譯成民族主義的Nationalism 一詞的含意，也理所當

然地成為有識之士的課題。

　　與中國的民族主義相連動，自清末以來，在世界各地的華僑社會華僑民族主義開始湧現。尤其是刺激與鼓舞了這種民族主義的不是別的，而是與抗日戰爭期間圍繞著支援祖國的熱烈氣氛有關。華僑民族主義的本來基礎在於對鄉土的熱愛。在清代末期，受鄉土愛所支撐的鄉土意識與鄉黨意識和「排滿興漢」的口號相結合，漸漸地培育出了以漢族為核心的近代民族意識萌芽。

　　隨著辛亥革命（1911年10月10日）的成功，清朝被打倒，中華民國成立。口號很快由「排滿興漢」變成「五族共和」。也就是說由漢、滿、蒙、回（維吾爾）、藏五族共同合作建設共和國做為現實的課題浮現出來，很快就被口號化了。以中國大陸為舞台的追求近代國民國家形成的熱烈氣氛，很快就連五族共和的口號都被修正。孫文不限定於五族，主張根據國內各民族的自決權來建設統一國家，有關人士開始揮舞起中華民族的大旗與中華民族的大義。

　　當然，中華民族的概念還談不上已經圓熟。以抗日戰爭為契機，不論是否願意，中華民族意識的高揚被表現出來了，這一點是不言而喻的。而且中華人民共和國成立之後，開發了原子彈、氫彈，現在做為軍事、政治大國屹立於國際關係之中。這個儼然的國際政治面現實超越了意識形態的主張，鼓舞了華僑、華人們。在鼓舞的另一方面，也引起了居住國的非華人毫無根據的猜疑心與疑惑，對於這一點是不可忽視的。他們懷疑華人對居住國的忠誠心。這確實可說是個困境。此外，對於中國大陸雖然發生了類似文革之類的悲劇，卻還很難實現起飛的這一嚴峻情勢，感

到失望長歎的華僑、華人們當然也不在少數。

　　華僑、華人自身不用說，大多數負責僑務（「華僑」事務）的關係機關與相關人士也是一直處於漂浮、被時潮推著走，聽任於既存的惰性狀態中。嘗試著對自己的再定位，以及對華僑的民族主義進行重新質疑、重新解讀者實在是太少了。受囚於僵化的思考模式，是追趕不上時代潮流的。

　　僑務當局在僑社應該鼓舞與協助培育的，已不應該是舊態依然的華僑民族主義。而是華人為了努力於自己變革，為了追求他們在居住國社會的自立與共生，在精神上的支柱應當是包含中華人特質即Chineseness的概念。如何獲得與保持中華特質才是當務之急。

　　做為類似於中華人特質的概念應該被舉出來的有猶太人特質、日本人特質、黑人特質、（美洲）印地安人特質等等。

　　這些概念也可以籠統地概括為民族性。這種共同性，也可以說是根據下位文化認同所形成的，主張做為人固有的出生尊嚴，再加上確認做為人存在的實質基礎上追求自立。所謂自立，亦即自我能量的解放，此後當然是在探求人類史上應該存在的共生之路。因此，中華人特質的獲得與保持，可以說是與祖國的統一、獨立、發展做為最重要的思想、情感，或者是意識形態的希求，以及包含這些運動的華僑民族主義是屬於不同層次的邏輯與原理，應該這樣來思考。

　　變成了居住國的華人系住民以後，對祖國的發展抱有關心，在對鄉土愛的基礎上，嘗試著對故鄉的支援只能說是人情的自然流露而已。如果將這點依然把它當成華僑的民族主義來看是不正

確的。更大的悲劇還在於自己和他人均如此錯覺，並且被此錯覺所囚禁，將自己束縛起來的事例不在少數。這些完全可以說是時代錯誤而已。這個時代錯誤成為華人、華僑問題解決的羈絆，這一點是怎麼強調也不會過分的吧。

　　為了構築使華人系住民在居住國擁護文化的、宗教的、民族的多樣性與自立的邏輯，我認為應該重新質疑、解讀華僑的民族主義。

　　我在這裡提起做為民族性之一的中華人特質概念，以期待議論的深化。我相信這也會成為在原理的、邏輯的，以及思想的層次掌握華人、華僑問題的前提。

　　　本文原收錄於戴國煇編，《もっと知りたい華僑》，東京：弘文堂，1991年7月10日，頁1～38

華僑社會的形成與分布

◎ 雷玉虹譯

　　在中國有此一說：「海水所流到之處，就有華僑」。這種比喻方式，想來是因為：第一，世界各地均有華僑散住；第二，在發達國家的華僑集中居住區＝唐人街大多數於港口城市；第三，所有的華僑幾乎都是通過海路分散到中國領域外的諸國或諸地域，以這三點為根據，這句話同時也是種暗示。

　　然而，可以說儘管華僑、華人社會已經形成大約有五個世紀，而且已經不僅只通過海路，還通過陸路，並且現在還通過空路；而現在已經不僅是從中國領域出去，可以說來自僑居的相關國家、居住地的再移住的事例還在繼續進行著。這也是因為華僑、華人社會的形成本身可以說是世界史形成過程中的、現在也可說是人類史形成過程中的歷史產物。

　　一般研究華僑史的專家們，通常都是不厭其煩地從古代到近代的中國與其他國家或者是地域的交流史中，講述華僑社會的形成史或者是華僑史者為多。這雖然也不失為研究華僑問題的方法之一，但在本文中，筆者將試圖從不同的視角出發，去追溯華僑社會的形成歷史。

華僑前史的胎動

正如眾所周知，在中華民族或者說是中華帝國形成的底流裡，存在著根深柢固的華夷思想＝中華思想。自以黃河中下游為中心的漢民族文明發祥以來，漢民族通過定居農耕使生產力得到了發展，從而確立相對於周邊民族而言，文化上的先進民族優勢地位。

文化上的優勢地位，理所當然地是需要有某種程度上的社會的經濟的發展階段來支撐才會變得有效，並得以持續下去。因此，在相當久遠以前，漢民族就把自己的「領域」＝「國家」美稱為中華、華夏或者是中國，而把周邊的異民族總稱為「夷狄」。此外，還把位置處於東方的異民族稱為「東夷」，位於南方的異民族稱為「南蠻」（隨著貿易的擴大，後來將歐洲人也包括在內，還成為日語，變成對來日的葡萄牙人及西班牙人的稱呼），對居住於其西方的異民族稱為「西戎」，再將北方的異民族稱為「北狄」來加以區分、蔑稱之。這種區分方法是否恰當，用我們今天的尺度去衡量，其結果當然是不言自明的。然而，由於當時人們的認識有歷史、時代性的局限，可以說出現這種想法是理所當然之事。漢民族的菁英階層用華夷思想給自己和他民族定位，這種主觀及客觀上的條件也曾存在過，這一點是不用指明的。

15世紀末的「地理上的大發現」時代＝大航海時代序幕的揭開，成為世界聯結為一個整體的巨大契機。歐洲的各種勢力，特別曾是當時的先進國葡萄牙、西班牙、荷蘭等三國，以此為契機

開始了「西力東漸」，在亞洲各國一邊爭鬥，一邊建立起貿易與掠奪的據點。

　　葡萄牙占領了從麻六甲到摩鹿加群島（Moluccas Islands），甚至進入到澳門，並且取得了居住權（1557年）。西班牙與葡萄牙相抗爭，占領了菲律賓，以馬尼拉為據點，甚至跑到台灣北部傳播天主教，進行貿易與掠奪（1626年）。就在這個時期，在向西班牙挑起獨立戰爭（1568年）的同時，確實地增強了實力的荷蘭人，在持續與葡萄牙人的爭鬥中，占領了爪哇、蘇門答臘、麻六甲等地，於1602年設立了東印度公司，1619年以巴達維亞（現在的雅加達）為根據地，開始把印尼全域殖民地化並且進行經營與掠奪。1624年占領了台灣南部，開始了殖民地化的經營與掠奪。

　　與大航海時代相對應的中國時代，是明王朝的神宗（萬曆帝，1572～1620年），亦即明朝的中期以降。本來，明朝（1368～1644年）是以漢民族為中心建立的中國最後王朝。基本上其是否可以解釋為是自此為止以黃河中下游的社會經濟力為核心，主要在與北方及西北方的異民族抗爭的同時，加深了彼此的融合與同化，並且一直在持續擴張的中華文明，自此以長江下游流域的社會經濟力為基礎而變得強大的明朝，對華北黃河文明圈所發起的「反擊」。可以說以此為契機，江南文化與黃河文明得以融合，中華的世界又進一步得以擴大，並進而呈現其圓熟的發展。

　　成祖（永樂帝，1402～1424年）之時，明朝由南京移都至北京，五度遠征蒙古，鎮壓了滿洲，使安南（現在的越南）臣服，並派鄭和（1371～1434年）前後共下西洋七次，遠征南海。

　　明王朝的南海遠征，是由雲南出生的伊斯蘭教徒的宦官鄭和率領大艦隊到南海，即東南亞、印度南岸、西南亞諸地域，並且其分遣隊甚至還曾到過非洲南岸的大壯舉。遠征之際，令人感到意味深長的是，鄭和一行既沒有成立貿易據點，也沒有建立殖民地。遠征的最大目的，在於明王朝為了提高中國統一後的國威與由大型貿易船所進行的某種意義上的官方交易。其次，也被認為是為了對在此之前跑到該地域，並且已經安居下來的中華之民＝即所謂的華僑的前輩們進行示威。

　　自此之後，南海諸地域的使節開始來到中國進行朝貢貿易，不僅是將南海的土特產品帶到中國，同時也使得中華之民對南海的知識得以增大，認識得以加深。如果站在另外的視角來看的話，也可以說南海遠征對引起後來的葡萄牙、西班牙及荷蘭諸國的西力東漸、對大航海時代的醞釀給予了某種程度的「刺激」。

　　換言之，是否可以認為在世界成為一體的大潮流的形成過程中，中華文明一方先為大航海時代提示了一種「衝擊」。

　　從在南海遠征的過程中，既沒有建立貿易據點，也沒有建立殖民地這一點來看，無疑當時的華僑化現象並不多，華僑化的人口數也很少。

　　使華僑化現象受到抑止的，當然是中華思想。王朝及依存於此的大多數中上層官民均夜郎自大地認為，所有的異民族均受中國的天子＝皇帝之德的感化，用現在的語言來說，就是都應該認同於中國的天子＝皇帝，行臣下之禮。可以認為從一開始交易——貿易就成了對等的交往，這件事（貿易）本身是不被容忍的。對他們而言，可以容忍的只有朝貢貿易的形式而已。

　　所謂的朝貢貿易，是指各國或者地域，做為給中國皇帝獻上貢物的還禮，由皇帝下賜禮品的形式進行的貿易。始於漢代，至明王朝時被確立的朝貢貿易，理所當然地通常是處於政府的嚴格統制管理之下。

　　中華思想與朝貢貿易制度是互為表裡的存在。漸次打破這點的是，後來慢慢獲得相對於中華文明優勢地位的遠渡來此的歐洲人。最初給清政府以最大的一次衝擊的是英國人。鴉片戰爭與《南京條約》的簽訂是其最大的象徵性事件。對此，後面再做陳述。

　　與葡萄牙、西班牙及荷蘭等三國所演出的初期的「西力東漸」幾乎相對應的情形是南倭（後期也被稱為倭寇，是16世紀初期以來在華中、華南沿岸一帶活動的武裝走私集團）開始活動，明朝為其對策而感到煩惱。做為其對策之一，明朝斷斷續續地開始了實行海禁（為了取締走私貿易及維持治安而採取的鎖國體制）政策。

　　法律、統制和鎖國是經常會被打破的，從而製造出目無法紀的違規者。南倭的活動舞台很快就擴展到東南亞，真正地開始與歐洲人相遇了。

　　此相遇的累積，以明王朝的衰退與清朝的興起為契機，集中地引起了華僑化現象。華僑社會的初期型態是伴隨著荷蘭人在印尼的殖民地化，以巴達維亞為中心，以及由於西班牙人引入墨西哥銀。開始呈現盛況、同國統治下的菲律賓則以馬尼拉為中心，而分別形成的。

　　明王朝攜著江南文化「反擊」黃河文明圈，開拓了中華文明

的新境地，有關這一點已經在前面提到過。我們不能忘記的是，
率先進行了南海遠征的明朝，所發動的將元朝（1271～1368年
間，由蒙古民族在中國所建立的王朝）趕到北方而所進行的五次
蒙古遠征與對滿洲的鎮壓，以及再次使得安南成為隸屬國等各種
事象在中華文明圈裡的意義與定位。

對蒙古的遠征以及對滿洲的鎮壓，是漢民族對「元」的反
擊，也可以看作是漢文化向北方與西北方的擴大。理所當然的
是，漢民族向此地的移居以及紮根出現了進展。原本具有可能被
分類為華僑社會可能性的社會現象，卻由於蒙古與滿洲中國化的
進展而出現了另外一種解讀。不是做為華僑，而是被定位為漢民
族的定居者。而蒙古族與滿洲族也漸漸被並列為後來中華民族主
要五族中的一族。在此之後，他們兩族均被定位為後來孫文所倡
導的五族共和之中的漢民族夥伴。

安南（今越南）則與前二者不同，雖然被強行成為隸屬國，
但對明、清兩朝均保持了相對的獨立性。因此，移住到安南的中
華之民也走向了華僑化。

至明朝中期以後，不僅苦惱於南倭，也出現了北虜的外患。
甚至被認為是由於北虜南倭之害而招致明王朝衰亡的。所謂的北
虜主要是指自北方向明王朝發起「反擊」的蒙古人。

巧妙利用蒙古族對明王朝挑戰的是滿洲族。滿洲族於1636年
將國號定為清，在三代世祖順治帝（1643～1661年）之時，趁李
自成之亂越過長城，攻進了中原中國。然後在北京建都（1644
年），替代了明王朝。

正如古今中外的史例所顯示的，改朝換代之時期，由動亂、

戰爭及革命所導致的既存秩序的解體期都會產生出難民。清朝的南下將鄭成功一夥趕到了台灣，使台灣誕生了漢民族的政權（1661年），荷蘭殖民者從台灣被趕出而回到了巴達維亞。

在台灣的鄭王朝持續的時間並不長，於1683年被清朝所滅並吞併。鄭一夥人殘餘勢力中的一部分，從台灣轉移到交趾支那（越南南部）走向了華僑化。

與此同時，在廣東省一帶的明朝的亡命者集團，進入了當時的越南王朝＝黎朝（1532～1789年）與真臘（柬埔寨）的爭執之地，交趾支那的湄公河流域，走向了華僑化，成為後來的「明鄉」的父祖。順便一提，所謂的明鄉，是指在越南，特別是在越南南部尤其是湄公河中下游出生的「僑生」（在當地出生的華僑子弟）之特別稱呼。

一般的漢民族系學者中，將清朝對中國的統治單純地看成是異民族對中國的統治者很多。筆者在這裡首先將其定位為由明王朝對北方＝蒙古與滿洲的中華文明化，引起滿洲王朝的興起與強大化。其結果是滿洲族將中華文明變成手段，並以此為武器向中華文明的大本營＝中原中國的反擊，從而實現了歷史上最強的中華帝國。在此基礎上，從清朝中華帝國的興亡盛衰及與西歐「近代」的相逢、對立、抗爭的關係之中，綜合地去掌握華僑社會的真正形成過程。

華僑社會的真正形成

與荷蘭人互為前後設立東印度公司的英國（1600年），在這

之前的1588年擊破了西班牙的無敵艦隊，奪得了制海權，從印度著手開始擠進亞洲。在這一期間將在非歐洲世界奪取的財寶與國內的新興勢力相結合，終於於1830年代完成了產業革命，確立了近代資本主義。另一方面，法國也於1604年設立了東印度公司，與英國為了爭奪印度展開了激烈的抗爭，於1757年的普拉西之戰中敗退。在此之後法國經過法國大革命（1789～1799年）與產業革命（1848年左右）之後，至1893年為止先後將越南、柬埔寨及寮國殖民地化，成立法屬中南半島。

　　如果將這一段時期內的動向從原理上進行整理的話，是否就變成了如下所說的一種情況呢？也就是說，西歐列強經過大航海時代到產業革命的完成，經過確立了近代的資本主義，創造出了歐洲的近代文明，並趁此勢向非歐洲地區擴張。也就是說在歐洲實現的「近代」的世界化，推進了非西歐世界的歐洲文明化，即所謂的殖民地化這一巨大的世界史潮流。

　　我們暫且不提此事。清王朝在自第四代的聖祖康熙帝、第五代的世宗雍正帝，至第六代的高宗乾隆帝為止，大約一百三十年間（1661～1795年），創造出了康熙・乾隆時代的所謂的全盛時代。在此期間，使得處於歷史上最高峰的中華帝國實現。領土從外蒙古、西藏、新疆到中亞甚至台灣，將這一切幾乎完全置於其統治之下。還將朝鮮半島、越南、琉球列島也屬國化。雖然也抱有以滿漢對立為首的民族問題，但從大局上來看，清王朝以由明朝所構成的江南文化與黃河文明的融合所形成的新的中華文明為土壤，將同文明進一步擴大，並使其變得深化、圓熟化。但是，在清朝的中華帝國與中華文明的內部卻從未產生過產業革命與資

本主義。

　　至第七代的仁宗嘉慶帝（1796～1820年）以後，清朝的衰退變得很明顯，經過白蓮教徒之亂（1796～1804年）之後，終於面臨鴉片戰爭（1840年）的發生。

　　至此為止，中華文明對西歐近代文明的均衡以很明確的情形被打破，西歐近代文明的優勢地位即使是對中國也被確立了。

　　鴉片戰爭後被打敗的清朝屈服了，於1842年8月與英國簽訂了《南京條約》。《南京條約》對中國人而言是屈辱的。是向西歐列強屈服之後所締結的第一個不平等條約，由此中華思想與朝貢貿易的制度崩潰，中華世界也不得不接納西歐「近代」的侵略與對決。

　　繼《南京條約》以後，1860年締結了《北京條約》，清朝政府終於首次公開承認本國的人民出國到海外的自由。以此為契機，中國人的海外出國公然化、華僑化的趨勢進一步增強。同時，也可以說，有關華僑與華僑社會主流部分形成的清朝政府一方的法律條件透過《北京條約》的簽訂而齊備。

　　人本來在一般的情況下，是不願意離開自己的故鄉移居到所不熟悉的異鄉。只有在外部有特別有利的誘因、內部有不得不將其擠出去理由的情況之下，人們才會出去打工，移居他鄉。

　　華僑是在某種歷史的狀況之下，恰好是居住國或者居住地，所謂接受一方的條件與擠出一方＝中國的政治、社會、經濟狀況的交叉所發生的產物。產生華僑的主流部分的歷史狀況，如從世界史的規模來看，是否就可以做出如下的素描。

　　正如史實所顯示，西歐的近代是以產業革命和法國大革命為

契機而誕生。此後興起的西歐巨大產業技術文明，將非西歐世界無限的捲進西歐化大潮流之中，將世界變成一個有機體，這種衝擊橫跨19、20兩個世紀，一直在持續地進行著。

　　西歐近代衝擊的一個側面，以非西歐世界的殖民地化而顯現出來。在這種情況下的所謂非西歐世界，也不是僅指現在我們所說的第三世界。北美大陸的美國、加拿大及澳大利亞、紐西蘭等，當時也屬於非西歐世界。這些國家也在經過接受西歐近代的洗禮、殖民地化的過程之後實現近代化。自1848年在美國加州、1851年在澳大利亞分別發現金礦以來，淘金熱開始了。做為其餘波，大量的中國人被當作苦力來供應。繼淘金熱之後，在鋪設美國的「大陸橫貫鐵路」之際，負責從太平洋往東部分的中央太平洋公司動員了10,000人的中國人苦力，自1863年以來日以繼夜地進行困難的工程。1964年內華達州建立了紀念碑，紀念此時的功績與犧牲者。紀念碑除了英語的文言以外，也用華語刻上「華人先驅，功彰績偉；開礦築路，青史名垂」的詩句。

　　然而，令人感到遺憾的是，這些發達國家行列之內的數國，也曾於19世紀80年代至20世紀初的這段時期裡，繼續公布對中國人勞動者的流入與華僑化進行限制與排除的「排華法案」。

　　有關華僑、華人的分布現狀的詳細情況後面再詳述，我先介紹一下他們之中，占壓倒性的多數集中於東南亞的歷史經緯。

從流亡農民變成苦力，再變成小商人

　　苦力一詞的語源係來自於印地語以及烏爾都語的Kuli一詞，

經過英語化之後就變成了Coolie，然後再變成漢字的苦力。在目前的大型英語詞典裡被注釋為Oriental（東方諸國）未熟練的勞動者。語言是有生命力的，從其來自印地語的這一點也可以看出來，苦力原先是指被英國人帶到南非等地做為從事重勞動的印度人。據說自從中國人勞動者被大量引入英屬馬來與北美以來，中國人勞動者也被冠上苦力之名。漢字的苦力一詞恰到好處地用象形文字表現了他們當時的境遇，這一點意味深長。

然而，苦力貿易也被稱為豬仔貿易（pig trade）。pig在廣東語裡被稱為「豬仔」，即指的是小豬。清朝時中國人男性只要不謀反的話，就被強制蓄髮留辮，據說其辮子像小豬的尾巴，所以出現了這樣的稱呼。不管怎麼說，身為人卻被比喻、蔑稱為小豬，這恰好表現了苦力貿易的惡劣條件及其性格。從這一點上來看，真可謂是妙喻。

正如前面所提，在近代西歐的衝擊下，中華思想與朝貢貿易被打破，中國人可以自由地渡航到海外了。再加上因為傳統社會經濟秩序的解體，產生了大量的流亡農民。

與此同時的1840年代前後開始，英國、法國、荷蘭資本主義進入了產業資本主義的階段，大大地在亞洲嘗試著開發殖民地。西歐列強忙於殖民地的分割與獨占，為了急速展開的殖民地開發所需要的勞動力來源，由於奴隸解放令的相繼施行而喪失廉價勞動力來源，使得做為黑人奴隸的替代勞動力，快速補充成為這些資本主義國家的重要課題。順便一提，英國於1833年、法國於1848年、祕魯於1855年、美國於1860年、荷蘭於1863年、西班牙於1870年分別實施了奴隸解放令。

　　華南的流亡農民與正在忍受英國殖民地統治痛苦的印度南部流亡農民，做為黑人奴隸的主要替代勞動力登上了世界史的歷史舞台。他們被稱為苦力，印度人苦力主要被帶往非洲大陸與西印度群島，中國人苦力主要被帶往、輸入東南亞到南北美洲、夏威夷甚至是澳大利亞等地從事勞動。他們後來即成為所謂的印僑與華僑。

　　雖然與近代的商品經濟是屬於不同層次之物，由於華僑的先輩們早就熟悉前近代的商品經濟，並且能忍受惡劣的生活條件，做為具有較高勞動效率的廉價勞動力，中國人苦力或者也被稱為華工的華僑前輩們，在各地大受歡迎。

　　1869年蘇伊士運河開通，大大縮短了亞洲與歐洲的距離。由於在歐洲展開的工業化飛躍性發展，錫與橡膠的需求不斷增大。做為礦山勞動者、原始叢林的開拓與橡膠栽培勞動者的中國人苦力，被引入以英領馬來半島為中心的區域。自此，與在東南亞的特產品──諸如香辛料、砂糖等──的蒐集、製造以及歐洲產的日用雜貨、暹羅（現泰國）產大米的販賣等領域活躍的華僑，不同的新職業被賦予了中國人苦力們。而且隨著這些苦力們大批定居而出現往華僑化的發展，以及華僑社會內部市場的形成，華僑中開始出現了小商人。華僑社會自身在不斷地相互補充而得到發展的過程中，華僑在居住地紮下了根，終於做為殖民地體系中不可或缺的一部分，牢牢地被組合進殖民地體制之內了。做為東南亞複合社會經濟的負重任者，中間人華僑的存在型態漸漸出現。

　　最早是由歐洲系的移民公司、苦力貿易商人等通過幾乎可說是半綁架、半欺騙、誘拐等手段來提供苦力的。而其具體的實行

者當然是中國人的奸商——即苦力頭或者是豬仔頭——等。而其輸出的港口主要以廈門、汕頭、廣東、香港、澳門等地為中心。

這種殘忍的苦力貿易後來終於被淘汰，變成了自由契約勞動者的型態。早先出外的華僑們也將自己的親戚朋友叫來，使得華僑社會的網絡得以形成。

擁有了一定影響力的華僑社會開始成為祖國＝中國的政府、政治家，以及革命家的工作對象。有關這其中的經緯筆者已在別稿之中論述，在此就不再提。

然而，紮下了根的老華僑們將自己稱為「老客」，以別於後後遲來的，被稱為「新客」的新華僑相區別，並與之保持一定的距離。以下我嘗試著將新客的形成過程也做一番素描。

新客等的動向

老客與新客的判別標準，大體上可以看作是在以下幾個方面：僑居時間的長短；經濟力（以資產為中心）的大小；華僑意識的濃淡（順便提一下，在新客的場合，與其說是華僑意識，還不如說是大多數人還帶著中國的鄉土意識）等。不管怎麼說，無論是老客還是新客，僅限於他們是「客」的這一點，實際上華僑意識的根部還存在很濃厚的「寄食者」或者是「闖江湖者」的意識，完全可以看出其暫時居住的意識表露無遺，這樣的理解應該不會錯吧。

在新客之中特別值得注目的是，來自中國，在教育界、新聞界，甚至是華僑社會各種團體的專職者們。他們可以暫時被統稱

為讀書人集團或文化人集團。

從19世紀中葉開始迄20世紀初為止，所形成的華僑社會主流部分，因為大多為豬仔亦即苦力出身之故，「文盲」占壓倒性多數。僅有少數人念過漢學的私塾，學過一點中國式的記帳方法與算盤，在掌管帳房。老客中的一部分成功者，從留在故鄉的親戚中，特別招收受過教育者來幫助經營家業的例子也很多。

但不論如何，辛亥革命成功之後，經過1930年代在15年抗日戰爭之中，有多數的文化人新客奔赴東南亞。他們將中國的民族主義與以近代中國實現為目標的建國新氣息，帶到了華僑社會。在進行抗日運動的支援活動之際，可以說是由新客的文化人集團促進了華僑社會的組織，並擁戴德高望重的老客僑領。

於存在巨大外來壓力的時候，不管怎麼說，老客與新客還算能團結起來對外有所表示，而在平穩的時期卻不一定能夠共有社區生活。甚至可以見到如同有老客嘲笑新客是「光長著一個大腦袋的窮光蛋」，而新客則反過來譏笑老客「充滿銅臭味與無知」一般低層次的對立。

也有在老客看來或許應該算是新客，但他們自己卻既不想自稱是新客，也不想自稱是華僑的、來自中國的出國者集團。第二次世界大戰之後從中國領域（包括大陸、台灣、香港、澳門等地）以及自僑居地移居美國等發達國家的人們，採取了與既往華僑、華人完全不同的思想與行動，創造出完全不同的生活方式來營生。他們將自己自稱為「新移民」，與既存的華僑社會既沒有連接點，也完全不進行交流。即使有交流，也只不過是到中華街買東西的程度而已。

　　一般而言，這些新移民以具有高學歷，擁有專門的職業者、自由職業者，以及有資產者占多數。他們當中，包括為了逃避中國的政局不安、革命的動亂而移居者，甚至僅因為他們是留學結束後而留下來的這一點，所從事的就不是體力勞動而是腦力勞動領域的職業。由於出身背景、出國形式、就業結構的差異，他們所擁有的生活意識無論是與華裔還是與老客，甚至是所謂的新客都具有相當大的不同。他們之中的大多數人雖然取得居住國的國籍，走向了華人化，但對中國的將來、台灣海峽形勢或者是台灣的政情仍持有強烈的關心。僅因為其高學歷這一點，這些人之中，可以被分類為對政治無關心層級的人，不用說好像並不多。

　　讓我們來窺視一下散居於北美大陸及加拿大的他們，思想及行動的一部分吧。

　　由於他們之中大多數屬於亡命之徒，或者根據自己的意志進行「自我放逐」，或者暫時居住於國外，對中國的政治情勢持觀望態度者，因而對海峽兩岸的動向均擁有自己的一家之言。這其中既包括試圖通過自身的專業知識為中國大陸及台灣的現代化做出直接的貢獻者，也包括如果在中國大陸與台灣當局出現壓制人權、政治迫害事件的情況下，發動署名運動或者是在報紙上登出意見廣告，對大陸或者台灣當局表示抗議者，甚至還包括採取直接參加遊行等活動，對中國大陸以及台灣的民主化運動表示支援者。

　　與其說他們不能組織起類似於中國城（Chinatown）一般的華僑、華人的共同社會，還不如說是他們的生活環境使其不能組織起來，僅由於北美大陸很遼闊這一點，要他們組成一個團體就

很難。但儘管如此,如果自己的祖國或者故鄉一旦有事,他們都
會積極地給予關心,這一點是值得注目的。

在美國有以四位著名的華人系諾貝爾獎得獎者為首的、取得
相當成就的學者、科學家等。雖然他們幾乎全都加入了美國或者
加拿大國籍,因為圍繞著台灣海峽的兩岸緊張關係有趨向緩和的
傾向,在兩岸間的自由往來變得可能,因此他們在向海峽兩岸當
局提供了許多有關國家建設的建言,這便是當前的實情。投資與
技術合作的事例及做為客座教授,或者為了定居而歸國者也開始
出現。與向故鄉的回流相反的,出國留學之後一直居留在所在國
華僑化,之後更取得居住國的國籍,加入華人之列者也有出現增
加的傾向。

總之,只要是包括中國大陸、台灣、香港、澳門在內的中國
領域內的經濟現代化與政治民主化不能進一步得到發展的話,華
僑、華人的預備軍還會不斷地出現。

五、分布的現狀

華僑、華人主要集中分布在東南亞這點已經成為常識。由於
東南亞仍屬於第三世界,國民的統一還不夠充分,國民國家有待
充實化的地方還很多,因此有關統計的整理也相當落後。而且令
人感到遺憾的是,因為還有持續政情不安定的原因,有關華人、
華僑的調查研究,除了站在人類學立場出發的接近以外,值得討
論的業績幾乎可說看不到。

正如我在總論中所提到過的,本來在法律的範疇內應該將華

僑與華人進行明確的區別，但不論是當事者還是相關機構，現在均尚未確立統一見解。因此，現狀是議論的大前提尚且很難構築。

根據以上的狀況，為了使讀者能夠抓住大致的印象，將「亞洲諸國及主要發達國家的華僑、華人的分布概況」列成表格〔見表1〕，暫且提示給大家。

一般的說法是認為全世界的華僑、華人人口約有三千萬人，據說其中的八成居住在亞洲，九成人已經取得居住國的國籍，華人化了。

有關自16至20世紀期間的華僑、華人社會的形成，我在前面提供了大致的輪廓。而且我將華僑與華僑社會主流部分的形成，看成是在19、20世紀的兩個世紀，將其世界史的背景看成是應該在西歐近代向非西歐世界的擴大過程之中加以掌握，筆者對其中的有機關聯也已加以剖析。

特別是由西歐近代文明與清朝所體現的中華文明之間的均衡被打破，西歐近代文明對中國文明的優越性變得明顯之後，華僑化現象大幅度的進展，這一點是我曾經指出過的。

追溯華僑、華人社會的形成歷史這一件事的意義，是為在人類史規模的大框架中，掌握21世紀華僑、華人及其社會的動向而提供素材之故。

可以說已經走近21世紀大門口今日的我們，正面臨著對自19、20世紀以來，所持續構築而成的世界史的今日意義在全人類的規模，來進行重新審視的需要。即使我們希求著能對「民族國家」＝近代國民國家以一國為單位的利害而組成的世界史的揚

表1 亞洲諸國與主要發達國家華僑‧華人分布概況

國名	華僑‧華人人口（萬人）	統計年度
新加坡	192.3	1984
馬來西亞	453.1	1940
汶萊	4.5	1978
菲律賓	100.0	1983
印尼	600.0	1983
泰國	450.0	1978
緬甸	70.0	1978
越南	70.0	1983
柬埔寨	5.0	1983
寮國	1.0	1983
東帝汶	0.8	1979
尼泊爾	0.9	1980
孟加拉	0.2	1979
阿富汗	0.01	1979
斯里蘭卡	0.04	1982
印度	13.5	1980
巴基斯坦	0.06	1979
北韓	1.0	1983
南韓	3.0	1983
日本	7.9	1982
美國	100.0	1980
加拿大	45.0	1984
澳大利亞	12.0	1983
紐西蘭	1.6	1983
英國	15.0	1984
法國	11.0	1982
荷蘭	5.0	1983
德國（東‧西）	3.0	（西德是近年，東德是1983年）

資料來源：摘錄自鄭民、方雄普、黃如捷、黃力平編著《海外赤子——華僑》，人民出版社，1985年，頁203～208。千以下四捨五入。

棄，也並無不妥之處。

　　我們人類正在共同面臨著核戰爭危機、人口爆增問題，包括生態系被破壞在內的公害問題等三大危機。如果能夠認識到這一點，不管願意不願意，應該走向人類共同體的歸一，在人類共同體這一名義的基礎上，共同描繪自立與共生、可以被容許的光明未來構圖，做為至上命題浮現出來，已經成為理所當然之事。

　　西歐近代的世界化還在持續進行，如果非西歐世界的一方，依然對西歐的近代文明還不能提出能夠超越它的新文明模式，並且不能對這種模式進行適當有效挑戰的話，來自中國的華僑化現象就應該不會消失。這是因為在非西歐世界中，中華文明是能對西歐近代文明提出反命題、為數不多的幾個文明之一。因此，可以認為唯有中華文明出現大規模的新生，才是防止華僑與華僑社會的重新形成的最好方法。如果以這種脈絡的思考能夠被允許的話，無疑對有關華僑、華人，中國、中華文明等走向的視角，就不能僅僅是停留在中國或中國人的視角上，而應該將其做為人類史課題的一部分給予合理的定位，重新加以掌握。我深信不疑。

本文原收錄於戴國煇編，《もっと知りたい華僑》，東京：弘文堂，1991年7月10日，頁39～58

馬來西亞的布米普特拉政策與華人

◎ 雷玉虹譯

來自馬來西亞語的質疑

正在走向經濟大國化的日本，趁著日圓升值的東風，企業進入東南亞及赴東南亞的觀光旅行正日益增多。據說有關亞洲速成外語系列的實用類書也不斷地再版。看到以往幾乎未看過、也沒有聽過的「馬來西亞語」廣告，讓我大吃一驚，情不自禁地跑到書店的書架上翻了起來。

屬於「昭和一位數」的世代，同時也是「殖民地＝台灣宿命之子」的我，回想起在大哥的桌子上也曾放有《馬來語入門》這樣的小冊子。那是因為大哥接到日本當局的徵用令，即將赴蘇拉威西群島上任之前，臨陣磨槍而買的教科書。

如果認為因為有馬來西亞這個國家的存在，所以有馬來西亞語的存在，或者是認為有這類的稱呼也並非奇怪之事。日本人一般地這樣認為也可以說是常識。

然而，如果追蹤圍繞著馬來西亞的建國與近代化的課題進行過程中的種族（這裡包含有人種與民族兩種涵義，後來也適用於

ethnicity這一概念來使用）間的爭執與制定國語軌跡的話，就可以發現其擁有無法整理的複雜抗爭過程，現在還埋有矛盾的「火種」，仍在糾纏不休。可以說實際情況並不是簡單、條理分明的。

　　介紹馬來西亞的日語同類書，大都在主要語言的項目裡，是這樣做提示的。主要語言＝馬來西亞語（馬來語）、中文、英語、泰米爾語。

　　正如眾所周知，馬來西亞的原華僑及其後裔的大多數，現在已經取得馬來西亞國籍，在法律上已經成為華人系公民。他們忌諱誤解，為了避開漢字語感的「中國」的「國」字，不但不將自己稱為華僑，就連中國人也已不再做為自稱了。一般情況下也不希望別人這樣稱呼自己。因此將自己所使用的語言中的方言冠上中國的鄉土名的廣東語、廈門語、潮州語、客家語等等，繼續沿襲過去的稱呼。冠上鄉土名是否是想淡化政治色彩，而將其做為文化概念來思考呢？然後，對於位居中國大陸諸方言之上位的主流共同語（早先稱為北京官話，中共中國稱為普通話、國府台灣成為國語）或者是標準語，現在也不將其稱為中國語，而是稱其為標準華語或者是將其簡稱為華語。

　　不懂漢字的人們，特別是本地民族是用自己的方言或共同語相應地稱呼華人。此外，知識階層者都用英語的Chinese 來稱呼華人們，也做為話題討論，這樣由中國的「國」的漢字所擁有的字感或語感衍生出來有關政治色彩問題應該就可以避免吧。然而，屬於漢字文化圈一部分的日本人，卻處於不同狀況之下。儘管如此，依然將華語或者標準華語標明為中國語的反應遲鈍的研

究者、作者卻源源不絕。這在很多場合會誤導一般的讀者，對此我們是不能不留意的。

　　同樣是日本人，另一方面卻對馬來語被改稱為馬來西亞語的經緯幾乎不加過問，這確實令我感到驚訝。東京外國語大學現在有印尼、馬來西亞語學科。大學這種組織本來就具有很難變更之體質。儘管如此，但據說為了對應新的情勢，在原本的印尼語學科上再加上馬來西亞語的課程而構成了新學科（1984年度以後）的。這是一種非常有趣的對應。

　　然而，在馬來亞聯邦（Malayan Union，馬來西亞的前身）獨立（1957年8月31日）的前一年，發表有關國民教育政策的著名的拉薩報告（Report of the Education Committee，1956。拉薩是獨立時的文化部長，後來成為第二任首相）中有所謂做為國語的馬來語這種表現方式。當然，因為在這個時點上馬來西亞這一詞的用法尚未變得一般化，也未見到馬來國語法的成立（1967年）之故，毫無疑問也可說是理所當然。我們的疑問是在馬來語做為國語已經經過立法之後，是否還有必要硬要將馬來語的稱呼重新變成馬來西亞語這一點上。

　　因為這個質疑最終會關聯到馬來西亞的布米普特拉政策之故。

何謂布米普特拉政策

　　所謂的布米普特拉是馬來語Bumipetra一詞的音譯，意為「土地之子」。聽到布米普特拉一詞時，我的腦海中浮現出來的是

美國黑人作家理查・萊特（Richard Wright）的名作*Native Son*
（1949年）。雖然其標題也可譯做「土地之子」，但橋本福夫譯
的日文版恰如其分地將其譯為《美國之子》〔《アメリカの息
子》〕（早川書房）。這種譯法只能說是太巧妙了。萊特好像是
通過自己的作品的主人公比嘉・托馬斯把美國生活的象徵性姿
態，以Afro-American（黑人系美國人）的未來預言，深深地隱
藏於其中的形式試圖描繪出來。而他自己解釋，之所以特地選擇
「Native Son」這樣的書名，是因為作者想呼籲，主人公比嘉・
托馬斯是地地道道的美國人，而不是來自莫斯科或者其他地方的
移居者。

　　任何人都不能事先根據自己的意志選擇自己的父母與出生之
地，和自己應該歸屬的人種或民族。雖然這一點是眾所周知，但
一般人並沒有意識到。換言之，就是說大部分情況下，一般人對
此多沒有自覺。我把這看成是與生俱來的生理的、命運的、既不
能選擇又不能變更的認同。人們都必須將錯就錯地接受這一點，
並應該把所有的原點放在這裡來開始。

　　如果這樣的話，我堅信當地出生的華人們之中，不久會出現
華人型的土地之子作品，即使有這種引人入勝的書也是不奇怪
的。毋寧說在眼前還沒有出色的作品出現一事，才是不正常。另
一方面，在華僑、華人的精神世界方面，很難產生自我厭惡的心
理，因而，在內面的自我省察卻大大落後，這反而值得擔憂。

　　Bumipetra Policy（布米普特拉政策）同時也被稱為Malay
First Policy，亦即所謂的馬來人優先政策。從語感上來看，誰都
能夠感覺到其濃厚的種族歧視性格，可說其在國際上的風評並不

好。特別是加上馬來西亞的非馬來裔住民，由於自己權益受到很多侵害，長期以來對其不滿，要求對其進行修正與導入替代政策的聲音很高。

對於布米普特拉的馬來人，在所有方面均應該給予優先權而加以保護的構思，以第二次世界大戰的終結為契機變得明顯化。自此以來成為馬來人的政治菁英階層一直持有的想法。

使得這種構思得以全面政策化的契機，是1969年的五一三事件。而給予這種政策化以實質性的指導與推進，則是後來成為第二代總理的拉薩首相（1970年9月～1976年1月期間在任）。自此之後，同政策在胡賽因政權（1976年1月～1981年7月）及繼此之後的馬哈迪政權持續推行而一直發展到今天這種狀況。雖然在運用上多少有些軟硬程度上的差異與曲折，但此一政策卻一直承繼下來。

1969年5月12日，馬來西亞的首都吉隆坡籠罩著一種異常的氣氛。由於華人系的在野黨民主行動黨＝DAP（Democratic Action Party）在總選舉（5月10日在西部馬來西亞舉行的聯邦議會選舉）擊敗了做為執政黨之一部分的保守派馬華公會，為此華人系青年集團趁勢舉行遊行。

在此後的13日，馬來人青年集團一邊訴說危機感，一邊斷然舉行與華人系青年集團相對抗的遊行，最終發展為流血事件而至暴動。這就是所謂的五一三事件。

在一夜過後的14日，政府向全國公布了非常事態宣言，對局勢進行收拾。並於同月的17日組織了國家行動委員會（NOC），由拉薩議長（在事件發生之前是東姑拉曼政權下的副首相）掌握

全權，並組成了緊急暫定內閣。

同年7月1日以NOC的名義發表了新經濟政策（New Economic Policy，NEP）。

拉薩議長在實施新經濟政策時，以給所有的馬來西亞人帶來同等的統一、和平、進步的目的為原則，將：第一，不分種族清除貧困＝消除貧困家庭；第二，對經濟機能（職務）與種族相重複偏頗的社會結構進行矯正，以實現公正的社會經濟秩序＝社會經濟結構的再編，做為國家目標來提示並呼籲實施。

同年7月30日，由於政情還是不安定，同時也是出於推行新經濟政策的需要，國家營運評議會公布了緊急條例（Emergency【Essential Powers】Ordinance No. 45，1970）。宣言禁止對所有有關公民權、做為國語的馬來語、馬來人的特權、蘇丹的地位、其他種族（非馬來系住民）的合法權利等問題的一切議論。

同年8月30日，自五一三事件以來，遭到馬來人急進派及學生運動的批判而成為眾矢之的馬來西亞國父東姑拉曼代總理辭職，拉薩副總理就任第二任總理（9月23日）。

上路後的拉薩政權，在推進新經濟政策具體化的同時，也在竭力鞏固政權的基盤。

進入1971年後，政府立刻於1月22日發表了題為「走向國民的和諧（Toward National Harmony）」的白皮書。其內容為：第一，禁止有關市民權、馬來人的特權、非馬來人的合法地位、蘇丹的地位等一切言論；第二，提高有關在高等研究機關、貿易、營業等部門馬來人（就業）的比例；第三，在所有的公共出版物中使用馬來語；第四，公開表明保證馬來西亞東部的原住民享有

與馬來人同等的權利。

　　繼進行以頒布白皮書為中心的輿論工作以外，拉薩於2月17日解散了國家營運評議會，並於同月19日解除了非常事態宣言。於次日即20日，相隔一年九個月重新召開了議會，並向國會提出強化實行布米普特拉政策法律依據的憲法改正案。

　　也許是對於前面所提到的有關緊急條例的宣言與白皮書的闡述還不夠放心吧。他們還慎重地採取了通過法律上的程序，將全面禁止對有關馬來人的特權、馬來語做為國語的地位、蘇丹的地位、非馬來系住民的市民權與他們的語言在公用目的以外的使用等相關的四個項目，包括了國會內的討論的公開討論等，並將其列入相當於國家基本法的憲法之中。

　　五一三流血事件的主要被害者、以及因與該事件相關聯而遭到逮捕者中，占壓倒性多數的也是華人。華人、華僑們對局勢的嚴峻程度擁有深刻的認識。隨之而來的緊急事態宣言，使得人們特別是華人系居民們由於害怕遭受鎮壓與迫害而不得不保持沉默。正如拉薩所期待的一般，憲法改正案被理所當然地通過了。值得注意的是，做為政府為了一味提高馬來人經濟上的、社會上地位的強權法律依據，1971年修改、憲法裡的「禁止」條款被稱為「在馬來西亞種族間」敏感的問題（sensitive issues），自拉薩政權以後至今，構成了馬來西亞的政治、經濟、社會等政策的大致框架。不僅如此，更為重要的是，此一政策被積極的維持與實施。

　　計畫與政策是帶有理念的，古今中外的史實毫無例外地證明了這一點。我們可以看到理念還被用華麗的辭藻進行包裝之後，

呈現在普通庶民面前。

馬來語已經被制定為國語，並且有關其地位在國會的討論尚且被禁止。即使如此，還將其僭稱為馬來西亞語。這只能說是一邊高高舉起「走向國民的和諧」的大旗，一邊又同時將國民的概念做為明顯不平等差異為前提。所謂的和諧說穿了也只不過是指以馬來人優先為基礎的限定性一事。儘管成為一種招牌。始終將「馬來西亞人的馬來西亞」做為建國的理念而高高舉起，實際上現在正進行的建國實際情況卻是在建立「馬來人的馬來西亞」。

馬來西亞政府自1970年代以來至今，一直毫不鬆懈地進行著這種僭稱與虛飾。也可以說他們不得不這樣做，是有相應的理由的。下面我就接著來探討一下這個問題吧。

複合經濟社會的困境

馬來西亞大致上可以分為包括馬來半島南部的半島馬來西亞（西馬來西亞的11州），與婆羅州島北部的島嶼馬來西亞（東馬來西亞的沙巴、砂勝越兩州）在內而成的立憲君主國。自19世紀後半以來，主要是伴隨著英國的殖民統治政策的展開，大量的中國人與相當數量的印度人（以南印度的泰米爾人為中心）蜂擁而至。前者後來做為華僑，後者做為印僑定居了下來。

英國殖民地當局一方面是由於自身條件的限制，同時也是出於為保持霸權與做為主張殖民地統治的正統性根據的需要，對本地馬來人上層進行懷柔籠絡，將蘇丹制進行溫存再編，以其做為鋪設實行間接統治的殖民地體制道具。而且對一般的平民，則是

採取種族別的就業上誘導政策同時，將其隔離起來，強行有效率的分割統治。如果將其進行簡單圖式化的話，就是以保護為藉口，使馬來人停留在農村從事稻作農業。而華僑們初期主要是在錫礦山勞動，後來小商人化進入市區。印僑主要是讓他們在橡膠園內勞動，鐵路鋪設後轉行為鐵道的中、下層職員，還有一部分轉行為小商人。這就是先前所提到的種族別就業結構的人種偏頗原型。

其結果是強固的複合經濟社會與複合種族國家的複雜基礎，至第二次世界大戰終結時終於形成了。順便提一下，根據大戰後1947年的人口普查，總人口491萬中，由馬來裔人口占49.5％，華僑‧華人占38.4％，印僑‧印度人占10.8％的比例構成。

生活習慣、價值觀、宗教、人種、民族等，本來就彼此不同的華僑與印僑，做為出門打工者在馬來亞定居下來的這一結果自身也可以說是歷史的惡作劇。其結果，華僑與印僑與他們自己的意向無關的，不知不覺地做為英國殖民地體制的一部分被編入了。

英國殖民地體制下的分割統治，原本是利用馬來人、華僑、印僑所相互擁有的固有種族差異。限於這一點，分割統治體制不管其主觀意圖如何，可以說它客觀上變成了使得三者間應該擁有的交流、融合以及統一的機會被剝奪的結構。不僅如此，為了從分割統治中獲取更大的權益，殖民主義者及其協力者們還做了不少諸如慫恿種族間的對立，故意挑撥離間促使矛盾劇烈化等惡行。

在促使種族間矛盾進一步劇烈化的主要角色中，也有日本軍

國主義的相關者在其中，這一點是不應該忘記的。這些惡行都是在太平洋戰爭中，長達三年又八個月的軍政統治（1941年12月至1945年8月）期間所犯下的。

有關這一期間的情況，我們可以從前新加坡駐日大使李炯才的著作《南洋華人──追求建國之夢》〔《南洋華人──国を求めて》〕中窺見一斑。他在著作中寫到：

> 對中國歷史一無所知的他們（指馬來人們）對日本人沒有厭惡的感情。同時也不依戀中國。在日本軍侵略中國之時，他們也沒有與華人（包括華僑在內）一樣擁有憎惡日本人的感情。日本軍到馬來（半島）之時，他們給予了協力。與華人（包括華僑在內）相比，日本兵更信任馬來人。（參見花野敏彥譯，サイマル出版會，頁140）。

從盧溝橋事變擴大到大東亞戰爭的過程中，日本軍所高舉的冠冕堂皇「錦旗」是打破白人統治建立「大東亞共榮圈」，以「八紘一宇」的大精神為基礎的正義，建設全亞洲的新秩序。

1928年，因為不願意由於北伐軍的北上而導致中國統一的日本當局，藉口保護濟南（山東）的日本人居留民的名目出兵山東，干涉中國的內政。這就是一般所說的山東出兵。為了對應在這以後發生的柳條溝事件（滿洲事件）、上海事變、盧溝橋事變及接連不斷的、日本對中國的侵略，東南亞華僑的主流對日本的干涉與侵略感到憤怒，支援祖國的熱情被喚起了。在這之後他們積極地展開了抵制日貨運動、抗日運動，以及對抗日戰爭的支援

活動等。在以太平洋戰爭的爆發為契機而進行的馬來半島攻略戰
上，日本軍理所當然地敵視華人、華僑，對他們進行鎮壓與迫
害。甚至在華僑、華人與馬來人之間使用挑撥離間之計，以使兩
者之間的矛盾劇烈化。為了使自己的軍政能夠有利的展開而嘗試
著進行日本式的「分割統治」。這也成為日後兩者抗爭對立的新
的「火種」之一，並且現在還在繼續地疼痛。

　　第二次世界大戰終結之後，沉醉於勝利喜悅中的馬來亞共產
黨、馬來亞人民抗日軍（以華僑為主體）的相關人士，不僅在自
己同夥華僑的內部，展開了從單純的對日本軍的協力者到內部叛
徒的檢舉，還把馬來人也列入對象，進行了嚴厲的追究。私刑進
行的暴力、由人民裁判等宣告死刑等，使得第二次世界大戰結束
之後終於得以喘息的、田園般的馬來亞吹進了一股恐怖的政治熱
風。

　　因此，不管是一直受到英國的保護，也就是說被馴養的蘇丹
還是一般的馬來人都大吃一驚。他們甚至把對這一部分人的不信
感與憎惡感擴及到所有華僑身上。以此為契機，馬來人認識到了
內部團結的緊迫性，馬來民族主義以此為契機高揚起來。馬來人
為了團結所必須的民族意識確實地被喚醒了。不久，馬來民族
統一機構（巫統）於1946年5月成立了。自從殖民地走向獨立以
來，統一馬來人國民組織一直掌握著執政黨的中樞至今。然而，
其做為政黨的組織基盤，從其形成的經緯來看是很脆弱的，這一
點也是不可否認的事實。

　　第二次世界大戰之後，民族主義之浪潮在新獨立或者是即將
獨立的舊殖民地諸國與諸地域擴展開來。

　　對其內情我們暫且擱置一旁，從外部來看，第二次世界大戰之後的馬來亞民族主義型態大體上可以分為以下三個部分。第一部分是屬於本地民族的馬來人的；第二部分是屬於華僑、華人的；第三部分是屬於印僑、印度人的。

　　舊殖民地時期的民族主義一般而言，是在與帝國主義的抗爭與較量的過程中形成並走向成熟。然而，根據各個不同的國家與地域的民族所擁有的主客觀諸條件不同，民族主義的成熟度也出現了相當大的差異。在民族形成遲緩的地域裡，部族之間的抗爭長年持續不休之例也不在少數。馬來西亞雖然有部族間抗爭的存在，但由於華人、華僑的問題與印度人、印僑問題的突出，使得在目前的情況下並沒有表面化。令人感到頗有意思的是，初期主要是與華僑和印僑民族主義共存與抗爭相連動的關係，而導致馬來人民族主義形成的問題被探究。

　　目前應該如何定位、對待華人以及印度人民族主義的同時，確立馬來民族主義的優越性，從而牢固地掌握馬來西亞建國的主導權已經成為馬來人政治家的課題。這本身也可以說是已經成為建立國民國家的至上命題之一。

　　在這之後，做為統一國民的課題的重要部分，建立民族性的自立與共生的一致意見就浮現出來了。做為民族性的馬來人特質與中華人特質及印度人特質間的相互關係，應該如何積極地推進或者是被推進，這正是考驗馬來西亞，特別是馬來人政治家與有識之士的睿智之處吧！

從獨立胎動到馬來西亞的組成 ── 認同危機的諸相

　　從第二次世界大戰結束那年秋天，到1954年夏天這段時間裡，民族主義的獨立運動與由於脫離殖民地體制而形成獨立國家＝國民國家的激烈胎動，在東南亞接連不斷地進行著。在這整體的動向中，僅有馬來半島的馬來人集團動向是溫和的，既沒有引人注目的激烈程度，也沒有引人注目的華麗。理由很簡單，只能說是從來沒有出現過出色的反英、反日的馬來人團體之故。

　　我們如用通常一般性的看法來看，馬來人的民族覺醒，主要是與其相鄰接、共同使用馬來語的印尼的伊斯蘭教徒的交流與刺激而漸漸發展起來的。在這之中唯一一點應該舉出來的是，受到印尼的蘇卡諾所率領的印尼國民黨影響的馬來人集團的存在。他們以印尼與馬來亞的統一為志向，舉起了反英、反馬來獨裁政治的口號，於1937年左右組織了馬來青年聯盟。然而，在英國當局的彈壓之下，未來得及活動就解體了。在第二次世界大戰中，日本軍將這些幹部們從獄中釋放出來，並對他們的活動給予了支援。戰後，他們雖然沿著蘇卡諾的路線重新開始活動，但由於是與馬來的獨立相比，更注重於將著力點放在與印尼的合併之上的左翼運動之故，因而得不到一般馬來人的支持，也得不到重新回來的英國當局的容忍。因此，馬來人的民族覺醒即使是在政治運動面也是相當薄弱。更多的是僅僅停留於文藝創作與言論活動的層次也是史實。

　　在1950年代初期的時點，即使是後來成為布米普特拉政策的領導者的第二代總理拉薩，也只是一邊在倫敦擔任馬來人學生組

織會長的同時，一邊主持召開馬來亞論壇的情形。經由同一論
壇，與在劍橋大學留學中的李光耀、吳慶瑞（原新加坡的副總
理）等未來在新加坡、馬來西亞建國活躍的人物們，對馬來亞的
獨立以及將來的構想等彼此進行了交談。論壇之名稱為「馬來
亞」而非「馬來」這一點值得注目。拉薩從這時起就開始強調獨
立後的馬來的全體市民都必須掌握馬來語。但同時也期望馬來人
能與馬來出身的其他種族的人們在一起，開闊自己的視野。馬來
亞論壇就是為了使馬來人能與非馬來系人一起會面，能夠就共同
的問題進行討論的構思而誕生的。許許多多的話題曾被提出來。
很有意思的是，從這個時期開始，通過體育、聚會等促進不同種
族間的理解的方法也被認真地討論過這一點（參照前引《南洋華
人──追求建國之夢》，頁192～193）。

　　日本在太平洋戰爭的敗北，同時也加速了西歐帝國主義在亞
洲霸權的衰退。印尼的荷蘭人及在中南半島特別是越南的法國
人，因為已經支付不起比這更大的代價，所以不情願地從亞洲撤
退了。英國對於恢復與維持包括蘇伊士運河在內及蘇伊士運河以
東的霸權，還多多少少寄予了一線希望。特別是對馬來半島的錫
與橡膠的天然資源，及新加坡的軍事要塞不肯輕易放手。這點是
容易想像的。

　　老奸巨猾的英國人殖民主義者，對第二次世界大戰之後的馬
來亞的政治狀況與力量進行了冷靜的觀察與對應。正如眾所周知
的，馬來亞除了第一次世界大戰後的大恐慌期以外，通過發展殖
民地型的單一耕作法＝種植橡膠與開發錫礦山等，使得其經濟繁
榮。停留在農村的馬來人農民另當別論，一般的華僑與印僑所接

收的雖說是殘羹剩飯，彼此還都能從經濟繁榮中分享一定的利益。

經濟活動的走向活躍化與經濟繁榮，使得華僑與印僑做為「媒介」又重新從彼此的母國招來新的打工者以及移民群。這個時候流入的新人已經不只是苦力了。中國與印度受到過反帝、反殖民地主義、反封建運動的洗禮的民族主義者、社會主義者和共產主義者，以及以教員、記者為首的知識分子也夾雜其中來到了馬來亞。

這些活動家們為了避免彈壓，用心良苦地將自己親共的主張隱藏起來。只是專門強調民族主義的一面，以試圖擴張及獲得當地社會的支持基盤。

華僑也好、印僑也好，都是雖然將生活基盤放在馬來亞，卻總是將臉朝向自己的祖國，彼此都將自己的心靠向中國與印度。理所當然的是，華僑與印僑之間所萌生的民族主義也是與中國以及印度的民族主義相呼應，通常是與母國的政治動向相連動的同時展開活動。鄉土愛是人之常情。

除此之外，中國也好，印度也好，都是擁有遼闊國土、燦爛文化遺產與歷史的國家。僅因為誰都承認其是擁有巨大發展可能性的「大國」，要抵禦其魅力就是件很難的事。所有的人都是以「衣錦還鄉」為目標辛辛苦苦地勞動著，一直奉行著「落葉歸根」的生活原理（詳細請參照拙著《華僑》）。除了使他們一直持續保持著打工者心情的內在理由外，也有對他們自身而言是力所不能及的外在理由，而且今後還會繼續存在，對於此我們也是不能忘記的。

　　在英國殖民地體制存續期間，不論華僑還是印僑都一直只是做為中間人存在。做為統治者主人公的行列，他們是理所當然地進不去。但不能因此說他們就完完全全落入被統治者的境遇之中了。他們一方面寄生於殖民地體制，同時也遭受壓制與歧視。由於他們是做為被編進殖民地體制內的幫手或者是附屬物般的存在，也受到被統治者馬來人的白眼與忌妒。

　　他們之中相當多的人，一方面對通過附隨英國的殖民地體制所體現出來的西歐價值觀抱持排斥心理，另一方面自身卻在不知不覺間成為其亞流。幾乎是所有的華僑與印僑都相當普遍地認為自己在文化上、種族上比馬來人優越。因為這種偏見與歧視意識使得種族間的矛盾擴大，對立與猜疑心加深，這一點就是令人感到很為難的事。

　　第二次世界大戰的結束，使得中華民國成為戰勝國，被推舉為四大國。同時做為五大國之一，得到了聯合國安理會常任理事國的位置。馬來亞的華僑界慶賀雙十節（中華民國的國慶節），華文報紙使用中華民國的年號，將中國稱為「我們的祖國」。靠萬金油起家而成為富豪的胡文虎的馬來亞《星洲日報》系諸報紙便是其中佳例。然而，伴隨著中國大陸復員的進展，國共內戰的劇烈化，支持中華民國即國民黨者逐漸減少，人們在心理上漸漸地傾向於中共。

　　印僑則像印度人一樣，在印度獨立的1947年8月15日，成群結隊地集中於廣場，高舉印度的國旗進行了轟轟烈烈的歡呼與慶祝。

　　企圖復歸馬來亞的英國人，無論是對華僑主張是中國人，將

中國當做自己的祖國，還是印僑主張自己是印度人，大聲歡呼印度的獨立均沒有進行干涉。因為他們認為對馬來亞的將來不寄予關心的華僑與印僑，無疑更有利於英國在馬來亞霸權的重建。如果在馬來亞的政治活動不會動搖英國的殖民地統治基礎，且不妨礙殖民地行政的話，對其持放任不干涉的態度是英國傳統的做法。對英國人而言，使他們感到頭疼的是在日本軍政期間，通過在馬來亞盡全力進行有組織抗日游擊戰活動，並且在必要時也與英國軍相聯繫共同參與抗日戰爭，而使力量得以壯大起來的馬來亞共產黨。馬共與軍事組織馬來亞人民抗日軍一起，現在已經成為能與英國殖民當局對抗、做為在馬來亞唯一的組織而起的勢力出現在眾人面前。

　　1945年9月5日，匆匆忙忙地回到馬來亞的英國當局，在一邊巧妙地與馬來亞共產黨交鋒的同時，為了重新構築自己的立腳點為目的，同時提出了馬來亞聯邦（Malayan Union）的構想。其主要內容是：第一，除了將新加坡做為直轄殖民地留下來以外，還包括將馬來亞全域做為由英國國王統治的統一政治地域而進行再編。英國當局對曾經協助過日本軍的蘇丹投向猜疑的目光，通過廢止在此之前的州權，並剝奪蘇丹的司法權，進行更為直接的殖民地統治，從而試圖重新進行更有效的殖民地統治。

　　第二是通過把馬來亞從在此之前的保護國變成完全的殖民地，也就是通過排除馬來人的政治特權，從而將馬來亞建立成三種族平等並存的政治實體，置於英國的直接統治之下，企圖使之形成更為方便於自己的局面。做為實現的第一步，站在種族平等主義原則的基礎上，給予非馬來裔住民公民權是可以設想到的。

在同一構想中，將在馬來亞出生或者是在該法律生效以前的15年中，至少有十年間在馬來亞生活過的所有人，均給予平等的公民權。這很明顯的是為了對應馬共而所提出的提案。等於公開聲明今後的馬來亞不再被看成單單是「馬來人的國家」。

馬來人一方由於前面已經提到過的對馬共的戰犯追究，以及單方面高漲的華僑氣勢而感到危機感。馬來人社會上層則由於受到一直以來視為「保護者」的英國當局可說是近乎於斷絕關係宣言的馬來亞聯合案提示的衝擊，不禁怒從心生，大為驚慌，各地發生了如同暴風雨般的抗議行動。並推舉擔任柔佛郡長的拿督（Dato Onn bin Ja'afar，第三任總理胡塞因之父）為總裁，組成了巫統（UMNO）。馬來人社會以服喪的形式在各地舉行抗議集會，抵制英國派遣的馬來亞聯邦的第一任總督簡安特（E. J. Gent）的就任。

這回的抗議運動並不是由親印尼的蘇卡諾路線的馬來青年聯盟為源流的集團所發動，而是由包括從中間勢力到保守派的上層均被捲入、做為新組織的統一馬來人國民組織巫統所發動。因此，其成果與政治上的意義是如何強調都不會過分的。自此為止一直被認為沒有獨自政治的馬來人社會，開始誕生了像個組織的組織。是好是壞我們在這裡尚且不去談論，單就為保護自己的權益而開始挺身而出這點而言，具有很大的象徵意義。在江沙（Kuala Kangsa）舉行的抗議大集會中，蘇丹親自去參加，讓大家禁不住刮目相看。

因為日益擴大的抗議活動而感到棘手的英國，馬上與蘇丹及統一馬來人國民組織開始了祕密交涉。然後，決定進行政策轉

換，廢止馬來亞聯合，建立馬來亞聯邦。

英國當局成立了包括蘇丹與統一馬來人國民組織代表在內的修改憲法委員會，反覆推敲出了在此後的1948年的馬來亞聯邦協定中被具體化了的憲法草案。後來同憲法草案成了現在的馬來西亞憲法的基礎。在此基礎上於1971年再被附加上「種族間的敏感問題」的修正禁止條款，從而成為布米普特拉政策的法律依據，一直適用至今。

在同一期間，華僑、華人社會卻分裂成了三個部分。

在麻六甲出生的峇峇中國人陳禎祿門下集結的華僑、華人集團於1949年2月組織了馬華公會（MCA），擁戴陳為會長。陳雖然對中國文學、中國的文物感興趣，並且擁有一定的造詣，但對現代中國的動向卻很少關心，對中國語的方言與北京官話（標準語）都不懂，與華僑社會幾乎沒有接觸，面對華僑的演說也都是用英語或者是馬來語再帶上翻譯的。儘管他贏得了英國人與馬來人上層一定程度的信賴感，但在華僑界的知名度卻很低。據說他們這些在馬來亞出生，擁有英語教育出身為主要背景的華裔或者說「當地化」（在這裡，終究是指靠近英國的馬來亞化）比較顯著的保守系華人們，組織起馬華公會完全是為了達到防衛自我藉以生存下來的目的。

在馬來西亞共產黨（MCP）方面，總書記賴德（Lai Teck）叛變，其後任陳平年方26。屬於馬共周邊的主要的友好黨中共、越南勞動黨（後來變成共產黨）、印尼共產黨等均忙於自己的革命事業，應該說沒有支援他們的餘力。馬共的重要幹部在日本軍政期間由於賴德的叛變，大多被日本軍槍殺掉或者被逮捕而轉

向，使得指導部出現了斷層。

反對由英國當局與蘇丹及巫統三者的祕密交涉之下形成的馬來亞聯邦協定案的馬共而言，在某種意義上嘗試進行合法鬥爭是最終的挑戰。雖然他們大規模地動員了非馬來人，組織了有史以來最大的罷工，但都被英國當局巧妙地排除掉。協定於1948年2月1日生效。

是因為受到這次鬥爭失敗的挫折與英國當局發動強權，因而做出議會主義的合法鬥爭已經不可行的判斷？還是因為受到中國大陸、越南等友黨武力鬥爭的進展的刺激，從而進行模仿，馬共以1948年5月31日為期開始潛入地下，由合法的公開鬥爭路線轉向武力鬥爭的路線。

英國當局簡直好像在等著這一時機，同年6月17日發表了馬來亞全土緊急事態宣言，並於翌月7月23日發布了對馬來亞共產黨、馬來亞人民抗日軍及其關聯組織的活動禁止令，並發出了對關係機關的搜索與相關人員的逮捕令。

一般的庶民有著馬來亞共產黨是華僑、華人政黨的印象。此外峇峇們的保守系華裔・華人的上層階級，也與英國當局和中國國民黨右派同樣，成為馬共的鬥爭對象。因此，他們也深切地痛感到團結的必要性，並結成了馬華公會。與此同時，他們自己公開表明自己與馬共沒有任何關係。大體上團結在馬華公會周邊的華裔與華人們的認同被明確化，他們後來與巫統及印度人國大黨（MIC）聯合起來形成執政黨聯盟，擔任了政權的一翼。

而馬來亞共產黨，其在黨的性格上沒有有關種族問題的認同危機。毋寧說他們在為如何才能沖淡所謂華僑、華人黨的色彩而

絞盡腦汁，為獲得非華僑、華人的成員與支持者費盡心思，但終究沒有獲得成功。此外，他們不僅沒有抓住由於英國當局的鎮壓與大戰之後，社會經濟的混亂所提供的革命好時機，而是拘泥於末梢的戰犯追究與恐怖行為等，從而被民眾們所疏遠。使得他們連在抗日戰爭時所累積起來的威望盡失，最終被趕入叢林打游擊。此外，有關馬共的日後談請參照〈世界的動盪與東南亞華人的未來〉一文。總之，隨著戰後的復興，以及經濟與生活的走向安定化，獲得了公民權之後的華僑轉化成了新華人。尤其馬來亞後來幾乎全部成為中產階級的華人們，理所當然地不再成為馬共所能組織的對象。

處於馬來亞共產黨與馬華公會中間位置的華僑與華人，在人數上占壓倒性多數。他們的認同危機是最為深刻的。

原本處於這一階層與階級的人具有很強的出門打工者性格，對於賺錢以外的事物大多採取旁觀者立場。對他們而言，與為了政治理念的鬥爭相比，僅僅是為了普通的生活而進行的日常奮鬥比什麼都重要。不管願意與不願意，把擁有這樣社會性格的他們捲入政治漩渦之中的，是以「滿洲事變」開始的中日之間的十五年戰爭與珍珠港攻擊（1941年12月7日）為契機，而展開的長達三年又八個月的日本東南亞侵略與軍政實施。有關這一點我們在前面已經提到過了。這在任何社會都有可能發生，即政治這種東西，即使你不願意去找它，它也會主動找上門來。

陳嘉庚的領導能力與華僑的困惑

與陳禎祿大不相同，甚至於可以說完全相反的是在以馬來亞為中心的廣大東南亞華僑界獨享人望的陳嘉庚（1873～1961年，亦稱Tan Kah Kee或者是Chen Chia–Keng）。

陳出生於福建同安縣集美鎮，17歲到馬來亞，與父親一起經營米店，在三十餘歲因經營鳳梨罐頭工廠與橡膠園等而獲得了成功。1909年在新加坡與孫文相識，1910年春加盟孫文任主席的中國革命同盟會（成立於1905年8月），成為孫文革命的熱烈支持者。

陳與一般的華僑成功者大不相同，他不僅善於賺錢，在用錢方面實際上也是公正、頗有技巧的，完全可以說是一個奇特的人物。他早在辛亥革命成功後的第二年，也就是1912年便投入私人財產，在家鄉集美建立小學、中學、職業高中等，並於1921年創立廈門大學。在他自己做為暫時居住地的新加坡，則建立了華僑中學，發行了華僑的代表性報紙《南洋商報》，在第二次世界大戰後還發行了親中共的《南僑日報》等，鼓吹、啟蒙祖國（＝中國）愛與華僑社會的近代化。對於日本對中國的侵略自始至終持反對態度。他還做為抵制日貨運動，募集並寄支援抗日的義援金運動至中國的中心領導人物而活躍著。在太平洋戰爭爆發之前的1940年3月，分別到重慶（國民黨政府）與延安（中共）進行慰問、激勵視察旅行，根據這一期間的見聞，知道國民黨政府的腐敗而感到憤怒，自此之後完全傾向於支持延安政府。

以鄉土愛為原點而將自己的夢想寄託於一個強大近代中國的

出現，陳嘉庚毫不吝惜地投入自己的私人財產。他支援中國革命，在有關中國內政方面也積極地進行發言。他做為抗日運動的領導人而受到尊重，成為真正的華僑界最高指導者。他從在新加坡的生活與經營事業的經驗來看，很早就洞察、認識到中間人＝華僑所處的不明朗境遇的局限性。因此，他對有關獲得馬來亞的華僑、華人當地化權利的運動不抱希望，而是始終採取冷淡的態度。不僅如此，甚至還可以濃厚地窺見其用心，以避免被捲入其中的形跡。他和他的夥伴們深信如果沒有中國的近代化與強大近代中國的出現的話，做為集團的華僑，就不會擁有光輝的未來。

1949年6月4日，為了迎接中華人民共和國的成立，陳因毛澤東的邀請進入北京，此後出席了人民政治協商會議，被選為中央人民政府委員會委員。1950年2月15日，他實現了生前最後的新加坡訪問願望，將新中國成立的經過與喜悅的一部分傳達給了馬來亞的華僑界。同年5月21日，陳從新加坡乘飛機進入北京，為了將餘生奉獻給新中國的建設，做出了回國定居的決定。

現在可以說，在他回國，做出定居決定的階段，他就已經不是華僑的實質上領導者了。一方面因為年事已高，或許他也是意識到自己在馬來亞與東南亞的職責已經完成，從而做出回國定居決定的也未可知。有關這點我們暫且不去深究。自1910至1950年代初這一期間，陳嘉庚確實曾是偉大的領導者。他結束了自己個人的事業，為了自己信賴的集團（在這裡指的是華僑界）目標的達成，在試圖協調成員的同時，促使他們發揮各自的能力，支援自己的祖國中國，出色地完成了做為一個領導者的任務而得到評價是理所當然的。剛開始是國府中國，後來是中共中國從陳之處

得到了許多寶貴的援助。因為被捲入中國內政的漩渦之中，因此陳的餘生可以說並不是平坦寧靜的。此外，對於其個人自我實現的完成度而言，雖然還留下了不滿，但在某種程度上可說已經成就了，有識之士這樣認為。

偉大的領導者因為曾是偉大的存在，因而即使是在卸任之後，其影響力依然存在，並且繼續發揮著作用，這是歷史的事實。但與所有的事物一樣，其影響均包括有正面與負面兩個方面。陳嘉庚也毫不例外。在他影響之下的東南亞華僑界，特別是馬來亞的華僑界，在第二次世界大戰之後一直在對自己的處身之道持續動搖與彷徨。解決認同危機和與本地住民之間不斷地發生的社會糾葛等解決的端緒還未能找到。對於占壓倒性多數的華僑而言，因為在馬來亞已經擁有微小的生活基礎，所以很難簡單地結束自己的事業，像陳嘉庚一樣回國的。

這就是我所說的，為了能夠生活、生存下來，他們在「從華僑走向華人的苦悶與矛盾之路」（請參照拙著《華僑》）〔參見《全集》11〕上徘徊、流血流汗。

馬來亞的建國是人類史上的實驗

在第二次世界大戰後的馬來亞，與其他的第三世界一樣，歐美與日本在世界史的形成過程中，已經提示的國民國家形成的課題降臨到了相關者的頭上。民族獨立、民族自決的願望在擴展，國家建設、國民形成、國民統一的目標與課題，接二連三，持續不斷地出現在人們面前。

　　雖然已經有了來自於外部概念的大框架，但卻缺少促使其內容得以充實的擔負者與軟體。

　　正如我在前面已經提到過的，在馬來亞居住的三大種族處於還沒有餘裕整理、克服殖民地遺制後遺症的情況下，僅僅只是政治理念與意識在萌芽並昂首闊步地前進著。其結果淨是一些與國民統一完全相反方向的分裂與抗爭，社會的糾葛在進一步加劇。馬共格外表現出了其存在感，開始了與英國的周旋。起初看到這種情景時，人們在對此感到欽佩的同時，另一方面卻對馬共產生了畏懼感。特別是馬來人的政治菁英拚命地進行對應的經過，我在前面已經有所論述。

　　經過幾番的迂迴曲折，布米普特拉政策自1970年代以來被推行。

　　有關布米普特拉政策擁有馬來人種自我中心主義偏向的批判聲音頗高。擁有這種偏頗性的同時，對馬來人農民的貧困階層的消除，與複合社會經濟結構的殖民地遺制所帶來的馬來人社會經濟劣位的改善，並沒有產生直接的關聯，這點就是問題所在。有識之士批判布米普特拉政策的優先對象流向馬來人的中、上層社會及其子弟，反而導致促進馬來人社會的階層、階級分化的諷刺性結果。不僅如此，也有人指出，如果受益於布米普特拉優先政策的馬來人上層，能夠真正地對建國有所貢獻的話，當然是好，要是不重蹈過去因受到英國的「特別保護」而變得無用的蘇丹及馬來人上層的覆轍也可以。甚至如果說，現在從有關新馬來人式的「依賴的結構」中有什麼被擴大再生產的話，毋寧說那是否會成為近代化障礙的疑問現在正被提起。

　　現實生活中，當地出生的華人比例現今占壓倒性的多數，可看到做為華人的社會意識也正在被確立。據說已經可看見與以往面向中國的華僑民族主義的層次與目標完全不同的新華人民族主義的萌芽。這是設定做為馬來西亞建國，集團目標的內涵。

　　與新加坡的人民行動黨（PAP）擁有淵源關係的馬來西亞華人系在野黨民主行動黨（Democratic Action Party，簡稱DAP）立場比較相近的某位有識之士曾經說過：「我們出生在馬來亞，在馬來西亞成立以前就在這個國家長大的。因此，我們也基本上認為自己是布米普特拉。儘管如此，我們還是在法律上被定義為『非布米普特拉』。必須指出的是，未具近代民主國家的體統，可以說是一件非常嚴重的事。像這樣被做為二等國民來對待，在建設新國家過程中，要想全面地將華人們動員起來是不可能的。如果我們華人社會所擁有的做為中產階級的安定能量被抑制住的話，會有馬來西亞的經濟成長與近代化的實現嗎？懷疑我們的忠誠心的這種愚蠢的行為，以及將我們華人做為代罪羔羊來加以利用，怠惰不去克服本來的社會矛盾與殖民地遺制的課題作法，早該停止了。」云云。

　　其他華人有識之士也說：「英國人可謂罪孽深重。從中國與印度導入苦力，先是任意榨取他們的血汗，然後是裝作陌生人般漠不關心。他們所進行的分割統治，將宗教、語言、文化不同的人種與民族一方面進行隔離，另一方面將被混在一起的馬來亞的分裂社會做為殖民地遺制而殘留下來。殖民地解放後，英國完全沒有贖罪的意識，在促進民族融合方面什麼也沒有協助，實在不可原諒。由於本來就是根據不同的種族而形成不同的生活共同

體，並以相互隔離的形式進行營生，馬來西亞型的國民統一所面臨前提的現存條件與第三世界的其他任何國家相比，都較為困難。因為在馬來西亞不存在能掌握主導權的、成為實現近代化的擔負者中心力量的優勢民族這點，問題就是非常明顯的。此外，非馬來人主要掌握了經濟動脈，而馬來人則掌握了政治上的實權，這種非常不平衡的狀況在持續地進行，這就是目前現實的情況。

　　因此，非馬來人渴望與經濟地位相對應的社會方面、政治方面的地位，他們認為已經做為馬來西亞人，要在這個國家紮下根了，因此無法接受自己被當作二等公民的非布米普特拉來對待的這種差別待遇。做為相對方的馬來人，或許是這樣主張的：土著民族馬來人是馬來西亞本來的主人，占人口的最大多數，我們在經濟上處於劣勢是一目了然的。不僅是如此，教育水準也很低，在所有方面都很落後。我們也與其他人一樣，想從這種惡劣地位中走出來，也應該擁有這種權利的。僅僅是因為我們在政策面實施改正種族之間不平衡的布米普特拉優先政策，就將我們以自人種主義或者自民族中心主義來批判，認為我們被囿陷於其中，那是過分了。兩者說的都有自己的道理。

　　有關這種議論在學術界不用說，就是在國會中都不能夠評論。這種現狀是不正常，非民主的，這就是問題之所在。對於有關自己國家所面臨、所擁有的最為深刻的問題，通過憲法禁止其討論的時代錯誤狀況，首先就有必要被打破。在馬共已經簽訂了解除武裝協定，走出了叢林的現在，還以會引起政情不安為理由，持續推行1971年的憲法修正（有關禁止議論種族間的微妙問

題）的條款，是對馬來西亞的近代化、真正國民統一的實現不會帶來任何正面的作用的吧。」

那麼第三者的意見又是怎麼樣的呢？下面我再來做介紹：

「布米普特拉政策所提出的目標，應該是為了更為確實地培養、強化尚未成熟的馬來民族主義的主體性同時，在馬來西亞名義下建立馬來人主導型的國民國家，這點首先是可以這樣解釋的。此外，布米普特拉政策是過渡性的，如果將來確實有實現國民統一明確展望的話，是否也是可以允許其存在呢？」

我想起了1983年暑假，在美國馬里蘭州的朋友家中之事。新加坡出身的朋友針對布米普特拉政策的不是與停滯不前進行了激烈的批判。對此，在哈瓦特大學（被稱為黑人哈佛大學的名門大學）的醫學部就職，對美國的黑人問題比較了解的朋友插了嘴。

他說：「馬來西亞華人的布米普特拉政策反對論在某種意義上，分外地與美國制定公民權法（1964年）之後發生的一部分白人的反歧視論相似。唯一不同的是，與白人批判白人政權相比較，華人們是在批判以馬來人為中心的政權這點。白人們認為根據公民權法，黑人是否受到了過多的政府援助呢？這種過分的保護不僅是使黑人變得無用，而且還傷了他們的自尊心。其結果是公民權法是否能導致黑人問題根本的解決呢？這些問題的提出是反歧視論的主要內容。仔細想起來，我認為對黑人的優惠政策是不可缺少的。由於長年遭受歧視的後遺症，黑人擁有劣等感，在荒廢了的家庭及社會生活的影響下，在所有方面他們的能力均受到壓制，發展也受到了妨礙。帶著擁有缺陷的人站在同一起跑線上說，讓我們來競爭吧，不管在法律的形式上如何整備，這實際

上也只能是虛構的。為了讓美國黑人的能力得到與像白人般的培養，充裕的時間與適當的支援措施是有必要的吧。借用這樣的邏輯，是否馬來西亞的華人能夠對布米普特拉政策進行善意的重新認識呢？但是，如果馬來人的政策僅僅停留於站在人種主義觀點上，為了排斥華人政策層次的布米普特拉政策，我認為理所當然地是應該對其加以批判。」等等。

對由於禁止歧視黑人的公民權法的實施所派生出來的反歧視論的批判邏輯，非常具有啟發意義。我們可以把馬來西亞現存的複合種族國家的現實，看成是英國人的罪孽，與此相反的是在世界史形成的過程中，在馬來亞留存下來的，是做為構想新的人類史的偉大實驗的素材之「場所」，我們是否可以正面地來這樣看呢。如果除了三種族共存之外別無選擇的話，三者雖然共同擁有將英國甚至是基督教文明圈在馬來亞殘存下來的罪孽進行清算與克服的痛苦，但如果把其看成是無法逃避的重要事業，勉力去進行挑戰也是一種做法，我是這樣看的。

馬來西亞所面臨的集體相互關係是歷史的遺產，如果它擁有持續負面影響力，同時也擁有轉向正面的可能性。馬來人、華人、印度人的相互關係正如字面般是相互關聯的事情。對此有正確認識的話，它啟示我們如果要改善集體間的相互關係，只靠「力量」去追求其可能性是不夠的。經常相互發生作用的集體的三方要彼此進行相互研究，如果沒有用心善意的協調，就不太可能會取得成果。

華人的問題，事實上同時也是馬來人及印度人的問題，反之亦然。對此我們要重新認識，將其弄清楚，去面對事實，除此別

無他法。此外，應該從馬來人困境不只是馬來人的困境，華人的困境同時也是馬來人的困境這種交叉發生連動結構的實際狀況中，相互承認這一點開始。因為為了能夠生存下來，三者都是除了馬來西亞以外，別無安身之處。有關三方彼此的行為與感情的所有側面均有重新進行自我認識與定位的必要。在這個結果的基礎上，如果不嘗試著去改善關係，集體相互關係的解決就幾乎沒有希望，這應該也是事實吧。

　　橫亘於馬來西亞三種族之間，有關相互的偏見、優越感、劣等感、猜疑心、怨念，缺乏自信與自尊心的諸問題進行科學的分析很困難，因此進行正確的認識以找出解決方法並非易事。但這是無法迴避的問題，也是值得努力的人類史目標之一。

　　就此意義上而言，華人應該不惜一切向馬來人主張、說服他們應該容許做為民族性的中華人特質。此外，華僑民族主義，即「出外打工者＝華僑」觀念的老舊框架首先應該被打破，這是大前提。在這個基礎上，創造出與馬來民族主義一起共同追求馬來西亞這個近代國民國家實現的崇高目標的新華人民族主義，並使其在華人社會紮下根來也就變成了當務之急。還應該與馬來人、印度人一起共同挑戰建立更為理想的國民國家形成與國民統一諸課題。

　　全世界出現了對國民國家應有的狀態進行重新質詢，追求國家型態的新範例前兆。由於民族問題在各地湧現出來，促進了既存的國家型態解體是當今世界的狀況。另一方面，曾是國民國家範例的西歐諸國家，企圖將「民族」國家昇華，於1992年為了實現歐盟的統一正在進行大規模的改變面貌。

　　英領馬來與英領婆羅洲各一部分從馬來亞聯合變成了馬來亞聯邦，然後再變成了今日馬來西亞的君主立憲國。真正地實現馬來西亞人的馬來西亞，還免不了經歷曲折。

　　從國際環境的現狀來看，做為人類史一個偉大的實驗例子，將馬來西亞國民國家的形成進行定位的政治氣候可說已經充分成熟。人們開始重新認識到彼此容許各個種族民族性的自立與共存的重要性。如果優勢民族使用強權壓制處於劣勢地位者，或者是少數民族，而建立了國民國家的虛構，也終究是失敗的宿命，蘇聯‧東歐的激盪已經證明了這一點。而且奧斯威辛的教訓也是做為人類的一員，誰都應該學到的珍貴史實。

　　不同種族之間的真正自立與共生的實現，有充分的可能會成為21世紀國民國家最新的範例，我對此深信不疑。

　　　　本文原收錄於戴國煇編，《もっと知りたい華僑》，東京：弘文堂，
　　　　1991年7月10日，頁115～147

世界的動盪與東南亞華人的未來

◎ 雷玉虹譯

一、冷戰結構的崩潰與東南亞新秩序

李光耀的禪讓

1990年11月28日的晚上，在新加坡的市政廳（中央政府所在地）舉行了建國以來最為重要的權力轉讓儀式。這個繁榮的南洋島國充滿了東方式「承先啟後」的豪放闊達氣氛。

儀式結束後，就任新總理的吳作棟走出市政廳，向等在外面的群眾們揮手致意。市政廳周邊的歡呼聲經久不息。

已經隱退的建國長老之一，拉賈拉南（S. Rajaratnam，曾任文化部長、外交部長、副總理）高興地說道：「1959年李光耀就任英國自治領總理之時，我們是穿著白色的棉質半袖開襟襯衫與白色棉褲子工作服出席宣誓儀式的。那身裝束很像無產階級。而在今天的這個日子裡，我們大家都是穿西服繫著領帶，並且穿著名牌的漂亮皮鞋。但我們絲毫不感到害羞。因為我們可以昂首挺胸。」

　　確實如此。31年前，在同一地方，一群三十多歲的年輕的PAP（人民行動黨）的領導者們，在李光耀的統率下舉行宣誓儀式後，新加坡第一次的自治政府成立了。他們所面臨的是非常嚴峻的經濟、社會狀況。街上四處充滿了失業者，社會陷入了動盪不安之中。同時也是反英、反殖民地主義的左翼勢力對既存的秩序進行激烈的挑戰的「熱氣騰騰的政治季節」。31年的歲月很快地流逝過去了。

　　今天的新加坡已經成長為擁有270萬人口，被稱為所謂的亞洲四小龍之一的國家。人均GNP達到1萬美元的大關，空軍的實力充實到可說是在本地區稱霸的程度。

　　在權力移交的儀式上，主人公之一李光耀不時地露出一副無限感慨的表情，這也不是毫無理由的。相當於新加坡共和國之父的李氏，完成了富國強兵的重大歷史使命。而且，在離開總理寶座的前夜，與中華人民共和國建立了外交關係，給這一歷史懸案劃上了句號。

　　在一切順利的太平時期，李光耀自己將權力的寶座讓給了年輕的吳。這種形式不是別的，正是他將近年來所崇拜的儒學思想做為最高的政治運作方法「禪讓的政治」。他將此付諸實踐。

　　拉賈拉南繼續說道：「權力的奪取是最為容易的，權力的行使就比較困難了。而最為困難的，是自己主動地放出自己的權力。能夠做到這一點，確實可以稱讚為達成了國家的最高指導者的偉業。」這可以說是值得人們充分玩味的警句。

馬來亞共產黨的武裝解除

與李光耀輝煌的業績與光彩的風度相比，過去與人民行動黨對抗、爭奪政權的往年的MCP（馬來亞共產黨）的領導們，自一年前左右以來，以完全失色的姿態出現了。

傳說長期以來一直隱居在泰國南部山岳地帶的原始熱帶叢林中，從事游擊戰活動的他們，已經於1989年12月初，簽署了解除武裝的協定。

此後，曾以原始熱帶叢林為根據地進行游擊戰活動，一直被神祕的面紗所籠罩著的馬來亞共產黨的領導們，在媒體上公開露面了。有關他們的報導，喚起了新加坡、馬來半島的老一代人們某種懷舊的情懷，為他們提供了不少的話題。在1950年代，做為社會主義青年組織的領導曾給當時的年輕人們留下輝煌的形象與理念的人們容貌，已是今非昔比了。與他們共同度過的歲月痕跡，變成皺紋深深地刻在他們彼此的額頭。在電視畫面上所看到的，只不過是一些平凡的禿頭老人而已。

馬來亞共產黨的總書記陳平氣色良好，穿著西裝發胖的身軀，像彌勒佛、微笑著在電視上登場了。其容貌看起來像是某個大商社的社長一般。與前馬共的新加坡駐在全權代表、李光耀於1960年代初為之取名的方壯璧，甚至像聚在咖啡店的老人般的模樣，怎麼也不能說是引人注目的存在。然而，他們都異口同聲地表明，想回到新加坡或馬來半島出生的家裡，度過平穩的晚年。

第二次世界大戰後，加入馬來亞共產黨，繼續以「把驅逐白人做為我們的使命」的兩名舊日本人軍人也結束持續了近四十五

年的鬥爭，返回祖國日本。

　　他們這些馬共的領導們，過去曾是新加坡與馬來西亞執政當局的政敵。然而，今天他們卻在當地的新聞媒體上和藹可親、不停地發表談話。政府當局看起來對此並不介意，也絲毫不想干涉。人們在這裡得以確認，種種仇恨與回憶，如今都已成為遙遠的過去，由此格外感慨萬分。

　　可以認為，被看成是在中共影響下的馬來亞共產黨的出現，是理所當然的與印尼共產黨的殘存集團（在北京亡命中）的動向，以及中國、印尼兩國關係的動向都是深深地相連動的。順便一提，印尼共產黨在1965年以九三〇事件為契機，處於毀滅的狀態之中。馬共則正如前面所說的，解除了武裝。

　　印尼政府做為九三〇事件與文革餘波的對應之策，於1967年10月，宣布對中國斷絕邦交。此後一直處於凍結狀態下的對中外交關係被解除，並於1990年8月8日恢復了邦交。新加坡也正如前面所說的，繼印尼之後於同年10月3日與中國建立外交關係。

　　乍看之下，這些似乎是揭開構築東南亞新秩序序幕的具有象徵性事件。做為圍繞著東南亞國際環境好轉的徵兆也是值得評價的。然而，東南亞的政治氣候，果真會變成萬里無雲的晴朗天空嗎？

　　從馬共的武裝解除中所看到的挫折，就那樣地意味著中共南進的意圖消失了嗎？而且，印尼、新加坡、馬來西亞的華人們，能夠以此為契機切斷與中國的政治、文化的紐帶，以確立做為相關國家華人系住民的真正自主性為目標，成功地確立他們各自的新認同嗎？或者是今後也會採取不同的方式與中國一脈相通，繼

續對馬來裔的原住民們發起新的挑戰呢？

　　該地域的原住民們，對「華僑」仍抱有夾雜著強烈的不信感、恐懼感、劣等感、反感等複合感情，因為依然存在著圍繞建國的國民統一的政治、社會、經濟的諸課題，事態就是不容樂觀。

　　總之，印尼、新加坡、中國在彼此摸索和平共存的共同基盤基礎上，根據各自的想法建立了正常的外交關係。

　　有心人士們以此為契機，祈願中國能對東南亞的和平與安定做出巨大的貢獻。而且期待本地域的原住民們，特別是其中的政權擔當者們能停止基於人種主義的「排華僑行動」，保障「華僑」們合法權益的有識之士也不少。從人道主義的立場來說，「華僑」再次被做為相關國家間的政治、外交鬥爭中的代罪羔羊推上祭壇的事態，是絕不能允許再發生了。這也是萬人認同的普遍道理。

　　從這個意義上來說，「華僑」自身也應該以構築自己在居住國社會所應該擁有新的座標軸為目標，努力進行主體性的營為。總之，東南亞的政治、經濟、社會的安定大多是受到相關國家建國過程與對華僑、華人政策、中共大陸與國府台灣的東南亞政策，甚至於「華僑」的行動模式與生活方式等複雜相互纏繞在一起所規定的。在這裡我想對此重新做確認。

二、第二次世界大戰後的馬來半島

中華人民共和國的誕生與東南亞

　　自新中國＝中華人民共和國於1949年10月1日成立以來，東南亞地域與諸新興國家出現了新的緊張感。相關人士們畏懼新中國很快會變成巨大的勢力壓在東南亞全域之上。其設想的根據有兩點。其一是共產主義的意識形態是否會通過華僑知識分子及他們所掌握的華語教育機關而南進呢？其二是中國這條「巨龍」是否會從清末以來如沉睡獅子般的狀態中，蘇醒過來，透過支援東南亞的共產黨及左翼諸勢力而擴大其影響力等等。

　　與此同時，日本剛剛在二次大戰中敗北，歐洲帝國主義諸列強也順著不可逆轉的時代潮流，而漸漸開始從東南亞的政治舞台撤退。取而代之開始擴大其影響力的是美國與新中國。在此國際環境之下，各地民族主義高漲，以民族國家的形成與獨立為目標的新建國運動洶湧澎湃。同時期，既存的殖民地體制的動搖與大戰後經濟的混亂與失業之苦等，使得左翼的勢力也可看到巨大的擴展。這些各種各樣的勢力相互纏繞在一起展開了一場激烈的政治劇。

　　1950年，年僅27歲的李光耀以第一名的成績自英國劍橋大學畢業，回到了新加坡。當時的馬來亞（包括新加坡在內的馬來半島的總稱）的形勢也毫不例外。因失業之苦而政情不安、人心動搖，反英‧反殖民地鬥爭如前所述般的活躍，左翼運動不斷高漲。伴隨著這些反英勢力的成長，英國當局被迫妥協和後退，人

們預見並期待著英國勢力最終將處於不得不撤退的狀態。

英語派與華語派

　　然而，「華僑」系的菁英們大致分屬於兩個不同的流派。第一個是以在萊佛士學院（新加坡大學的前身）或者是通過英國留學等接受英語教育而培養出來的菁英們（略稱為英語派）；第二個是在傳統的華語學校接受教育或在中國大陸的大學、專門學校等接受華語教育而培養出來的知識分子（略稱為華語派）。

　　在兩者之間，自生活環境到人生觀、世界觀乃至社會地位方面均存在著巨大的差異。英語派特別是其中壯年以上的世代，處於英國殖民地遺制還根深柢固地存在著的社會上層，熟悉歐洲的文化與價值，甚至是崇拜這一切。華語派雖然在社會地位上比前者稍微居劣勢，但擁有與占全人口約75％的華人特別是其中占壓倒性多數的中下層的華人系大眾能夠進行語言上交流的條件及立場。因此能與「華僑」大眾共有感情與煩惱。不能忘記的是，他們中的大多數反對歐美殖民地主義及隨之而來的文化侵略，對社會主義懷有夢想，對中國寄予了深深的情感與好意。

　　與此同時，在因反英、反殖民地鬥爭而熱情高漲的華語學校的學生們之間，也出現了激烈的論爭。應該回到祖國＝中國去參加偉大的革命事業呢？還是應該停留在出生地的馬來半島，通過「落地生根」之路來開拓未來呢？這些成為主要的爭論焦點。

　　不能忘記的是，在這一時期，包括華僑‧華人在內的非英國人，即除了殖民者與一部分買辦集團以外的所有住民對反英、反

殖民主義鬥爭傾注了熱情。即使是在人口數上占絕對優勢的馬來人，尚且未明確地形成應該盡忠誠的國家形象。而且相當於馬來西亞聯邦前身的馬來亞聯邦得到英國的承認而獨立是在1957年8月31日，獨立後第一次的聯邦會議選舉是在兩年之後的1959年8月舉行的。此外，馬來亞聯邦成立之際，被割開而成為英國直轄領的新加坡於1959年成為自治領。然後最初的自治政府的成立正如前面所說的，是在1959年5月3日為了自治領的出發而進行的總選舉之後。這內政自治權是僅限於除了國防、外交、治安以外，極其有限範圍的權力。換言之，自二次大戰的終戰至1950年代的前半為止，華僑中的大半還是處於把中國做為祖國來看的狀態下。他們與馬來裔住民共有著獲得自治權的課題。然而，在此之外，從英國殖民地當局獲得公民權也成為緊急的課題。在這個意義上，印度裔的居民同樣也是如此。

　　華僑所處的狀況非常嚴峻。祖國中國已經共產化，被斷絕了往來。馬來亞共產黨被看成是華人、華僑的政黨，事實上處於中共的影響之下。因此，將本來從社會階級的屬性來看，對在意識形態層面是不可能支持共產主義的「華僑」界，武斷地說華僑即是中共的第五縱隊（間諜）的論調有意識地被散布。不久，這便巧妙地被當做排「華僑」運動的藉口來利用。

　　圍繞著華僑的認同危機變得很嚴峻，深處困境。

　　處於困境中的一般華僑，出現奇妙的對應。對自己回不去的祖國的強大化感到高興，希望能得到其保護。然而，中國在客觀上卻不具有任何可以回應這種期待的能力。除了用發表聲明等方法來敷衍之外，也是無法採取其他的措施。華僑們一方面從明哲

保身之策及階級屬性出發，也是不想與馬共擁有直接的關係。然而，另一方面他們在內心裡支持馬共的反英・反殖民地主義運動。這種自相矛盾的狀況，成了他們為了生存而不能迴避的東西。

英當局於1948年2月1日發布了《緊急事態宣言》（State of Emergency），將馬共非合法化而加以彈壓。緊接著籌劃了將馬共從一般華僑界分離出去的懷柔政策。

即於1949年許可在馬來半島出生的峇峇中國人，也就是擁有英語教育背景的華僑的保守上層集團結成MCA，而且鼓舞其政黨活動。此舉明顯地是試圖把華僑從馬共中分離出來，使其凝集在馬華公會的周圍。

當局還將馬華公會中的華人菁英提拔到閣僚的位置上。至1952年，改正了相關法令，承認任何在聯邦的出生者，都可以登錄為聯邦公民。其結果是又有120萬的華僑變成了華人，又有18萬人的印度人獲得了公民權即國籍。

英國殖民地當局巧妙地以馬華公會為招牌的同時，企圖將華僑容納進去，對在《緊急事態宣言》下有法律地位不穩的華僑，以漸漸地給予公民權的形式企圖分斷華僑社會。「華僑」系左翼運動與學生運動的旗手們，當然注意到英國當局溫和的懷柔政策與惡狠的分斷策略的意圖。然而，大部分的華僑因為不能放棄生活的基盤回到社會主義的中國，汲汲於追求眼前生活的安定可說是理所當然的事。

人民行動黨的組成

　　被理想燃燒著的「華僑」青年們，沒有生活的羈絆，對社會主義中國的國際地位上升投以熱烈的視線，期待「幸運之鳥」在社會主義中國出現。熱中於議論且被社會主義理想所燃燒著的青年中的一部分，大舉回到北方的祖國。決定留下來的一群熱血青年們，不是挺身於左翼運動，就是加入非法下的馬來亞共產黨。1954年11月21日，年僅30歲的李光耀與夥伴們一起在新加坡的維多利亞紀念廳結成PAP。經過一番曲折，李將英語派的青年層與停留在馬來半島的華語派的反英‧反殖民地鬥爭的年輕旗手們結合在一起，巧妙地登上政治舞台。

　　李等年輕的PAP民主社會主義者集團（也被稱為穩健派集團），與不擁有既存大眾支持基盤的英語派舊世代有所不同。基本上，他們既是反英‧反殖民地主義的民主社會主義者的集團，也可以將其定位為英語派的青年改革派集團。重要的是，他們認識到為了實現自己的政治理念，必須活用華人系大眾的力量。雖然鬥爭的方式不同，他們也反對英帝國主義與殖民地主義，並通過活用法律手段來進行鬥爭。李做為律師，通過為由工會活動與反英‧反殖民地主義的大眾運動及學生運動所引起爭端的辯護、解決而出了名。在此同時，支持基盤也確實得到了擴大。其策略與過程是值得記下的。

　　特別應該記下的是，在人民行動黨取得政權之前，甚至有一部分人將該黨看成是共產主義的政黨。正如從出發當初的人民行動黨的成員構成中可看到的，黨自身擁有反英‧反殖民主義的共

同課題，曾是由民主社會主義集團與親共產主義勢力混雜在一起
形成的混合集團。這是在同時代的第三世界殖民地解放鬥爭中常
常出現的型態。可說是民族主義者與社會主義者的統一戰線或聯
合戰線。

　　此外，應該記憶的是，馬來亞的民族主義的出現方式依舊不
透明，因為有用一般的手段是不可衡量的東西存在著。在英國的
殖民地統治期間，馬來亞被塑造成特異的複合經濟社會。反英、
反殖民地主義的民族主義的馬來亞式規模的表露，除了一部分的
買辦階級集團以外，在意識上儘管有濃淡的差別存在，但從大處
來看，共同點也還不少。然而在一般的情況下，在民族主義的基
層或者深層心理上根深柢固地存在著種族（包含著人種及民族概
念兩種涵義，與美國社會學的Ethnic group的概念相近）別的下位
民族主義。

　　馬來亞是由馬來人、印度人、華人，甚至是山岳少數民族
（目前尚未被當作問題來看，但遲早會被做為問題浮上來的）所
形成的複合「種族」社會。其結果，馬來亞的民族主義，也與宗
教抗爭問題纏繞在一起，擁有錯綜複雜的多層結構性格，不易採
取果斷的措施。因此，克服殖民地遺制，超越時代的制約是相當
困難的，這一點是不難想像的吧。

馬來亞聯邦的成立與新加坡

　　這個暫且不提，1959年5月，為英國自治領的出發而舉行了
總選舉。李的集團依據民主社會主義的立場，有意識地標榜了

急進的反殖民地主義。以政府機構勞動者為中心的穩健派工會不用說，就連親共產主義的工會也被席捲進去，從而占據了優勢地位。因此得到了廣泛的支持終於登上執政的寶座。此時正值李光耀36歲。正如後來李所談到的：「我們知道我們是騎在『虎』（共產主義者）背上」，李的集團在握持人民行動黨主導權同時，強化了這種主導權。即在新憲法中，將原來僅以英語為公用語擴大修正為以英語、馬來語、華語、泰米爾語四大語言為公用語言，宣示住民主要使用語言的平等。這給予華語派大眾所擁有的下位「民族」主義感情滿足感。李首相的「甜頭」政策還在持續。這便是打出了錄用華語派公務員為始的改善華語派住民地位的政策。另外一方面，對親共產主義勢力的指導部揮起了彈壓與離間策的「鞭子」，從內部開始促使其組織的崩潰。正如內外史實所顯示的，只有掌握權力者才是最強的。浮動的「大眾聲望」，會由於操作而像泡沫一般地消失。新加坡也不例外。總之，活用親共派，擴大大眾支持基盤的李的集團，在人民行動黨內的操作也在巧妙地進行著。

對政權而言，其次的課題是從自治領獲得真正的獨立。圍繞著以何種形式建國問題的論爭與暗鬥，終於在人民行動黨的內部浮現出來了。

李總理所率領的主流派，做出了如果新加坡單獨行動將會處於劣勢，很容易受英國的控制，再加上英國的軍事基地的殘存問題也夾雜在一起因而很難生存下來的判斷，主張與馬來亞聯邦的合併。反主流的親共集團卻認為合併構想的背後有英國存在，並且害怕通過英國的支援，成功地彈壓了馬共的馬來亞聯邦中央政

府，是否會乘其勢，把新加坡也同樣地加以彈壓因而反對。對他們而言，如何確保馬共的橋頭堡是當前至上的課題。

順便提一下，馬共自1948年2月以降，進入了以反英為中心的軍事游擊鬥爭，英國殖民當局正如前面所提到的，發動了《非常事態宣言》並開展了向華僑的懷柔、妥協政策。此外還實施了將馬共從「華僑」系中下層階級社會中分離的政策。其中，策劃使同黨的主要支持基盤的華僑系Squtter（指在熱帶叢林的周邊擅自進行開墾並紮根下來，以栽培蔬菜的農民為中心者）移居、企圖解體的「新村」政策取得成果。游擊戰鬥一直持續到1955年，但遭到鎮壓最終被趕到泰國南部山岳地帶的熱帶叢林之中。然而《非常事態宣言》直至英國與馬來半島的保守派政治指導層所共同企圖的「理想的戰後的新秩序」的構築走上軌道，可以清楚地看到安定局面的1960年8月31日（順便提一下，同一日也是馬來亞聯邦的國慶紀念日）為止才被解除。

在此期間，馬來半島部的政局經過幾許的曲折，馬來亞聯邦於1957年8月31日自英國獨立。正如眾所周知，這個獨立的馬來亞聯邦是由馬來人、華人、印度人社會上層的政治菁英集團，在英國的支持下所構成的反共保守政權執牛耳。由於篇幅所限，在這裡僅舉出這些團體的組織名稱。

馬來民族統一機構（巫統）＝UMNO、馬華公會＝MCA，與印度人國大黨＝MIC等團體。UMNO擁有主導權，由三者妥協在其上部設置聯盟＝Alliance執政。

新加坡的親共派勢力的指導層，以新加坡成為自治領，在執政黨PAP內取得做為左派的地位，以為獲得華人系住民的「大眾

聲望」而自負。或許也有挽回在馬來半島劣勢的意圖吧，親共派工會與華語系的旗手們的反英、反殖民地主義親社會主義的活動更加活躍。馬來亞聯邦的東姑拉曼首相看出了這個動向。拉曼擔心新加坡的左翼運動會延燒至馬來半島全體，從而導致共產主義化。

解除了《非常事態宣言》的馬來亞聯邦政府，開始摸索包含新加坡在內的半島全體的政治安定之道。1961年5月27日，拉曼在面向新加坡駐在外國人特派員而舉行的演說中，提出了將馬來亞聯邦、新加坡自治領與英國的保護領沙巴、砂勝越、汶萊統一起來建立馬來西亞聯邦的構想。

人民行動黨裡的親共左派們感到畏懼。他們預測到得勢的馬來人英語派菁英與新加坡的華人系英語派菁英結合起來，在馬來亞全域有可能構成更為有力的政治勢力。人民行動黨左派中的13位議員，在表明對合併案的反對之後脫黨，此後再於1962年9月17日組成社會主義陣線（Barisan Sosialis，後略稱為BS）。

華人系諸政黨的爭執

1962年9月，圍繞著對加入馬來西亞聯邦的贊成與否，李總理等實施了國民投票。加入聯邦的政府案以71％的壓倒性多數獲得了承認。精明強幹的李總理乘勢於1963年2月，將以社會主義陣線的祕書長林清祥為首的多位左派指導者逮捕，強力地推進與馬來亞聯邦的合併。

緊接著，於同年9月12日，舉行了最終徵詢對聯邦合併信任

的總選舉。這次選舉，其實是推進合併的執政黨人民行動黨與反對馬來西亞聯邦構想的社會主義陣線為中心的親共產主義勢力的鬥爭。正因為如此變成了激烈的選舉戰。結果是51議席中，人民行動黨占了37議席，社會主義陣線占了13議席，統一人民黨占了1議席，以人民行動黨的勝利而告終。

　　1963年9月16日，在以美、英為中心的自由主義陣營的支持下，結成了僅有汶萊除外的馬來西亞聯邦。連遠離馬來半島的婆羅州的沙巴與砂勝越都被捲入的新聯邦的結成，受到了周邊諸國特別是印尼的激烈反對。還因為其將反共做為宗旨的一部分，留下了英國殖民地體制的再編強化的濃厚影子，親共左翼勢力也展開了激烈的反對運動，但並沒有取得成功。

　　曾是社會主義陣線的創設者之一的某氏，在回顧往事時歎息道：「社會主義陣線組成後，我們走向後退又後退之路」。

　　前駐日大使李炯才在自著《南洋華人 —— 尋求建國之夢》中，對馬共挫折的原因做了如下的分析：

　　共產黨沒有得到窮人占多數的馬來人農民支持。他們教條地認為，窮人們會支持為窮人而鬥爭的政黨。馬來（半島）的窮人中的大多數是馬來人。但是，馬來人是最反共的。共產黨忽略了一個重要的因素，那就是宗教問題。馬克思、列寧主義不承認宗教的自由。事實上，是干擾宗教自由。馬來人是百分之百的伊斯蘭教徒，不會支持反宗教的政黨。其次是忽略了占黨員中的壓倒多數的是華人這一點。馬共和北京靠得太近，使馬來人對其抱有疑念。再次是馬共實行了在戰後對曾經協助過日本

軍的馬來人加以懲罰的大失策。貝克爾的馬來人屠殺事件迫使馬來人走向反馬共（順便說一下，這一事件是指在終戰後不久於霹靂州的貝克爾發生的有關追究馬來人中的日本軍協力者，而發生的華僑與馬來人之間的衝突事件。數百名的華僑燒毀了馬來人的房屋，並殺害了馬來人。燒掉房屋19戶，共有56位馬來人在衝突中喪生。且由於馬來人的反擊，華僑一邊也出現許多的死傷者）。在馬來（半島），如果得不到占人口優勢的馬來人支持時，無論什麼政黨都將走向失敗的命運。此外，上面還有曾當過英國間諜的總書記（指馬共的前總書記賴德。賴後來被認為攜著巨額的黨資金逃亡。）（頁147～148）

　　馬共對此是如何總結，或者說今後將如何總結，在解除武裝後的現在，我們期待其公布。此外，新加坡華人的某氏說了：「我只能參照事後的歷史之光對一系列的事件的經過進行考察、整理，重新解說」的開場白，接著說：「從馬共的挫折與失敗的現狀中，現在可以清楚地看到，把華僑看成是中共第五縱隊的說法，只不過是找碴而已。這是與俄羅斯革命以後，反猶太主義者從對共產主義的恐懼感中新想出來的藉口是一脈相承的。這可說是在以往的反猶太的『猶太的世界戰略』、『猶太人的陰謀』等類似流言加上世界赤化的陰謀說，煽動造謠之一例。本來應該認為在居住地社會處於中上流社會，以中小企業的經營者、小商人、白領階層為主要職種的華僑社會主流，在意識形態層面同馬共同調，從心底裡支持它的可能性是沒有的。李光耀指導的人民行動黨開始代行一部分馬共所提出的『為實現馬來亞的真正的獨

立、民主、和平而鬥爭』的主張，部分地、階段性地，也可以說是溫和地，從英國當局那裡獲得了確實讓步的政治上意義，是絕對不能輕視。包括使用母語的平等在內的種族間平等主張獲得了華語派住民的心。此外，『清除殖民地文化』、『革新行政』、『改革官僚機構』、『肅清貪污』等宣示社會正義與公正實現的民主社會主義政策之實踐，使得改革者李的形象強力地被刻進一般華裔庶民心中。

　　馬華公會、人民行動黨、社會主義陣線以及馬來亞共產黨四者都是以華裔、華僑、華人為主要母體的政黨。這四者之間的活動存在著奇妙的連動關係，這一點卻意外地被人們忽略了。馬共的游擊戰抗爭與社會主義陣線的左翼活動變得越活躍，馬華公會與人民行動黨就越容易從英國當局處獲得讓步。兩者的得分是平行上升的。非常抱歉，這是一種諷刺性說法，即反過來可以認為馬共實際上是被華僑、華人社會所背叛的。當然，馬共將馬華公會或人民行動黨的領導們罵作是英國殖民地主義者的代言人、傀儡、走狗，暗殺、恐嚇中國國民黨系保守派僑界的首領諸行為，還有在1951年10月對英國高等專員亨利・葛尼（Sir Henry Gurney）的暗殺，典型地可以看到對殖民地當局相關人士的恐怖行為給一般的華僑社會帶來了不安。他們害怕馬來裔住民民族性規模的反感與報復。從暴力、恫嚇、憎惡中不會產生任何東西，甚至連真正的革命之芽也夭折了，現在是否可以這麼看呢？」

新加坡的分離‧獨立

言歸正傳。新加坡與馬來西亞的蜜月維持不到兩年。從人民行動黨乘勢提出自己的改革派的民主社會主義政策,試圖將其勢力擴展到半島部時起,便可看到其破綻的開端。拉曼率領的統一馬來人國民組織為首的馬來系保守‧右翼急進集團害怕人民行動黨會取代馬華公會,不久就會威脅自己的聯盟黨政權。以種族間的平等為基調的人民行動黨的「馬來西亞人的馬來西亞」政策,與堅持馬來人優先的保守的種族政策,換而言之就是與以「馬來人的馬來西亞」為基調的巫統(UMNO)的對立變得激烈化。

1964年7月12日,曾主張應該逮捕李總理,竭盡全力使人民行動黨停止活動,攻占新加坡政府的急進派之一,巫統的總書記加法爾‧阿爾巴爾來到了新加坡。他主辦了有150個馬來人組織參加的馬來人問題討論大集會,在會場做人民行動黨是反馬來人的政黨的煽動,對李總理與人民行動黨政權進行破口大罵,惡意中傷。在集會中組織了由23人組成的代表新加坡馬來人的「新加坡馬來人行動委員會」。

同年7月21日,馬來人的急進派利用穆罕默德的生日發起了人種暴動。最終造成23人死亡,454人受傷。

1965年初,半島部馬來西亞與東部馬來西亞的沙巴、砂勝越的在野黨領導者,對巫統所主導的聯盟黨中央政府的馬來人優先種族政策懷著不安,呼籲組成對抗聯盟黨的統一戰線。同年5月8日,應人民行動黨的邀請,馬來西亞全域的在野黨領導者聚集在新加坡。

　　在該會議上，對「馬來西亞人的馬來西亞」的實現寄託希望的全體馬來西亞人，提出協助這個目標的前進，提供智慧與力量的請求。最後以「馬來西亞人的馬來西亞是值得用鬥爭去爭取的目標。因為只有應有的馬來西亞爭取到後，全馬來西亞人公平被對待、被尊重的將來才會有希望。宣言連署者全體在此精神與期待的基礎上，為了讓全馬來西亞人支持這個會議的公約而呼籲」做結束。

　　在發表宣言的同時，馬來西亞連帶會議被組成並正式出發。馬來人的保守右翼急進派越發激烈地展開了打倒李光耀與人民行動黨的運動，在半島部組織了燒毀仿照李總理而製作的人偶、叫喊著「把李關進牢房」等的示威遊行。因為這些舉動而感到頭疼，甚至也可以說是以搭便車的形式，拉曼終於做出將新加坡從馬來西亞聯邦中驅逐出去的決定，並向李做了通告。

　　李光耀與人民行動黨的指導層，出於迴避大混亂與流血騷動發生的必要性，只有站起來接受拉曼的通告。1965年8月9日上午十點，在市政廳門口的台階上，李總理宣布了獨立，新加坡共和國誕生了。

　　在此後的25年間，李所率領的人民行動黨做為執政黨，為了自己的生存而展開了鐵腕政治，終於取得了做為亞洲新興工業化經濟體（Asia NIEs）的優等生名號相稱的經濟成長。這是眾所周知，本文就不再多提了。

三、華人與本地人

　　然而，有關華人的「種族」的問題是否已經被解決了呢？非常遺憾的是，回答還只能是「不」。為什麼馬來亞與印尼群島的華人問題與東南亞其他國家相比依然是嚴峻的呢？極其單純的回答，可以從華人與本地種族之間宗教上的不同與人口比例的差異兩者中去尋找。

東南亞的華人

　　菲律賓、越南、寮國、柬埔寨、泰國，以及緬甸的華人人口占該國的總人口比例都在一成以下。更為重要的是，華人在這些國家裡沒有宗教上的隔閡，或者說即使有隔閡也是比較小的，若是沒有遇到「文革」這樣瘋狂的政治風潮波及，是不會產生大摩擦的。菲律賓除民答那峨以外是基督教的國家，越南有著中國人主要信仰的大乘佛教。其他的國家也都是小乘佛教的國家，不會成為衝突的原因。因為在宗教與風俗習慣方面沒有太大的隔閡，所以比較容易通婚，可以說同化與融合也都能比較順利地進行。因此，由於意識到所得的差距而引起的矛盾與摩擦，也由此減少。

　　泰國自暹羅王朝以來，上層有不少擁有華人血統的領袖們在活躍這是眾所周知的。我們追尋越南的根，據說可以回溯到長江中下游一帶，長年被編進中原中國的一部分，有時還做為邊境的獨立王國與中原中國進行抗爭，可以說擁有在這中間搖擺、動盪

的歷史。中、越之間雖然擁有傳統的政治矛盾，但在文化上與血緣上彼此擁有最親近的關係也是事實。不能不說是愛憎相互交織的複雜關係。

在基督教國家的菲律賓，異種族之間的通婚與融合好像不是很困難的事。馬可仕前總統與現任艾奎諾總統都擁有華人血統，這是眾所周知的事實。

與這些國家相比，馬來亞與印尼群島的「種族」問題，呈現出一種無限複雜的面貌。從人口比例上來說，華人人口在馬來西亞占該國總人口的35％，在新加坡占總人口的75％。但在印尼華人人口僅占總人口的5％。包括了新加坡在內的與日本面積幾乎是相同的馬來亞的馬來人與華人的人口比例幾乎是相同的。華人不僅在人口比例上可與之相頡頏，而且在平均的經濟力量與教育水準方面也處於優勢地位，馬來人一方對此非常警戒。

在馬來西亞，伊斯蘭教被國教化，在與非伊斯蘭教徒通婚的場合，要求非伊斯蘭教徒者改宗教被做為必須的前提。因為伊斯蘭教徒有行割禮的風俗與禁食豬肉的習慣，對此一般的華人很難接受，因此通婚與融合便遇到很大的障礙。這種宗教上的障礙被政治加以惡意利用，便可看到其轉化增幅為人種暴動的流血騷動。這種事例多得不勝枚舉。在市民社會的成熟被期待的馬來西亞，僅因為宗教對立的「火種」尚且繼續橫亙在種族間矛盾的深層，我們對此都應該留意。

九三〇事件的陰影

　　1965年，印尼發生的九三〇事件，是現在（1991年）仍然疑團重重的複雜政變事件。其結果是現任總統蘇哈托將軍掌握了政權，將印尼共產黨連根鏟除，長期執掌政權維持至今。據印尼當局特別是軍部的公開說明，事件是該國共產黨在中國的指令下舉行政變，卻相反地被陸軍所粉碎。搭這次事件的便車，當局發動了對「華僑」的鎮壓，推行了自上而下的強制性同化政策。華語學校被關閉，華文招牌被禁止，由「華僑」發行的華文報紙、雜誌及由國外進口的華文讀物也受到了嚴格的禁止與限制。這不用說，是把「華僑」與中國的政治上的紐帶，就連在文化層次、甚至是感情上的紐帶要在短期間內都切斷的強制措施。

　　對印尼共產黨及其支持者的徹底彈壓，結果是使印尼人社會自身受到了死亡與暴力的威脅。在這樣的社會風潮下，「華僑」所處的境遇變得更加惡化，是不難預料到的。不管怎麼說，在把「華僑」們當做是與印尼共產黨相通的壞的「外來者」的大運動基礎上，當局根據「法律」而進行的公開迫害、反「華僑」主義者們在社會的公認下所進行的私刑，幾乎是半公開地加諸華僑身上的事件經常發生，還令我們記憶猶新。

　　印尼的共產黨屬於中共派是事實。然而，將「華僑」們普遍地當作是與印尼共產黨有關係的運動，當然只不過是強化國內緊縮政策的一個藉口而已。指出這點的研究者很多。在悲慘的境遇下，現在的「華僑」們只有保持沉默，甘心忍受同化政策。對在軍事獨裁制度之下，且占人口的比例也很少，印尼的「華僑」們

在當地正被同化的看法，部分日本人研究者給予了肯定，然而這只不過是膚淺的看法而已。正如透過猶太人的史例可以看到的，基於強權、從外部介入「靈魂」領域的效果是很微薄，並且不能長久持續。

東南亞的「以色列」

新加坡為了迴避種族間沒必要的衝突，從馬來西亞聯邦獨立出來這一點已經提到過了。李光耀等人民行動黨的領導層也長年來為了培養新加坡人意識＝國民意識而傾注了極大的精力，這是眾所周知。而且新加坡當局也一直非常忌諱自己的國家被視為繼中共中國、國府台灣之外的第三個中國。

某位有識之士曾說過：「新加坡可以說是東南亞的『以色列』。四周被充滿敵意的異教徒所包圍的中東以色列有大國美國保護。然而美國是資本主義國家，美國不會被當作猶太人母國來看。因此，不會成為伊斯蘭教徒疑慮的對象，也很難成為其藉口。然而新加坡則不同。華裔住民占75％的儼然現實，不論你是否喜歡，在別人看來，他們的祖國到底都是中國，中國的色彩濃厚地投影在新加坡。戴著有色眼鏡的人種主義者是格外地將『血緣』無限地進行政治性的解釋，在政治上進行活用。人種主義者若再套上一件反共主義的衣裳，則『華僑』即是中共的第五縱隊的註釋便被附加上去了。李光耀拚命地致力於淡化新加坡與中國的關係，強調新加坡是多元的社會，擁有多元的宗教，是使用多種語言的複合民族國家，特別是在語言、文化、教育政策上，獎

勵華人系住民的意識變革並非沒有理由。現實的政治家李，看到了周邊諸國特別是印尼與馬來西亞是伊斯蘭國家，國民統一尚未成熟，做為市民社會應該有的成熟度離理想的境地尚且相差遙遠。他與中國的建交就這樣在東盟諸國中是最後的，而且是在等待印尼對中復交後，才開始走向與中國建交之路的理由就在於此。這些做為李在對大局進行冷靜判斷的基礎上，經過計算的外交手腕是可以評價。此外，新加坡『華族』國家的形象的中性化，雖然不能直接起到堵住周邊國家的反『華』主義者之口，減少疑慮的『種子』，全面解消不信感的作用，但對減輕起到正面的作用是可以期待的。是否可以將其看做是可以迴避種族之間矛盾的沒必要摩擦的一個手段。」

四、語言與認同

新加坡的語言政策

　　即使是對李及人民行動黨在經濟外交上獲得的業績給予較高的評價，但有關其在文化與教育面的各種政策及其結果的評價卻有贊成與反對兩論。在華語派中，急進主義者甚至有用李是「數典忘祖的二毛子」這種激越的表現來痛罵的人。

　　被懷抱「敵意」異教徒的異種族所包圍的新興國家新加坡建國，雖說是小小的島國，卻也是具有其相應的困難。來自政敵的挑戰因為是有形的，所以容易被看見。滲透到華人社會的各個角落的，應該稱做是所謂的「古老的中華文明傳統」，而且是看不

見的挑戰者，當然是更可怕的對手。因那是更難以對付的對象。

　　人民行動黨政府為了培育新加坡人意識，確立華人系住民的新認同，而將華人社會的文化體質的改革與清除，彷彿是把已深深地刻進華人系住民腦中的「中國夢」做為課題來設定。事實上，政府首先從被看成是共產主義意識與中華意識傳播媒介的華語（文）教育開刀，採取果斷措施。

　　開展了抑制華校（以華語為主要教育媒體的學校），獎勵英校（以英語為主要教育媒體的學校）的誘導政策。自1970年代初以來的整個期間，以英語為共通語的國民意識形成與向國民統一的傾斜變得更為顯著。在開放經濟體制下的加工、中繼轉貿易與觀光商業都市國家的遠景變得更為明確的過程中，做為道具的英語實用性之高，出現在庶民們眼前。英校出身者被器重，在就職上處於有利地位的話，對利益敏感並習慣於「華商」式實用主義風潮的父母們，自然而然地就會把孩子們送到英校去。與其相反，更進一步地加速了華校衰退的傾向，這也是當然的趨勢。

　　自1960年末以來，對東南亞唯一的以華語做為教育媒體的大學＝南洋大學（1956年創立）在華文教育上漸漸地加以限制。而且，1980年終於廢校，被新加坡大學所吸收。華語派的知識分子們感到不安，剛開始時將其批判為將華語連根鏟除的英語派政府要人的陰謀。然而，在鎮壓事件增加的過程中，不滿的聲音消失而鬱積起來。在歐美人當中，對這個以英語為共通語的黃色東南亞國家的出現，抱著懷疑與好奇的眼光者也不少。然而新加坡型的近代主義者們，毋寧對此感到自豪。

　　到了1980年代末期，風向發生了劇烈的變化。1987年開國紀

念慶祝大會上發表的演說裡，李總理批判現在的新加坡社會淪落到假冒西方社會的無底深淵，並警告自我中心主義正在蔓延，東方的傳統美德已經消失。

針對李光耀，批判者嚴厲批評道：「活該自食其果，從英校出身者中陸續開始出現了政府批判者與『輕薄短小』型的年輕人，所以才有這個發言吧。此外還有要將政權交給兒子李顯龍的想法吧。在1980年代後期以來，邀請了在美華人學者利用英語試著重新開始學習儒學。因此，親自到中國的山東省去參拜孔子廟。這也正是企圖父親主義重生的行徑吧。」

善意的評論也不是沒有。這是認為把李的「豹變」放在東南亞與中國關係的融雪狀況背景下，才能得到合理的說明。即1972年的美中接近開始的亞洲緊張形勢得到緩和，是與中日國交正常化，甚至是越南戰爭的終結相連接。隨後，1974年5月馬來西亞總理拉薩、翌年6月菲律賓總統馬可仕，以及同年7月泰國的克立・巴莫（Kukrit Pramoj）總理蜂擁而至，訪問中國，建立了外交關係，現實主義派的政治家李也看到時機已經成熟，於1976年5月首次訪問了中國。

建國走上了軌道，人民行動黨的一黨獨裁毫不動搖，國內的情勢也處於安定狀態，在東盟內部的地位也已經穩固。再加上前面所提到過的亞洲情勢的好轉，使得李得以從容地重新思考應該擁有的國民精神生活，與文化創造和傳統的關係，某位有識之士做出如上評論。

別的有識之士則認為：「李光耀對於在大戰中，日本軍政的不愉快回憶是絕對不會忘記的吧。因此，在近代化過程中引進歐

美的先進技術及法制、思想的同時，對保持了固有的傳統文化與
東洋倫理道德及價值觀而成功的日本經驗，寄予很大的關心。」

　　這就是開展「向日本學習」運動的緣由吧。我們忽略這一
點，進行武斷的批判應該謹慎。然而，在貫穿過去的25年期間，
欠缺哲學的思考，憑一時興起的想法推行的語言、教育政策也可
在各處看到，這是不容否認的事實。狀況雖極不同，但不能用長
遠的眼光，歷史哲學與政治哲學的觀點從美國建國史的事例中學
到一些教訓嗎？移民到北美大陸的盎格魯・撒克遜裔的白人新教
徒WASP，在美國建國過程中，並沒有捨棄自己的母語英語。試
著去研究與深入地去洞察母語及傳統文化與確立新認同應該有的
關係，並不只是華人所擁有的課題。也是第三世界受欺凌的人們
所一直追求、普遍的價值＝自由、平等、民主，人權的尊重與社
會正義的實現，這種萬人共有的課題，因此希望能注意今後的動
向。

東南亞的新氣象

　　應該被稱作「1989年革命」的東歐動盪，以及繼之而來的
美、蘇首腦的馬爾他會談（1989年12月2日），向全世界宣告了
雅爾達體制的終結與馬耳他體制＝後冷戰新時代的開始。人們期
待伴隨著中蘇和解（戈巴契夫1989年5月訪問北京為其象徵）的
進展，美、蘇和解能變得更為確實。

　　東歐改革的劇震發生之前在中國天安門發生的事件（1989年
6月4日），使我們一時看到中國的「改革與開放」路線的陰影。

但從北京亞運會大體上的成功中所能看到的，亞洲整體的情勢也在朝向從緊張中緩和的方向發展，也是萬人公認的事。

其中，中越關係的好轉與柬埔寨和平的動向進入最後階段，這些都是我們所希望的狀況。將此看作是有關亞洲國際環境好轉的跡象，這點是不會錯的。馬來亞共產黨與泰國共產黨的武裝解除（1989年）可說也成為亞洲緊張情勢緩和的原因，同時也成為亞洲和平的結果。

現在談論海灣戰爭對亞洲國家的影響還為時過早。然而日本領導的，以亞洲NIEs為後續，然後是東南亞國協（ASEAN）諸國等緊隨其後的雁行形式的東亞經濟發展軌道，基本上已經形成。理所當然的，可以看作以此為土壤的民主化萌芽與動向，也已經確實地在漸漸地形成。

當然，經濟發展並不一定與此並行促進民主化，直線進展到圓熟境地的。而警察、軍隊的出動與示威遊行、罷工的衝突，往往會進一步增幅為暴動。暴動會導致鎮壓甚至是引起流血騷動。

本稿執筆中的1991年2月23日，在泰國發生了國軍的不流血政變。近年來在同國的經濟發展與民主化方面取得了政績的察猜（Chatichai Choonhaven）政權倒台了。

東南亞的建國，還是在軍事獨裁或威權主義的開發獨裁方式的大框架之中進行，這是眾所周知。因此，有關民眾生活的基本人權保障、社會正義的伸張等還不夠充分，自由大幅度受到壓抑，甚至被扼殺的苦境正發生著。

儘管如此，從報導中得知在這次泰國政變中，「華僑」並沒有被做為藉口來使用，時代的變化得到了確認。自第二次世界大

戰終戰以來，甚至再追溯到殖民地時代來看，在東南亞政情不安，或發生政變之際，「華僑」被做為藉口來濫用的情況何其多。在東南亞得到進步、自由化的腳步聲已經聽得見的這個時代，感到這種一步一變化的，應該不只本人吧。

艾奎諾總統的返鄉

現在仍然受到來自軍隊內部叛變威脅的菲律賓總統艾奎諾，在就任之後不久便公開了自己的華裔出身。1988年4月14日，在初次訪問中國之際，她到了福建省龍海縣鴻漸村的曾祖父許玉寰的故鄉尋根。基督教徒的她去到許氏宗祠燒香叩頭。這與她在前往北京之前，先去訪問曾祖父的故鄉般，令人感到驚訝。

可里（總統的曙稱）首先用英語進行演講：「我對中國的訪問是官方訪問的同時，也帶有私人訪問的性質。因為我是國家元首的同時，也是這個村的女兒。」接著她用生硬的華語說道：「我到這裡來，是為了拜訪我的家族及華人系菲律賓人的祖先，探究這種富於勤勉與創造性的性格。得益於這種優秀的性格，所以能在異國的土地上開展各種各樣的新事業（後略）。」這使村民與親戚們很感動。（參照《朝日新聞》夕刊，1988年4月16日；與《人民日報》海外版1988年4月16日的相關消息。）

她的一連串發言與行動模式，是有做為政治家可里的意圖的吧。與前總統馬可仕一直在遮掩自身華裔血統的作法，讓人有恍如隔世之感。

以此為話題時，一位年輕人菲律賓華人充滿信心地說出下面

一段話令我很難忘。

「從此之後，像我一樣即使是在菲律賓出生，將來也決定繼續做為華人而生存下去的華人，還將繼續存在下去的事實，是誰都無法否認的。然而這些華人們在政治上的認同面上，在追求著與住在台灣海峽兩岸的本來的中國人明顯是不同的吧。這是理所當然的道理，也是儼然的方向。真正的民主化是應該確保不論是菲律賓原住民也好，華人系的菲律賓人也好，在質與量上都應同樣地獲得更大的自由。人的『出生的尊嚴』尚且得不到確保的社會，在20世紀末尚且能殘存著這是很可笑的事。我要譴責允許這種事情殘存的社會與國家自身是不正當的，是有罪的。之所以這樣認為，並不是因為要追求中國的民族主義。當然，與狂妄地提倡華人的民族主義是沒有關係的。對包括社會正義與公正諸價值在內的人類共同體而言，僅止於追求並期待著對當然普遍價值的重視及其出現的主張而已，是非常謙恭的東西。」云云。

正如在許多史例中所能見到的，在某一民族中弱小民族急速地被其他優勢民族進行同化的主要理由是侵略、屠殺與人性的破壞。而且，弱小民族以自己的語言、傳統或文字教育子弟的機會徹底地被他者所否定、破壞，也構成重大的理由。

在世紀末之際，有心的人們終於認識到了應該追求多元價值的共存與異質文化的共生。如果站在這個立場上的話，對母語做為教育的限制與禁止本來就是不被允許的，只能被非難為野蠻的他者干涉而已。

猶太人與希伯來語

　　猶太人社會的事例是具有啟發性的。他們對猶太人特質的保持與確認並不單是依賴希伯來語。隨著時代變化與順應生活的必要，不用說是希伯來語，就是依地語〔即猶太語〕在年輕人中也已經喪失中。在這種狀況下，在年輕的猶太人身上可看到做為猶太人的認同恢復或者新的創出＝新認同確立的熱情，絕沒有冷卻下去。因為這是和他們的靈魂及人的生活方式相關的本質營為之故。他們為了能夠生存下來，在納粹時代曾變成德國人，也曾不惜偽裝成基督教徒。但這到底只不過是假裝的動作而已。他們交織著賢明與狡猾以運用生活智慧的同時，嘗試著確立認同營為。這些並不一定是僅限於與希伯來語或依地語的復興機運或運動相連結的情形。在思考華人系東南亞人中的年輕人文化創造、社會教育與有關語言問題之時，上述猶太人的年輕者所摸索的方向與他們先輩所走過的悲劇軌跡是值得參考的吧。對於中華人特質的保持與確立，華語教育雖然有效，但並不能成為絕對不可欠缺的媒介。對於這一點是不能錯看的。

　　在美國建國與美國的機械、產業文明的構築過程中，歐洲諸國的出身者以美國盎格魯撒克遜裔的白人新教徒為中心，開展了殖民活動。這是使原住民諸部族（通稱印地安人）陷於臨近滅亡，也可以說是把他們逼入幾乎不可能自立狀態的殘酷行為。做為這一連罪孽的所謂報償，從而有了今天的美國。雖為時已晚，但白人系美國人的「良心」感覺到對原住民美國人的原罪，並且在嘗試道歉。對近來的美國式精神狀況，使有心人感到心痛。

　　納粹訴諸於自己民族人性中最為卑鄙的本能，排斥猶太人。最終演出了把他們關進毒氣室的奧斯維辛慘劇＝納粹大屠殺。對統一之後的德國，在已經過了時效後，仍在繼續自己追究納粹罪孽的壯舉，沒有不低下頭的知性。

　　白人系的美國人與日耳曼的「良心」們所嘗試的贖罪發言（德國人的發言請參照魏茨澤克總統德意志聯邦共和國【西德】時代的演說集：《想起與和解——為了共同的生存》〔《想起と和解——共に生きるために》〕，加藤常昭譯，教文館），當然是有比沒有好。儘管如此，學習歷史的教訓有點太晚了的感慨還是很深。雖然察覺到偉大人類進步背後被刻印下來的人類苦境深刻後遺症，但也許應該說人們過於懶惰了。

言語政策的轉換

　　正如前面所提到的，新加坡的人民行動黨政府為了培養新加坡意識與國民的統一，同時也為了照顧與其他非華人系住民的母語平衡，從而將華語教育弱化，強化了英語教育。其目標之一，就是逃脫中共中國，創造出所謂中性的新加坡文化。

　　文化的創造，是指本來偉大的個性以獨自的文化傳統，也就是說透過發揮特殊性而形成。在此基礎上再流向普遍性才是史實。

　　新加坡當局嘗試著與自己國家的國民母語完全沒有關係，而且也是殖民主義者壓制手段之一的英語，強行地做為共通語使之普及，而不經心地以為可創造出劃一的中性文化。用姑息的手段

被產出、經過英語被表現出來的劃一的「文化」，對於新興國家新加坡而言只是商業英語之外無他，並沒有成為跨越商業領域以外的東西。做為權宜對症療法的失敗事例，難免招來指責。

在傷口還不深的時候，就能注意到這個陷阱的存在，真不愧是李光耀，部分有識之士帶著嘲諷的口氣如此評論道。進入1990年代之後，人民行動黨政府公布了政策的轉換。也就是說要開始推進各系母語的再興和確保、扶植擁有母語的傳統土壤各系的獨自文化創造之生機政策。這個可以看成是試圖對空虛的新加坡式世界主義形成的迴避策略。

政策的開展往往伴隨著困難重重。對擁有占住民75％華人的母語的振興與傳統文化再重視，可能會導致華人系社會所擁有的綜合力絕對優勢得到進一步高漲。這就是不給馬來裔、印度裔住民帶來威脅與猜疑心，並且使他們各自的母語文化內在創造力的活性化也共同得到發展的政策立案，及其被期待實施的理由吧。

人民行動黨政府的語言、文化、教育政策的轉換，理所當然地會給馬來西亞與印尼的反「華僑」主義帶來新刺激。或許不能說，這沒有使獨立建國運動期的混亂‧混迷期的種族矛盾抗爭帶來死灰復燃之虞的恐懼。

五、太平洋經濟圈的形成與華人

建國已過四分之一世紀，圍繞著國民統一的抗爭也已經告一段落。而且近年的經濟發展也使政情有了安定化傾向。這些做為起到預防作用的正面要因似乎可以期待。特別是跨越國境的地域

國家間的經濟合作與集團化的各種動向的盛行，也成為拯救的一個方法。

從1960年代後半開始，日本學術界、官方及政界在以太平洋經濟圈的形成為目標的同時，開展了研究與運動。在政府間層次1982年發起了太平洋經濟合作會議（Pacific Economic Cooperation Conference，PECC）、1989年11月又發起了亞太經濟合作部長級會議（Asian Pacific Economic Cooperation，APEC）以上是由日本、澳大利亞等發達國家主導形成的。力量強大起來的亞洲四小龍及東協在警戒主導國的大國主義的同時搭上便車，各懷己意地與其保持著若即若離或旁觀者的關係。

在具世界規模，可以看到急速的國際新秩序形成的胎動，開始撞動了東南亞區域內的領導者們。至此為止，即使在各種政治上的緊張持續不斷的新加坡、印尼、馬來西亞三國間，尚且提起了以相鄰的州為核心的「成長三角地帶」構想。因政變而倒台之前的泰國前總理察猜，預料透過柬埔寨和平的實現，美越、中越關係的好轉提出「黃金半島」構想＝包括中南半島在內的開發構想。而且預見1997年香港的歸還中國，台灣海峽兩岸緊張的緩和及中國大陸的開放與改革路線，已經是不可往回走這點，南中國經濟圈或華人經濟圈的諸構想正在以百家爭鳴、百花齊放的形式被提出來。

在這當中，馬來西亞總理馬哈迪於1990年末提出來的東亞經濟圈合作構想非常有意思。雖然其內容還有許多不透明的地方，但其立意的背景頗值得玩味探討。

1985至1988年的日圓升值加速了日本對東南亞國協的投資。

在此之後，台灣的資本直追而上。對反「華僑」主義的複雜東南亞民眾感情，台灣的資本家並沒有輕視。毋寧說為了獲取有錢的台灣（外匯儲備超過700億美元，處於世界的頂尖水平）的資金，東協諸國有意識地壓制反「華僑」主義的風潮，也面向爭取台灣、香港的投資而整頓了投資環境。可以說這些努力取得了一定的效果吧。投資環境的整頓，理所當然地是以對目前為止該國內部帶抑制性，嚴峻的對華人、華僑政策的緩和與改善為前提。因為兼任台灣、香港資本導入的接收器與橋樑兩種角色的「華僑」活性化成為必須的前提。

　　台灣資本的動向中不能看漏的是，他們也有鑽國府台灣禁令漏洞的目的，與以泰國為首的東南亞國協諸國中的「華僑」資本相聯合，從1980年代初開始嘗試對大陸的投資。在這個過程中，據說也出現了一部分台灣資本停留在東盟諸國的情形。

　　總之，在「無國界經濟」（borderless economy）急速發展的狀況下，迫使東南亞諸國也面臨著將國內的「擬似・國內經濟的國境」的解除與超越做為緊急課題之一。所謂的「擬似・國內經濟的國境」，是指以政治統一為至上命令，將占該國經濟的中上層的「華僑」的能量，到近年為止一直進行壓制的東南亞全部的狀況。

　　強力推進布米普特拉政策（請參照〈馬來西亞的布米普特拉政策與華人〉），自己與他人都認為是馬來人優先主義理論派的總理馬哈迪提出東亞經濟合作構想，坦率地說，令人感到非常震驚。構想的對象以東南亞國協為中心，包括日本、中國大陸、台灣、香港、韓國，甚至是越南、緬甸。因為僅限於在這個範圍

內的構想，原本的中國人是當然，就連華人及華僑也被拉進「夥伴」之列。

經濟面相互依存的深化，與亞洲異質文化的共生，多元的價值、宗教及種族應該有的共存共榮構圖的追求，今後會進一步發展，這是可以預測的。即使不得不經過充滿起伏與曲折的過程，但大方向是不會發生變化的吧。

長年以來，國共對決成為破壞「華僑」社會內部的團結，是對於他者別有用心的詆毀、挑釁行為減弱抵抗力的內部要因。中共大陸與國府台灣政治上的對立，正在日益走向和解，緩和的方向已經呈現出不可逆轉之態。台灣海峽緊張的緩和與民族和解的趨向毫無疑問是明朗的。如果這個能夠穩定下來的話，也能為東南亞華人、華僑新認同的構築提供一個可喜的狀況。

我認為居住國的領導層應該與民眾一起改正對華人系住民的偏見，並正確地認識到他們所處的位置。即「你們這些華人不可能再回到你們父祖的故鄉，也沒有這種想法吧」。而因此，因襲納粹的蠻行，實施大屠殺的話，問題並不能得到解決。本來流血騷動就是野蠻的、徒勞的。根據低層次、毫無理由的憎惡感而進行的華人排斥，產生不了絲毫價值。不僅如此，一般的情況下甚至還會引起經濟停滯。

「依據強權而進行統一與統治」的時代在東歐已經宣告結束。與此同樣，在亞洲也應該使其落幕。「依據說服與同意而進行的統一與統治」的民主主義基本原則被導入，對華人也有必要被落實下來。

資訊革命已經滲透到亞洲各個角落，由於資訊技術，可以使

權力的不正當行使很容易公諸於眾。資訊可以瞬間在全球規模內
被傳播。因此，政權擔當者不得不將其列入考慮之中。關上門立
刻進行野蠻行為的作法，會導致自己的形象受損，從而遭受非難
與制裁，這也是資訊革命的所謂正面貢獻。

　　現在的內外環境提供了非常好的機會與希望。可以看到，非
華人系住民與華人系住民雙方共同攜手，完成對自己所歸屬的民
族、社會、國家及全亞洲自我發現課題的不可多得國際環境已經
形成。這也成為預見世界的變化，確立體現時代精神的自我應有
認同的千載難逢機會。我們在期待兼具敏銳的歷史感與平衡感，
並能精通政治哲學的政治家出現。

　　期待全亞洲人都能充分利用這個好條件，勤奮地進行新的經
濟發展與民主化的「長征」，並且期待這一切能獲得成功。

　　本文原收錄於戴國煇編，《もっと知りたい華僑》，東京：弘文堂，
1991年7月10日，頁148～189。係與徐宗懋合著

華僑的國籍問題與中國‧東南亞國協關係

◎ 雷玉虹譯

　　歐洲國民國家形成的同時，國籍問題與國籍法也開始在世界史上登場了。

　　華僑社會的形成是伴隨著「歐洲近代的世界化」所產生，這已經講得很清楚了。因此，有關華僑法律上地位的問題＝國籍問題，即使把它說成是與華僑社會的生成與發展相並行而產生之物也絕不誇張。

　　值得留意的是，華僑主要居住的東南亞，以及他們的祖國中國都幾乎是在同時承受了「歐洲近代的世界化」大潮流的衝擊。就此意義而言，於清朝末期1909年制定，中國最初的國籍法，以清朝與荷蘭雙方圍繞著荷屬印度（現印尼）在住華僑的歸屬，即法律上的地位問題發生爭執為契機而立法，不能不說這是相當具有象徵意義之物。

　　「歐洲近代的世界化」大潮流，早在19世紀末，已先行將東南亞的殖民地體制固定化，再將中國半殖民地化。

　　刺激與衝擊時常招致接受與反擊，兩者是在相互連動的同時辯證地展開。中國從半殖民地，而東南亞全域則是從殖民地的狀

況開始進行追求脫離的劇烈胎動。以民族的解放與國家的獨立為目標的鬥爭就是其表現。再進一步窺視這種鬥爭的內情，兩者做為目標的獨立國家者，不管其如何標榜，從根本上來說都是以歐洲近代出現的國民國家為範本而已。

國民國家的成立，正如在歐洲發達國家諸例中所看到，自己的構成員即國民的資格及其範圍是由立法來決定。這就是國籍法。

有關華僑的國籍問題，在東南亞還是處於殖民地桎梏之下的時期，是在相關殖民地宗主國與華僑及華僑的母國三者之間的關係中發生。

第二次大戰後，東南亞全域達成了國家的獨立，中國由於中共革命而出現了新的中華人民共和國。因辛亥革命而誕生的中華民國將中央政府移到台灣，隔著台灣海峽並立至今。因此，東南亞諸國與中華人民共和國建交時，可以說是必定會將華僑的國籍問題的協議放入共同聲明之內（但新加坡是個例外）。其重點是放在有關改善與取消做為舊殖民地遺制殘存下來的華僑雙重國籍問題，以及防止其相關人士在事後雙重國籍問題的再發生。

本章將新中國成立以後，有關東南亞華僑的國籍問題、中國與該相關國家間的主要條約、公約、中國領導者的官方談話，以及1980年9月10日的第五屆全國人民代表大會第三次會議（國會）通過公布的《中華人民共和國國籍法》的全文重新刊登出來，供讀者參考〔見本冊頁315〕。根據時間的序列重新刊登的諸資料中，希望能將有關華僑（國籍問題）的中國與東南亞國協諸國的關係及中國與該相關國之間的「華僑」觀的重要的一端，

敬請一併閱讀以助理解。

本文原收錄於戴國煇編，《もっと知りたい華僑》，東京：弘文堂，
1991年7月10日，頁240～241。係為此書「附錄1」的解題

旅日華僑・華人的認同困擾（dilemma）與危機

（一）旅日生活背景的素描

1. 「同文同種」的疑似歷史、文化屬性。

2. 原鄉、母國或祖國的政治分裂的投影。

3. 中、日兩國社會的「現代化」或成熟度與文化社會心理。

4. 僑民人口（華僑、華人總共不超過9萬人）的局限性。

5. 通婚增加的趨勢。

6. 「歸化」增加趨勢非常顯著。

7. 僑社、僑教之停滯。

（二）JBC（Japan Born Chinese）面臨的幾種困擾

1. 易於隱身，不易確立健壯的認同。

2. 「母國」的政治分裂帶來認同困擾，「心向祖國」，祖國為何方？

3. 「現代主義（modernism）」的囚徒不易自拔（美、日現代主義

價值體系的影子之差異與南洋經驗所呈現的問題）。

4. 僑民人口的過少與分居，不易保持並發展ethnicity及Chineseness（中華人特質）。

5. 親母為日本人時的困擾來得特別嚴重。

6. 日本為同質性（homogeneity）很濃的社會，仍然維持著單一民族國家（one nation one state）神話與虛構。一歸化便容易陷入「日本」的泥沼迷失了自我。改姓名亦是引起困擾和疏離的原因。

7. 僑社領導層之老化、作風和僑教之不振，不易培養年輕一代，甚難凝集年輕一代（代溝）。

（三）困擾和危險帶來的個案實例

1. 悲劇（自殺、精神分裂）。

2. 克服及昇華。

3. 彷徨（逃避、再移民）。

（四）我們的課題

1. 政治分裂的克服。

2. 僑界的健壯化（僑社【團】；工商界、學界【知識界】間的溝通，共識的建構）。

3. 海峽兩岸的民主憲政、經濟建設的落實和開展。

4. 此一種會議的持續性召開及成果的推廣。

本文係未刊稿，為演講大綱，1992年11月28日。係戴國煇晚期較少見
的在台灣以華僑為主題的演講，特收錄於此，以饗讀者

中國盛世的解體與華僑社會的形成

◎ 李毓昭譯

　　一般認為，現在全世界的華僑・華人有2,000至2,500萬人，主要分布在東南亞，是當代世界上最大的集體移民，在世界各國形成華僑社會。可是，關於華僑的實像和華僑社會的形成過程，在日本仍有不少誤解或流俗的說法。「中國盛世（Pax Sinica）的解體與華僑社會的形成」就是著眼於這點（日本的華僑研究變遷或華僑認知），要以世界史的觀點，談論華僑社會的形成，並展望華僑有關的問題。

　　關於華僑及華僑社會的形成過程，一般的印象為，華僑＝經濟支配者，華僑社會的形成＝人口過剩或動亂、貧困而移民海外的構圖。可是關於前者，被點明必須由華僑從商的歷史背景與社會結構，以及華僑整體的就業結構，去解明其虛像和實態。至於後者，則必須從國內和國際契機兩方面去掌握。換言之，其中存在著人口過剩或貧困，以及國內秩序的變更和再整編（統治者替換）等國內契機，而且統治者的中華思想（華夷之別），或中國人獨特的行為模式，確實都對華僑的形成產生巨大的影響。不過，同時也存在著國際契機。亦即是明末清初華僑社會形成的第

一期巔峰，倭寇和西方國家進入亞洲，促成海上貿易的擴大和多角化。而鴉片戰爭之後進而大量遷移的第二期巔峰，近代西歐擴展到非西歐世界的諸多條件，亦即東南亞淪為殖民地、奴隸貿易的禁止、國際性的勞動力不足、帝國主義資本流入中國導致農民沒落等，在在都是重要的因素。在這種世界史的背景下，促進了華僑社會的形成。而在第二個巔峰期中，兩個橫跨東西方的霸權體制，亦即Pax Sinica=亞洲傳統的國際秩序的解體，以及Pax Britannica=以經濟力與軍事力為後盾的英國霸權的形成並成熟，華僑社會的形成也是在因應前者解體、後者壯大與成熟的過程。這兩個體制根本上的差異可以歸納為近代科學技術與資本主義生產模式誕生的有無。以移民的現象來說，相對於Pax Britannica與西歐近代的擴張，同時造成人口爆發與白人移民大量遷入，並連帶產生對原住民的壓迫和滅族威脅，Pax Sinica是在解體的過程中，才有大量移民──華僑的產生。

　　華僑社會有上述形成的過程，華僑與居住國（尤其是東南亞）的關係存在著種種問題。問題的程度因居住國的環境而異，但可以簡單地說，在東南亞被西歐及日本當成殖民地，以及1945年以降國民統合與近代化＝國家建設（nation building）過程中的東南亞諸國，華僑一直被當成政治策略的代罪羔羊。印尼棉蘭於今年〔1994〕4月發生暴動事件，不論背景或原因為何，都暴露出該地根深柢固的「反華人情結」與關於華僑（人）的問題依然懸而未解。又近年來，中國採取改革、開放路線，亦即「富國強兵」的近代化政策，日本和一部分東南亞國家都出現所謂的「中國警戒論」。此論雖然是直接針對中國經濟上的成長與軍事上的

擴張，但私底下仍存在著過往Pax Sinica與華僑＝經濟支配者的觀念。至於中國以國家統一，以及更進一步的市場經濟化＝華僑資本的引進為目標，所提出的「中華民族主義」或「大中華經濟圈」構想，由於是以「民族」為主體，而不是以往的意識形態，與之對應的華僑（人）立場可以說比以前更為微妙。在此種狀況下，以往的「西歐近代」或「大東亞共榮圈」，甚至1945年以降的國家建設的過程中，華僑曾多次被當成代罪羔羊。今後在「東洋近代」之下，基於兩國間的關係、居住國的政治變動，以及經濟狀況的惡化等因素，華僑再度淪為代罪羔羊的可能性是不可否認的。

　　關於華僑問題的解決，如同演講最後所說的，背負著西歐近代的扭曲，試圖以異於過去形成民族國家或共產主義革命的方式打造新國家形象的南非，可以說是一個範例。華僑在亞洲也算是西歐近代扭曲的產物，一般期待藉由華僑的存在來超越「近代」和「近代的終結」的國家形象形成，來解決華僑問題。而日本也居住著近代扭曲的產物＝在日韓國・朝鮮人，當然也存在著同樣的問題，以及對解決問題的期待。

　　　　本文係為未刊稿，於1994年5月24日在東洋文庫之演講文。長野雅史
　　　　記錄整理

華僑‧華人經濟力新的脈動

◎ 吳元淑譯

新時代序幕揭開於1972年

從目前的時間點回溯，對多數人來說，冷戰體制的式微及結束（1989年秋後相繼而起的東歐巨變及蘇聯解體）乃被視為一個新時代的開始。然而，若是從東南亞華僑、華人問題的觀點出發，則自1972年中美和解（以同年2月的美國尼克森總統訪中之旅為契機）已真正揭開新時代的序幕，這麼判斷不會太離譜吧！

眾所周知，世界各地的「華僑」（本稿將僑居該地之華僑及已取得居住國國籍歸化該國的華人，兩者皆用此概稱，並以引號標示）中，約九成乃散居於東南亞各國，其總人數一般認為約在三千萬至四千萬人左右。

在東南亞各國中，泰國是唯一未被納入歐美殖民體制的國家。雖說如此，但實情乃是由於當時在亞洲爭霸的英法兩國均處在「疲於戰爭」狀態，或是在此兩勢力的抗衡下，泰國始被容許得以緩衝「國家」（或可將其視為亞洲的擬似瑞士型國家的顯現）的型態存在。直至第二次世界大戰結束（1945年8月15日，

以下簡稱八一五），泰國皆保持此種擬似獨立國之體制。

　　也因此直至八一五為止，極大多數東南亞華僑就在此歐美近代殖民地體制下的夾縫中，做為中間人（middle man）求生存。

　　以八一五為契機，東南亞華僑所處的政治、經濟、社會及文化等環境遭逢巨大變化。在此劇變下，華僑父執輩的國家＝中國的國共內戰及中共持續革命，接著新中國的誕生（1949年10月1日），更加劇華僑生存條件的惡化。此情況不但使得他們與故鄉中國大陸間的聯繫往來變得困難，而與他們意志完全無關的「紅色中國」影子，籠罩在他們的日常生活中。這無異使華僑在其居住國面臨更困窘的局面。無獨有偶，由美國主導對「紅色中國」的堅壁封鎖政策，乃持續至1972年尼克森訪中為止，由於相關國家大多追隨美國的對中政策，而其境內的華僑政策通常也被框入此政策架構中。

獨立建國下的華僑壓迫政策

　　第二次世界大戰的終結，也一併促使歐美近代殖民體制的崩解。雖有時差，東南亞各國卻共有了民族解放鬥爭及獨立建國的時代大胎動。這即是所謂的國家建設。其主要的目標極為簡單明瞭，政治面上乃是建立起近代國民國家；經濟面上則以自立的民族經濟為核心，形成國民經濟圈；社會面上乃在統合國民及國民意識的育成；文化面則是制定及普及國語＝標準語，以及振興一般教育等為主要課題。

　　建國的目標設定看來雖簡單，但實踐起來卻伴隨諸多困難。

首先，光是要克服短輒一世紀，長輒近四百年受殖民統治所留下的殖民地遺制，這積陳已久的重症克服就並非可等閒視之。財富被豪取強奪下所造成的後遺症，是顯而易懂的。然而，受殖民體制統治所導致的人性扭曲，卻是深不易見，一般人亦不易察覺。另一方面，長期以來建立東南亞各國所特有，以極具效率並穩固的形式吸取殖民地利潤，複合社會經濟體制（J.S. Furnivall）亦極為根深柢固。在該體制下，華僑由於始終帶有「外來者」的性質，僅被視為殖民體制下的附屬品。然而不管喜歡與否，在歷經長久時間的推移之下，他們在東南亞形成了為數極少的中產階級，並深深地紮根。

在八一五之後的東南亞建國的大時代胎動下，如同上所述般乃以建立近代國民國家為目標。在國民國家的定義下，外來者＝華僑必然被當成代罪羔羊，成為被排除或迫害的對象。因而在東南亞各國相繼而起的排華（排斥華僑）運動，以及華僑屠殺事件，姑且不去論斷運動或事件之好壞，可知在其背後並非全然無理由。

在政治熱季裡，人人處於激昂的情緒，土著性質濃厚民族激情（若加上宗教性的情感則更為炙熱），只要小小的煽動，就得以點燃人們的排他情感，無法抑制下來。在此種環境下所衍生出喪失理性的暴力行為，在道德上也逐漸能得到社會整體的接納。這正可說是歷史傷痕所衍生出的冷酷吧。然而，對華僑的迫害和屠殺，真能夠使東南亞自身的政治經濟狀況好轉嗎?答案卻是否定的。截至目前為止諸多事例皆可印證。

由華僑轉換為華人的苦悶及矛盾

　　然而，被政治熱季的熱氣與瘋狂所捲入的並不只有東南亞各國。「華僑」父執輩的祖國（包含大陸中國及島嶼中國【台灣】）也不能自外於美蘇冷戰的框架下。值得注意的是，1970年代初距中共革命成功時間尚短。而遭美蘇的包圍或許是原因之一吧。當時中共高層主流乃堅信唯有革命是「萬靈丹」。所掀起的文化大革命是最高（在情緒上）及最糟的（效能方面）呈現，今日皆已清晰可見。然中共當局雖屢屢於公開場合強調不輸出革命。但實際上自詡為第三世界革命盟主的中國，乃從物質到精神思想面上，於明於暗皆極力奧援東南亞各國的共產黨及其游擊隊，此乃為公開的祕密。

　　「華僑」們的居住國與其父執輩的祖國展開的方式不同，但都同處於詭譎的政治熱季中。受此雙方狂熱拉扯衝擊下，華僑乃面臨身陷進退維谷的絕境。在困頓之極，華僑為求生存，被迫選擇走上華人（此處的華人，意指原僑居該國後取得居住國國籍歸化該國之人）之路。然而此路狹隘顛簸，並非平坦之途（請參考拙作《華僑——從「落葉歸根」到「落地生根」的苦悶與矛盾》，研文出版）〔參見《全集》11〕。

　　東南亞各國中，印尼乃是最早承認新中國，並與中國建立外交關係的國家（1950年）。繼而蘇卡諾總統與周恩來總理於1955年共同召開著名的萬隆會議（亞非會議）。以此為契機，同年4月22日簽署《中華人民共和國政府和印度尼西亞共和國政府關於雙重國籍問題的條約》。然而關於該條約批准書的交換，印尼方

面卻進行得相當緩慢，直至1960年1月20日始通過，該條約才正式生效。中國及印尼雙方的意圖都相當明確，乃試圖透過國籍的面向對殖民地體制遺留下的「華僑」問題尋求正面的解決。

然而雙方的蜜月期極為短暫。印尼方面對解決此問題的熱誠乃因為政治鬥爭而急速冷卻。在1965年9月30日爆發的「九三〇事件（烏坦上校等軍事武裝失敗事件）」，印尼陸軍藉機大起，強力鎮壓印尼共產黨，大肆逮捕並屠殺相關人士等。此狂潮亦深深波及「華僑」社會。自此，除一部分親近蘇哈托總統之上流階級「華僑」之外，眾所周知，大部分「華僑」皆被迫沉默無聲，經濟活動也不得不保持低調。

另一方面，對美進行解放戰爭一直得到奧援的北越及越共，其與新中國的關係，使得中南半島「華僑」問題被視為是相較容易獲得解決的。人們期待以越南為首的中南半島的革命勢力，會異於其他地區或國家，不會以排擠迫害或虐待等暴力手段，而改採較溫和的方式來處理「華僑」問題。然而，待中南半島「解放」後，boat people＝難民的大量出現，使世界上的有識之士皆感痛心。而知道這些難民的八成皆為「華僑」時，更深刻體悟到「華僑」問題絮根之深，以及其容易淪為政治操弄對象之結構性體質重新被確認。

另外，除九三〇事件前的印尼之外，東南亞各國在八一五以後乃一邊追隨美國的對亞政策，一邊摸索建國之路。這些國家隨後接連參加了由美國所主導的SEATO（Southeast Asia Treaty Organization，東南亞公約組織，1954年9月創設）。接著，這些國家乃呼應美國國務卿杜勒斯所提倡的骨牌理論（為封鎖中共及

北越所設想出的骨牌理論），乃將華僑視為中共的第五縱隊（即間諜），並對其進行壓迫及排擠。此種將多數為中小企業商人的「華僑」皆視為中國共黨間諜的荒誕之說，不但未遭受批判反而到處蔓延開來。而這無法付諸一笑的傷痕就在「華僑」社會殘留下來，由此也就不難想像華人化之路有多艱辛險惡。而另一事例，則是發生在馬來半島吉隆坡的五一三事件（1969年5月13日發生的人種暴動）。此「華僑」屠殺事件乃是繼九三〇事件後的重大事件，令人記憶猶新。這之後除人口75%為華人的新加坡，其他國家皆由於無法發揮開發中國家經濟發展所不可欠缺的中產階級的「華僑」力量，因而經濟停滯不前。這使得他們只能眼睜睜看著鄰近的新加坡在經濟成長道路上全速前進，並獲致成功。

由於居住國的政局不穩以及「華僑」壓抑政策所帶來的不安，「華僑」的資金乃自1960年代之後便流向新加坡、香港，更進而流往台灣。而在其後更支撐了亞洲四小龍（Asia NICs）的經濟發展，最終更開出了匯集全世界熱切視線的美好成果。

與此同時，中上階層的「華僑」家庭，將子弟從居住國送往歐美‧日本等先進國家，而中等階層的「華僑」家庭則將其先送往香港及台灣，再繼而嘗試讓他們轉往歐美‧日本等先進國家留學。由於這些子弟們需要在所留學的當地自立更生，故他們多數選擇以自然科學做為專攻。留學的主要動機並蔚為熱潮，乃在於家鄉的職業歧視，以及在政局動盪下可以分散（家族的）國籍。這是顯而易見的。

這些曾經當過留學生的人，現在都已屆社會中堅分子年紀。他們如同本文後述，開始以新「華僑」力量的主要舵手之姿嶄露

頭角。

「華僑」資金乃在他處安全裡尋求資本化的機會及可能性。「華僑」的子弟們抗拒被動接受因「出生地」而受命運束縛。他們為獲取足夠與自己「命運」對決的必要之手段，尋求更大的活動空間，往先進各國移動。這是為何被稱如野草般旺盛，極具韌性的「華僑」力量由來。

若將能量的動態變化及其轉換的方向比喻「華僑」資金及人力資源的動向，則「全體能量不變原理」亦可適用於「華僑」的能量。以上所述，如同地下水般潛藏於地底的「華僑」能量的出入及變換的結果，直至近年其姿態乃益發明顯。正可謂令人們皆屏息以待、刮目相看的新「華僑」力量。

由一般所謂「動」與「反動」的辯證法，展開來看「華僑」生存環境的諸多狀況下，直至今日才得以意識到「華僑」展現了其自身也料想不到的姿態。而為此感到震驚的應不只筆者一人而已。

中美破冰後華人勢力的再抬頭

八一五之後不久，看似在居住國消聲匿跡的「華僑」勢力重新嶄露頭角。此趨勢大致可分為兩期來看。首先來看第一期。

1971年7月15日。美國國務卿季辛吉密訪中國（7月9日～11日）與周恩來總理會談，發表了1972年5月之前美國總統訪中，（見解）一致的聲明。這是所謂的尼克森衝擊其一，此祕訪震撼全世界。如同聲明所述，美國總統尼克森於1972年2月27日訪中。此是中美關係正式宣告破冰的開始，而這破冰首先衝擊的是

亞洲太平洋地區的先進國家。日本旋即於同年9月29日恢復與中國外交關係的正常化，繼而澳洲於同年12月21日，紐西蘭亦於翌月，皆與中國建立邦交。以上三個先進國家雖都屬亞洲，然其國內皆不存在所謂的「華僑」問題。

　　另一方面，回頭來看東南亞各國對中關係的動向演變。眾所周知，東南亞各國中除新加坡外，馬來西亞乃是「華僑」人口占總人口比率最高的國家（三成強）。同國中亦存在華人系政黨，「華僑」系共黨游擊隊亦仍在活躍中。而這樣的馬來西亞竟是與中國最早建立外交的國家。日期是1974年5月31日。此時否定了雙重國籍，發表了包含「華僑」條款的《中華人民共和國政府和馬來西亞政府聯合公報》。這主張否定雙重國籍以及將華人地位明確化的「華僑」條款，乃成為日後的（標準）模式。

　　翌年1975年6月9日菲律賓、同年7月1日泰國，皆遵循馬來西亞的先例，恢復與中國的外交關係。（請參考拙作《更想知道的華僑》，弘文堂）

　　剩下尚未與中國恢復正常邦交的，就是被稱為「第三中國」的華人國家新加坡及富裕的汶萊兩國。

　　兩國皆「富裕」且在一般種族（人種及民族）意味下的「華僑」問題亦極為微小。自九三〇事件以來，與中國關係急凍的印尼蘇哈托政權，由於內政需要，同時實行中國警戒政策及「華僑」壓抑政策。然而，其在經濟面上乃巧妙的連結「華人」財閥（以三林集團＝林紹良企業集團為典型），嘗試開發獨裁，並獲得一定程度的成功。

　　1989年秋天引發東歐革命風潮之美蘇冷戰體制的解體及「脫

冷戰構造」的胎動，乃開始急速波及東南亞。這是為第二期「華僑」勢力抬頭的開端。「脫意識形態」乃快速以戲劇性的形式在「華僑」問題的關聯出現。而長年以來，活躍於馬來半島以及泰國邊境叢林山岳地區的馬來亞共產黨，簽署了解除武裝的協定（1989年12月）而解體。翌年1990年8月8日印尼與中國恢復邦交，直至當時對印尼皆表現出顧忌的新加坡，乃接著於同年10月3日與中國建立外交關係。至此「華僑」居住國的政治環境有相當顯著的好轉。而東南亞國協（ASEAN）亦展現了想要迎頭趕上亞洲四小龍的氣勢。中國的「改革開放」政策乃全面展開，台灣海峽情勢的穩定化及東南亞全區整體經濟發展的趨勢，開始彼此相互呼應。而這又更進一步帶來政治環境的好轉。自此可想見「華僑」勢力全開的所需條件逐漸齊備。

　　然而，筆者反對坊間所流行的大中華經濟圈、華南經濟圈、華人經濟圈的構想。想以狹隘的「血緣」關係束縛經濟活動的時代已不復存在。赤手空拳的時代也已然結束。掌握領導權的是擁有國際觀以及身懷管理技術等近代技術的新「華僑」。他們不會以政治、法律、血緣、文化上混淆的自我認同自處。而在事業上不正是要如此嗎？期待他們能為了居住國、父執輩的祖國以及整體亞洲的經濟發展，在彼此協調且競爭下奮勉。筆者以為、這乃是全亞洲人應該相互深刻認知的。

本文原刊於《季刊アジアフォーラム》第75號，東京：財団法人アジアクラブ，1995年2月28日，頁38～43

譯者簡介

李毓昭

1961年生。中興大學社會學系畢業。曾任出版社編輯，現爲專職譯者。譯有：《銀河鐵道之夜》（晨星）、《顏面考》（晨星）、《霍去病》（實學社）等。

吳元淑

1977年生。台灣政治大學歷史系畢業，日本一橋大學商學研究科碩士。曾任職日商野村總合研究所、日商網路公司。翻譯領域主要爲企業管理、行銷策略、通訊等，題材廣泛。

林彩美

1933年生。中興大學農經系畢業，日本東京大學農經系博士課程修畢。旅日長達40年，中華料理研究家，曾主持梅苑中華料理研究室（日本）二十餘年。致力於梅苑書庫的保存與研究，長期投入《戴國煇全集》的編譯工作。
著有：《中菜健康瘦身法》（文經社）、《新灶腳的健康料理》（文經社）等；主編：《戴國煇文集》；策劃、《戴國煇全集》等。

莫海君

1969年生。淡江大學日文系畢業，現爲專職譯者。譯有：《長假》（台灣東販）、《貓眼》（時報）等。

彭春陽

1960年生。淡江大學東方語文學系畢業，日本九州大學文學碩士、日本

中央大學博士課程修畢，現爲淡江大學日文系副教授。著有：〈「服務課程としての日本語ガイドクラス〉、〈台湾における日本文学研究の現状と展望〉、〈佐藤春夫と北原白秋の台湾訪問〉等。

章澤儀

1971年生。政治大學資訊管理學系畢業。曾任職出版社、網路科技公司及廣告綜合代理商，現爲專職自由翻譯。自1993年起從事英、日文筆譯。譯有；《大地的咆哮》（玉山社）；小説《熾熱之夢》（蓋亞文化）、《鹽之街》（台灣角川書店）等。

馮雅晴

1979年生。 東吳大學日文系畢業，日本一橋大學言語社會研究科碩士，專攻藝術史與博物館學。嗜藝術嗑文化，爲標準的文化寄生蟲。目前從事展場研究規劃與相關教育活動設計。譯有：《TOFEL托福閱讀測驗》、《LIFE美國校園英語》、《英文搭配詞: 單字這樣學就對了! 》（以上均爲衆文出版）等。

雷玉虹

1964年生。北京中央民族大學民族研究所碩士，現爲上海復旦大學國際關係與公共事務學院博士候選人。曾任北京中國社會科學院台灣研究所助理研究員，日本東京立教大學文學部獎勵研究員，兼職英日文翻譯。譯有：〈台灣的民族性和交叉文化關係〉、〈印度——馬來西亞群島的史前史〉、〈泰國的苗人〉等。

劉靈均

1985年生。現爲台灣大學日文所碩士生，專攻日本殖民地時期詩歌，並任中國文化大學推廣教育部、台北市立成淵高中等兼任講師，兼職日語口譯及筆譯工作。譯有：《第九屆亞洲兒童文學大會論文集日文版》（共譯，台東大學）、《歐洲統合史》（共譯，五南）。

（以上依姓氏筆畫序）

日文審校者簡介

吳文星

1948年生。台灣師範大學歷史研究所博士。曾任美國哈佛大學及史丹佛大學訪問學人，東京大學、京都大學等校外國人客員研究員及招聘外國人學者，歷任台灣師範大學進修部教務主任、歷史學系主任、文學院長，現爲台灣師範大學歷史學系教授、台灣教育史研究會會長。研究專長爲台灣近現代史、中日關係史。

著有：《日據時期在台「華僑」研究》、《日治時期台灣的社會領導階層》、《台灣史》等；〈東京帝國大學與台灣「學術探檢」之展開〉、〈札幌農學校と台灣近代農學の展開——台灣總督府農事試驗場を中心として——〉、〈京都帝國大學與台灣舊慣調查〉等論文一百餘篇。

林水福

1953年生。日本東北大學文學博士。曾任輔仁大學外語學院院長，日文系主任、所長；高雄第一科技大學副校長、外語學院院長；興國管理學院講座教授；東北大學客座研究員等，現爲台北駐日經濟文化代表處台北文化中心主任。專攻平安朝文學、近現代文學，兼及台灣文學、翻譯學。

著有：《他山之石》、《現代日本文學掃描》、《源氏物語的女性》等。譯有：遠藤周作《影子》、《沉默》等；谷崎潤一郎《夢浮橋》、《細雪》等。並於《文訊》雜誌開設東京見聞錄，《聯副》開設東京文化現場專欄。

林彩美

（簡介略，見前述）

張隆志

1962年生。台灣大學歷史系碩士，美國哈佛大學歷史與東亞語言研究所博士。現為中央研究院台灣史研究所副研究員。研究專長為台灣社會文化史、平埔族群史、比較殖民史、台灣史學史及方法論。

著有：《族群關係與鄉村台灣：一個清代台灣平埔族群史的重建和理解》；《坐擁書城：賴永祥先生訪問紀錄》（合著）、《曹永和院士訪問紀錄》（合著）；〈殖民現代性分析與台灣近代史研究〉、〈殖民接觸與文化轉譯：一八七四年台灣「番地」主權論爭的再思考〉與 "Re-imagining Histories from Different Shores" 等中英日文學術論文多篇。

（以上依姓氏筆畫序）

戴國煇全集 12

【華僑與經濟卷三】

著 作 人	戴國煇
策劃／總校	林彩美

編 輯 製 作	財團法人台灣文學發展基金會
	10048台北市中山南路11號6樓
	02-2343-3142
編 輯 委 員	王曉波　吳文星　張錦郎　張隆志
	陳淑美　劉序楓（依姓氏筆畫序）
主　　　編	封德屏
執 行 編 輯	江侑蓮　王為萱
美 術 設 計	不倒翁視覺創意

出　　　版	文訊雜誌社
發 行 人	王榮文
發 行 所	遠流出版事業股份有限公司
	10084台北市中正區南昌路二段81號6樓
	（02）2392-6899
	http：//www.ylib.com

排　　　版	浩瀚電腦排版股份有限公司
印　　　刷	松霖彩色印刷事業有限公司
初　　　版	民國100年（2011）4月
定　　　價	全27冊（不分售）精裝新台幣16,000元整
ISBN	978-986-87023-6-3（全集12：精裝）
	978-986-85850-4-1（全套：精裝）

國家圖書館出版品預行編目（CIP）資料

戴國煇全集 . 10-12，華僑與經濟卷／戴國煇著 .
－－ 初版 . －－ 台北市：文訊雜誌社出版；遠流
發行 , 2011.04
　　冊；　公分
ISBN　978-986-87023-4-9（第1冊：精裝）. －－
ISBN　978-986-87023-5-6（第2冊：精裝）. －－
ISBN　978-986-87023-6-3（第3冊：精裝）

1. 史學　2. 文集

607　　　　　　　　　　　　　　　100001709